技術士 第二次試験「上下水道部門」対策〈論文事例〉&重要キーワード

第7版

高堂彰二・金川 護・飯田雅弘 編著

日刊工業新聞社

はじめに

技術士は技術的専門知識と応用能力及び豊富な実務経験に基づいた問題解決能力を備え、しかも、公益を確保するため、技術者倫理を備えた技術者です。技術士第二次試験は、受験者がそのような能力を備えた人であるかを問う国家試験です。

当然、試験問題は多岐にわたり、個々の知識を問うと同時に、設問の中から問題点を見つけ、解決案を考える等、実務経験に基づく応用能力が問われる問題となります。

2019年度から技術士試験の内容が大幅に変わりました。主なものは次のとおりです。

①上下水道部門での選択科目は今まで3科目でしたが、水道環境が上水道及び工業用水道と一緒になり、上水道及び工業用水道と下水道の2科目となりました。

②必須科目は2013年から記述式から択一式になりましたが、2019年度から元に戻り択一式が無くなり記述式となりました。

③2013年から技術的体験論文の提出が無くなりましたが、口頭試験では受験票と一緒に提出した業務内容の詳細の内容が技術的体験論文に代わって、受験者の実務経験と能力を測る手段になり、実務経験証明書の重要性が増しています。そして技術士としての実務能力と適格性を問われます。

本書では2014年度から2023年度の試験問題を網羅し、過去の出題傾向を分析し、これを基に選択科目の重要キーワードを選び出し、その解説をしております。

また、2023年度の「上下水道及び工業用水道」、「下水道」に関する、必須科目、選択科目の専門、応用能力、課題解決能力の解答例を示しておりますので、ご自分で解答を作る練習の参考としてください。

この本のみで上下水道部門の受験者を対象として、技術士第二次試験への対策ができるようにしてあります。受験者の皆さんは、この本を活用され、内容を理解し、合格するよう努力されることを願っております。

2024年1月

著者一同

目　次

第1章

技術士試験について

1. 技術士とは

1.1　技術士とは

○「技術士Professional Engineer」とは

技術士は、産業経済、社会生活の科学技術に関するほぼすべての分野（21の技術部門）にわたり、先進的な活動から身近な生活にまで関わっている技術者です。

また、技術士は、科学技術に関する高度な知識と応用能力が認められた技術者で、科学技術の応用面に携わる技術者に与えられる権威のある国家資格です。さらに技術士は、高い技術者倫理を備え、継続的な資質向上に努めることが責務となっています。

○「技術士制度」誕生の背景

第二次世界大戦後、当時吉田首相から荒廃した日本の復興に技術者の奮起を強く要請され、「国の復興に尽力し、世界平和に貢献するため、社会的責任をもって活動できる権威ある技術者」が必要となり、米国のコンサルティングエンジニア制度を参考に『技術士制度』が創設されました。

○『技術士法』

技術士法は、1957年5月20日に制定されました。技術士等の資格を定め、その業務の適正を図り、もって科学技術の向上と国民経済の発展に資することを目的としています。

○海外の同様な資格

欧米の高等な専門技術者数は、イギリスCEng（Chartered Engineer）が180,000人、アメリカPE（Professional Engineer）が820,000人で、日本の3～5倍と多くなっています。優れた技術者集団を日本に継続的に構築していくため、技術士資格の保有者数の増大を図り、欧米程度の水準に向けて拡大することが、国や社会からも期待されています。

『技術士』が登録申請できる国際的技術者資格としては、APECエンジニア、IPEA国際エンジニアがあります。いずれも国際的に通用するレベルの技術者であることが証明され、グローバル化する国際社会に対応して、技術者が国境を越えて活躍することを促進するための制度です。

・「APECエンジニア」

APECエンジニアプロジェクトは現在14のエコノミーが参加する枠組みです。

日本	中国香港	ニュージーランド
オーストラリア	インドネシア	フィリピン
カナダ	韓国	シンガポール
台湾	マレーシア	アメリカ合衆国
ロシア	ペルー	

・「IPEA国際エンジニア」

技術者の流動化に関するフォーラムに、現在15のエコノミーが参加する枠組みです。

日本	中国香港	マレーシア
オーストラリア	インド	ニュージーランド
カナダ	アイルランド	スリランカ
台湾	韓国	アメリカ合衆国
南アフリカ	イギリス	パキスタン

技術士は技術士法という国の法律で定められた技術者の資格制度です。その第一条では「技術士等の資格を定め、その業務の適正を図り、もって科学技術の向上と国民経済の発展に資することを目的とする。」と記されています。

技術士制度は「科学技術に関する技術的専門知識と高等の応用能力及び豊富な実務経験を有し、公益を確保するため、高い技術者倫理を備えた、優れた技術者」の育成を図るための、国による資格認定制度（文部科学省所管）です。

科学技術に関する高度な知識と応用能力及び技術者倫理を備えている有能な技術者に技術士の資格を与え、有資格者のみに技術士の名称の使用を認めることにより、技術士に対する社会の認識と関心を高め、科学技術の向上と国民経済の発展を図ることとしています。

技術士とは技術士法（以下『法』という）「第三十二条第一項の登録を受け、技術士の名称を用いて、科学技術に関する高等の専門的応用能力を必要とする

事項についての計画、研究、設計、分析、試験、評価又はこれらに関する指導の業務を行う者」のことです。（法第二条第一項）

すなわち技術士は、次の要件を具備した者です。

①技術士第二次試験に合格し、法定の登録を受けていること

②業務を行う際に技術士の名称を用いること

③業務の内容は、自然科学に関する高度の技術上のものであること（他の法律によって規制されている業務、たとえば建築の設計や医療などは除かれます）

④業務を行うこと、すなわち継続反復して仕事に従事すること

これを簡単に言うと技術士とは、

「豊富な実務経験、技術的専門知識及び高度の応用能力を有するとして、国家から認定を受けた高級技術者」

ということになります。

大部分の技術士は、国・地方自治体・企業等の組織において業務を遂行しています。

また、自営のコンサルタントとして次のような分野においても活躍しています。

①公共事業の事前調査・計画・設計監理

②地方公共団体の業務監査のための技術調査・評価

③裁判所、損保機関等の技術調査・鑑定

④地方自治体が推進する中小企業向け技術相談等への協力

⑤中小企業を中心とする企業に対する技術指導、技術調査・研究、技術評価等

⑥大企業の先端技術に関する相談

⑦開発途上国への技術指導

⑧銀行の融資対象等の技術調査・評価

1.2　技術士補とは

「技術士となるのに必要な技能を修習するため、法第三十二条第二項の登録を受け、技術士補の名称を用いて、技術士の業務について技術士を補助する者」のことです。（法第二条第二項）

すなわち技術士補は、

①技術士第一次試験に合格し、または指定された教育課程（JABEE）を修了し、同一技術部門の補助する技術士を定めて、法定の登録を受けていること。

②技術士補の名称を用いて、技術士の業務を補助する業務を行うこと。

以上の要件を具備した者です。

1.3　技術士・技術士補の現況

昭和33年度以来、令和5年3月末現在、技術士の合計は99,204人となります。うち約45％が建設部門、次いで、総合技術監理部門、上下水道部門、機械部門、電気電子部門の技術士の数が比較的多いと言えます。

業態別では、技術士全体の79％が一般企業等（コンサルタント会社含む）、約12％が官公庁・法人等に勤務し、約9％は自営で業務を行っています。

技術士補は令和5年3月末現在43,540人です。

1.4　技術士の役割と職能的位置づけ

我が国には現在215万人を超す技術者が、国内外の多様な分野と職域で活躍し、国の発展、公共の安全そして環境の保全に貢献しています。これらの技術者のうち、公に認められた高度な技術を持つ技術士は約10万人です。

技術士は、技術士の名称を用いてさまざまな分野で活躍しています（技術士資格の無い人は技術士を名乗ることはできません。名乗った場合には30万円以下の罰金刑が与えられます）。

特に建設部門、上下水道部門の技術士は設計・工事の監督・管理技術者として必要な資格であり、重要な働きをしています。しかしながら、これら以外の部門では、技術士資格が無くても行える仕事が多く、せっかく取った技術士資格が十分に社会に生かされていません。公益社団法人日本技術士会では科学技術創造立国の実現を目指して「技術士ビジョン21」を発表し、職域ごとの技術士のあり方について述べています。

1）独立したコンサルタントとしての技術士

2）企業内技術者としての技術士

3）公務員技術者としての技術士

4）教育・研究者としての技術士

5）知的財産評価者としての技術士

6）その他の職域で活躍する技術士

と活躍できる分野を示しています。

現在、技術士部門は21部門あり、機械、船舶・海洋、航空・宇宙、電気電子、化学、繊維、金属、資源工学、建設、上下水道、衛生工学、農業、森林、水産、経営工学、情報工学、応用理学、生物工学、環境、原子力・放射線、総合技術監理部門からなっています。

1.5　技術士の義務と責務

技術士の使命、社会的地位及び職責を自覚するとともに技術士等の信用を高め、技術士の活用を図るため、義務と責務が課せられます。

技術士および技術士補には、技術士法によって3つの義務と2つの責務が課せられています。

3つの義務とは、以下の条項になります。

①信用失墜行為の禁止（法第四十四条）

技術士又は技術士補は、技術士若しくは技術士補の信用を傷つけ、又は技術士及び技術士補全体の不名誉となるような行為をしてはならない。

②技術士等の秘密保持義務（法第四十五条）

技術士又は技術士補は、正当な理由がなく、その業務に関して知り得た秘密を漏らし、又は盗用してはならない。技術士又は技術士補でなくなった後においても、同様とする。

③技術士の名称表示の場合の義務（法第四十六条）

技術士は、その業務に関して技術士の名称を表示するときは、その登録を受けた技術部門を明示してするものとし、登録を受けていない技術部門を表示してはならない。

また、2つの責務は以下の条項からなります。

①技術士等の公益確保の責務（法第四十五条の二）

技術士又は技術士補は、その業務を行うに当たっては、公共の安全、環境の保全その他の公益を害することのないよう努めなければならない。

②技術士等の資質向上の責務（法第四十七条の二）

技術士は、常に、その業務に関して有する知識及び技能の水準を向上させ、その他その資質の向上を図るよう努めなければならない。

これらの義務違反に対しては、行政処分として、「技術士又は技術士補の登録の取り消し又は二年以内の技術士、若しくは技術士補の名称の使用禁止の処分」を受けます。（法第三十六条第二項）

また、法律上、「技術士の業務に対する報酬は、公正かつ妥当なものでなければならない。」と定められています。（法第五十六条）

この規定の意味することは技術やノウハウのような無形の財に対する評価が必ずしも確立しているとは言いがたい我が国の社会において、技術士の知識・能力が正当に評価されることを求めたものです。

また、「技術士ビジョン21」では義務と責務について、以下のように解説されています。

1）公益確保等の社会的役割に対する責務

3つの義務の履行は、技術士として当然なすべきことであり、いずれの職域の技術士もこれを侵すことはできません。

技術士は、技術面で責任の重い役割を担うことが多く、公の生命や財産の安全を損なう危険性が高いため、公益確保を最優先して倫理的な判断、技術的な判定を下さなくてはなりません。

自然との共生や公の安全などを前提とした職業倫理の遵守は、21世紀の技術士にとって最も重要な課題となります。

2）技術者の資質向上への責務（CPD）

新技術士誕生のときの能力をスタートレベルに、常にそれ以上の能力を目指して自己の責任によって継続的に研さんを積むことです。

「継続研さん」すなわちCPD（Continuing Professional Development）を行うことによって、常に最新の知識や技術を取得する必要があります。

この研さんの対象としては次のようなものを挙げています。

①研修会、講習会、研究会、シンポジウム等への参加

②論文等の発表

③企業内研修及びOJT

④研修会、講習会、研究会、シンポジウムの講師

⑤産業界における特別の業務経験（表彰を受けた業務、特許出願した業務等）

⑥その他（審議会、学協会への委員就任。技術図書の執筆。研究機関での研究開発に参加。国際機関の技術協力への参加。等）

3）技術士の国際的責務

①我が国は常に国際社会で、技術面の主導権を握ることが重要な課題です。そのためにも技術士はAPECエンジニアへの登録などの国際的資格の取得やその活用をできるようにします。

②国際競争への参画と技術移転

技術のグローバル化の進展に伴い、国際競争への参画と技術移転も技術士の責務です。

1.6　技術士（上下水道部門）の特典と現状

技術士は名称独占資格で、「技術士でない者は、技術士又はこれに類似する名称を使用してはならない。」（法第五十七条第一項）。技術士でない者が技術士又はこれに類似する名称を使用すると、30万円以下の罰金に処せられる（法第六十二条第三号）。これは、高度の技術能力を持ち、技術者倫理に基づき、社会的に信用できる技術士としての適格者のみに技術士の名称を認めるものです。さらに、技術士でない者にはその名称の使用を禁止することは、技術士に対する社会の認識を一段と高める狙いがあります。

また、国の諸制度で有資格者として認めていたり、資格試験の一部またはすべてが免除されています。

以下に（公社）日本技術士会ホームページ（https://www.engineer.or.jp/）より、上下水道部門に関係あるもののみを掲載します（令和3年8月現在）。

「技術士資格の公的活用（有資格者として認められているもの）」

○国土交通省

・建設コンサルタントとして国土交通省に部門登録をする場合の専任技術管理者（上水道及び工業用水道、下水道）
・公共下水道又は流域下水道の設計又は工事の監督管理を行う者（上下水道部門のうち下水道）
・一般建設業の営業所専任技術者又は主任技術者（上下水道部門）
・特定建設業の営業所専任技術者又は監理技術者（上下水道部門）
・開発許可申請の場合の設計者（上下水道部門）
○国土交通省・環境省
・公共下水道又は流域下水道の維持管理を行う者（上下水道部門のうち下水道）
○経済産業省（中小企業庁・中小企業基盤整備機構）
・中小企業・ベンチャー総合支援事業派遣専門家として登録される専門家（全技術部門）
○厚生労働省
・労働契約期間の特例（全技術部門）
・水道の布設工事監督者（上下水道部門のうち上水道及び工業用水道）
「他の公的資格取得上の特典」
○総務省
・消防設備士（甲種・乙種）：甲種受験資格を認定
・消防設備点検資格者（特種・第1種・第2種）：受講資格を認定
○厚生労働省
・建築物環境衛生管理技術者：受講資格を認定
・労働安全コンサルタント：受験資格を認定
・労働衛生コンサルタント：受験資格を認定
・作業環境測定士（第1種・第2種）：受験資格を認定
○経済産業省（特許庁）
・弁理士：筆記試験（論文式）一部免除
○国土交通省
・土木施工管理技士（1級・2級）：一次検定免除
・管工事施工管理技士（1級・2級）：一次検定免除
○(公社)日本推進技術協会
・推進工事技士：一次試験免除

○大阪府・埼玉県・千葉市・市原市・川崎市・那覇市　他
・廃棄物処理施設の技術管理者（上下水道部門）
○東京都環境局
・東京都1種公害防止管理者；東京都1種公害防止管理者講習会修了者（全技術部門）
○各都道府県等
・被災宅地危険度判定士；被災宅地危険度判定士講習会修了者（上下水道部門）
○厚生労働省・環境省
・廃棄物処理施設技術管理者；申請資格を認定
○経済産業省・環境省
・特定工場における公害防止管理者（ばい煙発生施設、汚水等排出施設、騒音発生施設、振動発生施設、特定粉じん発生施設、一般粉じん発生施設、ダイオキシン類発生施設）：受講資格を認定

上下水道部門技術士は建設部門についで2番目に人数が多い部門です。これは上下水道部門の技術士はコンサルタント会社で、建設部門と同様に主任技術者としての必要があるためです。したがって、上下水道部門の技術士は建設部門技術士と同様に、コンサルタント会社勤務が多い特徴があります。技術士は名称独占で、業務独占ではないのですが、上下水道部門の技術士は結果的に建設部門技術士と同様に業務独占に準じています。

1.7　公益社団法人日本技術士会について

技術士法第五十四条で、その名称中に日本技術士会という文字を使用する一般社団法人は、技術士を社員とする旨の定款の定めがあり、かつ、全国の技術士の品位の保持、資質の向上及び業務の進歩改善に資するため、技術士の研修並びに社員の指導及び連絡に関する事務を全国的に行うことを目的とするものに限り、設立することができる。とし、前項に規定する定款の定めは、これを変更することができない。としています。

公益社団法人日本技術士会の会員数は約16,081名（令和5年3月現在）です。なお、技術士第一次試験合格者は、準会員として加入が認められています。

公益社団法人日本技術士会は次のような業務を行っています。

1）技術士活動分野の拡大強化

①各産業分野への技術士の参入の推進

②技術士業務の開発

③技術士に対する各種公的資格の付与等活用の推進

2）研修会、研究成果発表会等を通じ技術士継続研さん活動の推進

3）技術士全国大会、地域産学官と技術士合同セミナー等の行事の開催

4）技術士制度の普及啓発

5）国際交流の推進

6）国の指定機関として技術士の試験及び技術士等の登録業務の実施

〈公益社団法人日本技術士会及び各地域本部等〉

公益社団法人 日本技術士会	〒105-0011	東京都港区芝公園 3-5-8　機械振興会館 2 階 Tel.（03）3459-1331 URL：https://www.engineer.or.jp
技術士試験センター		東京都港区芝公園 3-5-8　機械振興会館 4 階 Tel.（03）6432-4585
北海道本部	〒060-0002	札幌市中央区北 2 条西 3-1　敷島ビル 9 F TEL（011）801-1617
東北本部	〒980-0012	仙台市青葉区錦町 1-6-25　宮酪ビル 2 階 Tel.（022）723-3755
北陸本部	〒950-0965	新潟市中央区新光町 10-3 技術士センタービルⅡ 7 階 Tel.（025）281-2009
北陸本部石川事務局	〒921-8042	金沢市泉本町 2-126 （株）日本海コンサルタント内 Tel.（076）243-8287
中部本部	〒450-0002	名古屋市中村区名駅 5-4-14　花車ビル北館 6 階 Tel.（052）571-7801
近畿本部	〒550-0004	大阪市西区靱本町 1-9-15　近畿富山会館ビル 2 階 Tel.（06）6444-3722
中国本部	〒730-0017	広島市中区鉄砲町 1-20　第 3 ウエノヤビル 6 階 Tel.（082）511-0305
四国本部	〒760-0067	高松市松福町 2-15-24　香川県土木建設会館 3 階 Tel.（087）887-5557
九州本部	〒812-0012	福岡市博多区博多駅前 3-19-5 博多石川ビル 6 階 Tel.（092）432-4441
沖縄県技術士会	〒900-0021	那覇市泉崎 1-7-19 （一社）沖縄県測量建設コンサルタンツ協会内 Tel.（098）988-4166

（令和 5 年 12 月）

入会金と会費を支払うと、会員になることができます。会員になると会員証が発行され、自動的に部門ごとの部会の会員になります（上下水道部門合格者は上下水道部会会員)。月刊会員誌『技術士』（毎月１回）の送付、さまざまな部会行事（継続研さん活動の一環として講演会や工場見学等）への参加、また、社会貢献を目的とし、有志会員が集まって設立し、公益社団法人日本技術士会に登録した研究会等への参加、活動ができます。

2. 技術士試験制度について

技術士制度は、科学技術に関する技術的専門知識と応用能力及び豊富な実務経験を有し公益を確保するため、技術者倫理を備えた、優れた技術者の育成を図るための国による技術者の資格認定制度（技術士法に基づく制度）です。

技術士は、機械部門から総合技術監理部門まで21の技術部門ごとに行われる技術士第二次試験に合格し、登録した人だけに与えられる名称独占の資格です。

この資格を取得した者は、科学技術に関する高度な応用能力と高い技術者倫理を備えていることを国によって認定されたことになります。したがって、科学技術の応用面に携わる技術者にとって最も権威のある国家資格とされているのが技術士です。

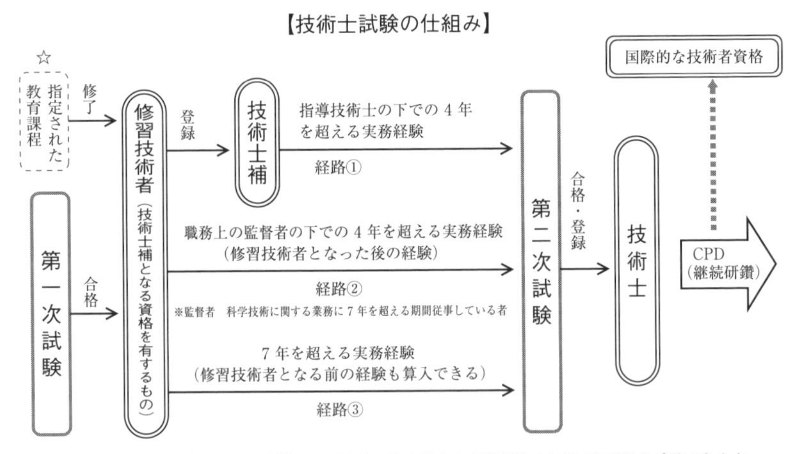

経路①の期間と経路②の期間を合算して、通算４年を超える実務経験でも第二次試験を受験できます。

図1.1　技術士試験制度

☆「指定された教育課程」について

図中に、「指定された教育課程」とありますが、これは、「大学その他の教育機関における課程であって科学技術に関するもののうち、その修了が第一次試験の合格と同等であるものとして文部科学大臣が指定したもの」を指します。

(1) 受験資格

技術士第二次試験を受験するには、受験申込みを行う時点で、下記の (1) 及び (2) の要件を満たしていることが必要となります。

(1) 技術士補となる資格〔次のうちいずれか〕を有していること

・技術士第一次試験に合格

・指定された教育課程※を修了

※第一次試験の合格と同等であると文部科学大臣が指定したもの

(2) 下記①～③のうち、いずれかの業務経歴を有していること

① 技術士補に登録して以降、技術士補として、4年を超える期間指導技術士を補助している。

② 技術士補となる資格を有した日※1以降、監督者の指導※3の下で、科学技術に関する業務※2について、4年を超える期間従事している。〔技術士補登録は不要〕

③ 科学技術に関する業務※2について、7年を超える期間従事している。〔技術士補登録は不要〕

⇨③は、技術士補となる資格を有した日※1以前の期間も算入できる。

また、指導者や監督者の有無・要件を問わない。

①～③のすべての期間に大学院における研究経歴の期間 (2年間を限度) を減じることができます。

①と②の業務経歴は、相互に合算することができます。

※1 「第一次試験の合格日」又は「指定された教育課程の修了日」

※2 科学技術（人文科学のみに係るものを除く。）に関する専門的応用能力を必要とする事項についての計画、研究、設計、分析、試験、評価（補助的業務を除く。）又はこれらに関する指導の業務

※3　②における監督の要件は、次のとおりです。

a）科学技術に関する業務[※2]に従事した期間が7年を超え、かつ、第二次試験を受けようとする者を適切に監督することができる職務上の地位にある者によるものであること。

【職務上の上下関係に基づき、常時技術的指導を行い得る立場にある者】

b）第二次試験を受けようとする者が技術士となるのに必要な技能を修習することができるよう、a）に規定する業務について、指導、助言その他の適切な手段により行われるものであること。

【設計・計画等に関する技術的指導、レポート作成指導等の手段】

(2) 技術部門

技術士の部門は21に分かれており、技術士試験は部門ごとに受けるようになっています。読者の皆さんの大多数は上下水道部門で受けると思います。技術士法第四十六条に示される「名称表示の場合の義務」に基づき、合格して技術士として登録すると、受験した部門の技術士として名乗ることができます。つまり名刺には「技術士（上下水道部門）」と明記します。

技術士第二次試験では、20の技術部門プラス「総合技術監理部門」で21部門となります。その技術部門名を表1.1に示します。

表1.1　技術部門

1. 機械部門	11. 衛生工学部門
2. 船舶・海洋部門	12. 農業部門
3. 航空・宇宙部門	13. 森林部門
4. 電気電子部門	14. 水産部門
5. 化学部門	15. 経営工学部門
6. 繊維部門	16. 情報工学部門
7. 金属部門	17. 応用理学部門
8. 資源工学部門	18. 生物工学部門
9. 建設部門	19. 環境部門
10. 上下水道部門	20. 原子力・放射線部門

(3) 上下水道部門の選択科目

上下水道部門は2つの専門事項に分かれます。ここでは今までの各自の経験から、それぞれ専門事項を選択し、これを選択科目と呼びます。次に選択科目とその内容を表1.2に示します。

専門とする事項の選択には、自分が技術士として活躍できる科目を選びます。ただし、業務内容によっては他部門が適当な場合があるので、関連のある部門の選択科目、専門事項を確認したうえで選択したほうがよいでしょう。

表1.2　上下水道部門選択科目一覧表

選択科目	選択科目の内容
10－1　上水道及び工業用水道	上水道計画、工業用水道計画、水源環境、取水・導水、浄水、送配水、給水、水質管理、アセットマネジメント、その他の上水道及び工業用水道に関する事項
10－2　下水道	下水道計画、流域管理、下水収集・排除、下水処理、雨水管理、資源・エネルギー利用、アセットマネジメント、その他の下水道に関する事項

3. 技術士第二次試験について

(1) 試験科目

筆記試験は、下記のように必須科目と選択科目からなります。

表1.3　第二次試験の試験内容と解答時間

試験科目	試験内容［配点］	解答時間
Ⅰ 必須科目	「技術部門」全般にわたる専門知識、応用能力、問題解決能力及び課題遂行能力に関するもの 記述式　600字×3枚以内　［40点］	2時間00分 (10：00～12：00)
Ⅱ 選択科目	「選択科目」についての専門知識及び応用能力に関するもの 記述式　600字×3枚以内　［30点］	3時間30分 (13：00～16：30)
Ⅲ 選択科目	「選択科目」についての問題解決能力及び課題遂行能力に関するもの 記述式　600字×3枚以内　［30点］	

Ⅰ必須科目は、「技術部門」全般にわたる専門知識、応用能力、問題解決能力及び課題遂行能力に関する問題が出題されます。2問題のうち1問題を選択し解答します。

Ⅰ　必須科目

「技術部門」全般にわたる専門知識、応用能力、問題解決能力及び課題遂行能力に関するもの

記述式　600字×3枚以内［40点］【2問出題1問選択解答】

概　念	専門知識 専門の技術分野の業務に必要で幅広く適用される原理等に関わる汎用的な専門知識
	応用能力 これまでに習得した知識や経験に基づき、与えられた条件に合わせて、問題や課題を正しく認識し、必要な分析を行い、業務遂行手順や業務上留意すべき点、工夫を要する点等について説明できる能力
	問題解決能力及び課題遂行能力 社会的なニーズや技術の進歩に伴い、社会や技術における様々な状況から、複合的な問題や課題を把握し、社会的利益や技術的優位性などの多様な視点からの調査・分析を経て、問題解決のための課題とその遂行について論理的かつ合理的に説明できる能力
出題内容	現代社会が抱えている様々な問題について、「技術部門」全般に関わる基礎的なエンジニアリング問題としての観点から、多面的に課題を抽出して、その解決方法を提示し遂行していくための提案を問う。
評価項目	技術士に求められる資質能力（コンピテンシー）のうち、専門的学識、問題解決、評価、技術者倫理、コミュニケーションの各項目

Ⅱ選択科目は、専門知識と応用能力からなります。

専門知識を問う問題は、4問のうち、1問を選択して解答します。解答用紙は、600字詰用紙1枚となっています。

応用能力を問う問題は、2問題のうち1問題を選択し解答します。

Ⅱ　選択科目

1.「選択科目」についての専門知識に関するもの

記述式　600字×1枚以内［10点］【4問出題1問選択解答】

概　念	「選択科目」における専門の技術分野の業務に必要で幅広く適用される原理等に関わる汎用的な専門知識
出題内容	「選択科目」における重要なキーワードや新技術等に対する専門知識を問う。
評価項目	技術士に求められる資質能力（コンピテンシー）のうち、専門的学識、コミュニケーションの各項目

2.「選択科目」についての応用能力に関するもの

記述式 600字×2枚以内［20点］【2問出題1問選択解答】

概　念	これまでに習得した知識や経験に基づき、与えられた条件に合わせて、問題や課題を正しく認識し、必要な分析を行い、業務遂行手順や業務上留意すべき点、工夫を要する点等について説明できる能力
出題内容	「選択科目」に関係する業務に関し、与えられた条件に合わせて、専門知識や実務経験に基づいて業務遂行手順が説明でき、業務上で留意すべき点や工夫を要する点等についての認識があるかどうかを問う。
評価項目	技術士に求められる資質能力（コンピテンシー）のうち、専門的学識、マネジメント、コミュニケーション、リーダーシップの各項目

Ⅲ選択科目は、問題解決能力及び課題遂行能力を問う問題となっており、2問題のうち1問題を選択し解答します。

Ⅲ　選択科目

「選択科目」についての問題解決能力及び課題遂行能力に関するもの

記述式 600字×3枚以内［30点］【2問出題1問選択解答】

概　念	社会的なニーズや技術の進歩に伴い、社会や技術における様々な状況から、複合的な問題や課題を把握し、社会的利益や技術的優位性などの多様な視点からの調査・分析を経て、問題解決のための課題とその遂行について論理的かつ合理的に説明できる能力
出題内容	社会的なニーズや技術の進歩に伴う様々な状況において生じているエンジニアリング問題を対象として、「選択科目」に関わる観点から課題の抽出を行い、多様な視点からの分析によって問題解決のための手法を提示して、その遂行方策について提示できるかを問う。
評価項目	技術士に求められる資質能力（コンピテンシー）のうち、専門的学識、問題解決、評価、コミュニケーションの各項目

技術士としての適格性を判定することに主眼をおき、口頭試験は、筆記試験の合格者に対して、筆記試験の答案（問題解決能力・課題遂行能力を問うもの）及び業務経歴により、次の内容について試問されます。業務経歴については、特に720文字で記載した業務内容の詳細についての試問が行われます。

表1.4　口頭試験の試問事項と試問時間

試問事項［配点］	試問時間
Ⅰ　技術士としての実務能力 ①　コミュニケーション、リーダーシップ　［30点］ ②　評価、マネジメント　［30点］	20分 （10分程度延長の場合もあり）
Ⅱ　技術士としての適格性 ③　技術者倫理　［20点］ ④　継続研さん　［20点］	

(2) 配点と合格基準

合否決定基準は、下表となっています。ここで選択科目に着目してみてください。Ⅱ選択科目（専門知識と応用能力）とⅢ選択科目（問題解決能力及び課題遂行能力）の合計で合否が判定されることになっています。つまり、一つの科目が不可であっても、別の科目である程度カバーできるということです。しかし、最初からそれを目指してはいけません。あくまで、どの科目も最低60％以上を取るつもりで挑む必要があります。

筆記試験

試験科目	問題の種類等	合否決定基準
必須科目	「技術部門」全般にわたる専門知識、応用能力、問題解決能力及び課題遂行能力に関するもの	60％以上の得点
選択科目	「選択科目」についての専門知識及び応用能力に関するもの	60％以上の得点
	「選択科目」についての問題解決能力及び課題遂行能力に関するもの	

口頭試験

試問事項		合否決定基準
技術士としての実務能力	コミュニケーション、リーダーシップ	60％以上の得点
	評価、マネジメント	60％以上の得点
技術士としての適格性	技術者倫理	60％以上の得点
	継続研さん	60％以上の得点

4. 受験申込書の書き方

(1) 受験申込書とは

他の資格試験と異なり、技術士第二次試験は受験申込書の記入の時点から始まると思ってよいでしょう。それは次の理由によります。

①受験申込時点で経歴審査があり、受験資格を満たしていなければ受験できません。

②口頭試問において、受験申込書に記載した経歴・業績が、間違いなく本人が経験したことかどうか確認されます。特に720文字で記載した業務内容の詳細を中心として、試問が行われます。

(2) 受験申込の方法

受験申込書類は、公益社団法人日本技術士会宛に、簡易書留郵便で郵送します。

受験申込書は、口頭試験のときには試験官の手元に置かれて質問される資料にもなります。申込書を提出する前に必ずコピーを取っておきましょう。また、申込書類に不備があった場合に、書類が返送される場合もあります。補完して再提出する場合でも、締切は当初の申込期間で延長は無いので、受付期間の早目に提出したほうがよいでしょう。

(3) 受験申込書の書き方（その1）

受験申込書を参考に、受験申込の際の注意事項を説明します。

①受験地記入欄

技術士第二次試験の筆記試験は下記の12都道府県で実施されています。

北海道、宮城県、東京都、神奈川県、新潟県、石川県、愛知県、
大阪府、広島県、香川県、福岡県、沖縄県

筆記試験当日の予定（転勤、長期出張、転職等）を考慮し、受験しやすい場所を選びましょう。

技術士第二次試験受験申込書

文部科学大臣指定試験機関 公益社団法人 日本技術士会会長 殿
下記により、技術士第二次試験を受験したいので、申し込みます。　　　　年　月　日

（フリガナ）		受験地		①
氏　名	（男□・女□）	技術部門		②
生年月日	年　月　日生	選択科目		③
本籍地	都道府県　都道府県コード			
現住所	〒	専門とする事項		④
	マンション名等	総合技術監理部門の受験を申し込む者で、右のいずれかに該当する者は□に✔を付すこと	他の技術部門と併願 □	
都道府県コード			選択科目が免除 □	
	電話番号	最終学歴	学校名	⑤
勤務先	勤務先名	最終学歴コード	学部学科名	⑤
勤務先コード	支店・部課名等			
	電話番号	卒業(修了)年月	年　月	⑤

下記の該当する□に✔を付し、必要事項を記入すること。

□	技術士第一次試験合格証番号及び合格年月	第　号	年　月
□	技術士補登録番号及び登録年月日	第　号	年　月　日
□	技術士法第三十一条の二第二項の規定により文部科学大臣が指定した大学その他の教育機関における課程及び当該課程の修了年月 学校名　学校コード　課程　課程コード		年　月

⑥

総合技術監理部門の選択科目の免除を申し込む場合には、下記の該当する□のいずれかに✔を付し、必要事項を記入すること。

技術士第二次試験合格証番号又は技術士登録番号			合格年月又は登録年月日	合格した技術部門
□	合格証番号	第　号	年　月	
□	登録番号	第　号	年　月　日	

※	整理番号	
	技術士法第六条第二項第一号	□
	技術士法第六条第二項第二号	□
	技術士法第六条第二項第三号	□

備考1　※印欄には、記入しないこと。
2　氏名の欄中（　）内は、該当する□に✔を付すこと。
3　指定試験機関に申し込む場合には、所定の手続により受験手数料を納付し、払込受付証明書をはること。
4　用紙の大きさは、日本工業規格 A4 とする。

年　月　日撮影

写真貼付欄

第二次試験の申込前6箇月以内に半身脱帽で撮った縦4.5センチメートル、横3.5センチメートルの写真で本人と確認できるものをはること。

受験手数料払込受付証明書貼付欄

②技術部門記入欄

技術部門は20の技術部門の中から選びます。ここでは「上下水道部門」を選択します。

③選択科目記入欄

各技術部門に設けられている選択科目から選びます。上下水道部門では「上水道及び工業用水道」、「下水道」の2つの選択科目から選びます。

④専門とする事項記入欄

技術部門、選択科目はすでに指定された中から選択しますが、「専門とする事項」には特に指定はありません。ここで「専門とする事項」とは、皆さんが経験してきた専門技術のことで、できるだけ実務経験証明書に○をつけた業務内容に合わせたほうが良いでしょう。表1.2　選択科目一覧表（15ページ参照）の「選択科目の内容」を参考として、できるだけ一覧表の文言に合わせることをお勧めします。

⑤学歴記入欄

最終学歴を記入します。特に文部科学大臣が指定した教育機関を修了し、受験する場合や、大学院での経歴を業務経歴に算入する場合は重要です。

⑥受験資格欄

1）技術士第一次試験合格証番号・合格年月

下記3）以外の場合は必ず記入します。

第一次試験合格を証明する書類（合格証のコピー等）を添付します。

合格証を紛失した場合は、「受験申込み案内」に示されている「合格年月確認願い書」にて、公益社団法人日本技術士会技術士試験センターへFAXで問い合わせて、確認書を取り寄せましょう。

2）技術士補登録番号・登録年月日

業務経歴が技術士補としての経験で受験する場合のみ記入します。

3）指定した大学その他の教育機関における課程及び当該課程の修了年月

指定された課程を修了した場合に記入します。

修了証書のコピー又は修了証明書を添付します。

業務経験の1）～3）において、理科系の大学院の修士課程以上を

【経路③】

氏　名		技術部門		※整理番号	

実務経験証明書

大学院における研究経歴／勤務先における業務経歴

	大学院名	課程（専攻まで）		研究内容	①在学期間 年・月～年・月	年月数
詳細	勤務先（部課まで）	所在地（市区町村まで）	地位・職名	業務内容	②従事期間 年・月～年・月	年月数
※業務経歴の中から、下記「業務内容の詳細」に記入するもの１つを選び、「詳細」欄に○を付して下さい。					合計（①＋②）	

⑦　⑨

上記のとおり相違ないことを証明する。　　年　　月　　日

事務所名

証明者役職

証明者氏名　　　電話番号　　　メールアドレス

⑧

業務内容の詳細

当該業務での立場、役割、成果等

⑩

修了した人は、2年を限度として、その在学期間を業務経験に算入することができます。

(4) 受験申込書の書き方(その2)

⑦大学院における研究経歴

大学院における研究経歴について、最終学歴が大学院の人で大学院の経歴を算入しないと所定の経験年数が確保できない人は当然記入が必要ですが、そうでない人も、研究経歴欄は埋めたほうがよいと思います。

研究経歴を含めないと受験資格を満たさない場合は、次のⅰ～ⅲのいずれかを添付します。

ⅰ) 修了証のコピー

ⅱ) 修了証明書(原本)

ⅲ) 在学期間証明書(原本)

可能であれば、「専門とする事項」に該当する内容で記述します。

⑧業務経歴証明欄

業務経歴に記入した事項を証明するための項目です。転職経験のある方でも、現在の職場の証明によって、以前勤務していたときの業務も併せて証明してもらえます。

令和3年度から押印の代わりに証明者の電話番号及びメールアドレスの記載に変更になりました。

○技術士補+4年で受験する場合

⇨指導技術士から証明を受けます。

○第一次試験合格+監督者の指導で受験する場合

⇨監督者から証明を受けます。併せて次の2種類の書類を添付します。

・監督要件証明書

・監督内容証明書

○業務経験7年で受験する場合

⇨勤務先から証明権者による証明を受けます。証明権者とは、業務経歴を証明できる役職者(社長、所長、局長、所属部課長、証明権限を委任されている役員、総務・人事部長等)を指します。

⑨業務内容

業務内容は、口頭試験の際に試験委員が使用しますので、必ず記入しなければならない重要個所です。

受験資格の要件として必要な期間分は必ず記入します。

詳細	勤務先 （部課まで）	所在地 （市区町村まで）	地位・ 職名	業務内容	②従事期間		
					年・月～年・月	年月数	
	(株)○○コンサルタンツ△部□課	東京都 港区	技術員	公共下水道汚水管面整備実施設計を中心とした各種配管設計、補助工法、仮設工法の計画	1994 年 4 月 ～2001 年 3 月	7	0
	同上	同上	設計 副主任	長距離推進工法の計画、設計、小口径推進工法の比較検討	2001 年 4 月 ～2007 年 3 月	6	0
	○○設計(株) △部□課	東京都 千代田区	設計 主任	公共下水道に接続移管された住宅団地での不明水対策の計画、設計	2007 年 4 月 ～2010 年 1 月	2	10
○	同上	同上	設計課長 技術責任者	シールド工法における障害物（鋼矢板）除去工法の計画、設計	2010 年 2 月 ～2014 年 3 月	4	2
	同上	同上	設計部長 技術責任者	主要幹線の管路施設及び終末処理場に係る長寿命化計画策定	2014 年 4 月 ～2024 年 3 月	10	0
※業務経歴の中から、下記「業務内容の詳細」に記入するもの１つを選び、「詳細」欄に○を付して下さい。					合計（①+②）	30	0

業務経歴の中から、「業務内容の詳細」に記入するものを1つ選び、「詳細」欄に○をつけます。

前述のように、口頭試験の試問に使われるので、技術者としての成長過程が説明でき、受験科目に関する相応の経験が示せることが求められます。以下がポイントとなります。

・科学技術に関するできるだけ初期のころからの経験から記載されていること
・委託業務名ではなく、業務内容がわかるように書く
・職務内容は代表的業務内容ではなく、当該期間に従事した職務内容を包括的に書く
・小論文を選んだ経歴行の職務内容と小論文の内容が矛盾していないこと
・具体的な専門技術のキーワードを入れる
・課題問題点を短文でアピールポイント内容として含める
・専門分野の学会、技術専門雑誌等での論文発表があれば名称を記載する。また、取得国家資格なども記述する。

・業務内容として、技術士法第2条（技術士の定義）に出てくる計画、研究、設計、分析、試験、評価、指導といった語句を業務内容に入れるとよいでしょう。

古い業務を上に書き、新しい業務を下に書きます。

従事期間はダブリや空白がないようにしてください。最後は、受験する年の3月とします。

⑩業務内容の詳細

業務内容の詳細も口頭試験の際に試験委員が使用し、記載した業務内容の詳細についてのプレゼンを求められ、それに対する質問をされる最重要個所です。

業務内容の詳細を書くに当たって、

a. 架空の論文ではなく、事実に基づく技術的体験を中心とした技術論文

b. 難しい計算式や理論式を並べるだけではだめ

c. どんな難しい大きな業務をしたかではない

大切なことは、

・どのような内容の業務で

・課題の考察、問題をどのように考えて

・どんな解決策で成果を得たか

・その評価や将来予測

結果だけではなく、このような課題解決のためのロジックが重要です。

技術士としてふさわしい業務とは、技術的体験で習得した専門知識と応用能力と問題解決能力及び課題遂行能力が発揮できる業務内容が必要です。

技術士としてふさわしくない業務とは、

・図面のトレース

・報告書等のワープロ打ち、清書、製本

・機械の運転、修理、保守

・試験用機器の単純作業

など

業務内容の詳細は、720文字以内で記載する必要があり、図表は不可で、半角文字も1字とし、簡潔にわかりやすく整理して記載することになっています。

このような字数制限はありますが、項目立てをするとわかりやすくなります。

業務内容の詳細の書き方の注意点、詳述例は次のとおりです。

1）業務概要、立場と役割

業務概要について、簡潔にわかりやすく説明します。立場と役割について、以下の点に注意します。

- 技術の責任者であったことを記載する（総責任者でなくても、技術に関するある部分の責任者）
- 技術士としてふさわしい業務であること（科学技術に関する高等の専門的応用能力を必要とする事項についての計画、研究、設計、分析、試験、評価又はこれらに関する指導の業務）
- 主体的な立場であること
- 業務内容については、具体的にわかりやすく簡潔に書く（図表は不可）

記述例

・技術責任者として、設計業務のとりまとめ及び、発注者との協議を行った。

・プロジェクトチームのリーダーとして、発注者との協議、○○案の立案、△△案の検討を行い、報告書のとりまとめを行った。

・私は技術責任者として、一連の業務を統括する立場から、実験計画の立案・策定、工程管理、実験結果の評価及び実施実験における検証を行った。

・○○事業における技術責任者として、××改築に関する機器選定、工法、工期、工事費、長寿命化対策の検討業務を行った。

・主任技術者として、○○業務全般にわたる技術指導を行った。

・私は、当該業務の技術責任者として、計画の立案、推進、効果の試算・検証、他部署との連携・調整、及び技術的な指導を行った。

2）業務上の課題

課題と問題点の違いについて

課題とは、目的を達成するために解決すべき事柄。問題点とは、発生している状態（トラブル）、達成すべき本来の状態があり、その本来の状態と現状との解決すべきギャップです（課題解決に当たってのボトルネック）。この違いをしっかり覚えておいてください。

業務上の課題についての注意点は、以下のとおりです。

- 課題と問題点を区別して書く
- 課題解決のロジックを意識して書く
- 目的数値はできるだけ具体的な数値を書く
- 業務の背景、前提条件、制約条件等を整理する
- 課題の題材としては、工期、経済性、安全性、施工性、設計、工法、構造、品質、維持管理面、環境面、人的資源などを考慮する

記述例

・○○業務に伴う雨水流出量の増大と浸水対策、老朽化管路対策の同時解決が求められた。さらに、住宅密集地における施工性の問題を解決する必要があった。

・本業務の課題は、①○○の向上を図り、②△△に制限され、③××を最小限にすることであった。

・課題としては、国道の交通に与える影響を最小限にして、横断管きょを布設することであり、問題点として、①国道内では、仮設材の残置ができない、②地下水位が高いため抗口部の薬液注入が必要であり、国道車道部での作業となる、③国道内立坑を発進立坑とすると、専用面積が大きくなり、交通への影響が大きくなる。

3）技術的提案

技術的提案の注意点は以下となります。

- 自分の提案であったことを記載する

  例）（私は）……の提案を行った。

- 課題解決ロジックが明確に読み取れること

課題→問題点→解決の方向性・考え方→具体的な提案→その成果

●具体的な提案に至った解決の方向性について、思考課程を筋道立てて説明する

●提案した工法は、従来工法では解決できなかったことを説明する

●技術的な課題や問題点を探り、それを考察し、解決方法を提案する

記述例

・一般的には○○工法を採用しているが、地下水位が高く、地盤が軟弱であることから安全性に問題があった。そこで、△△に着目して、まだ新しい工法であるが安全面に優れている××工法を提案した。

・……を検討した。しかし、実用上○○に問題があると判断した。そこで私は、△△に着目し、××を確立することにより、これを解決した。

・××法により解析して安全が確認できた。そこで○○工法を採用した。

・……の危険性があるという課題があった。

・……に差が生じた。このことから、○○が推察されたので、××を行った。

4）技術的成果

●技術的提案の効果があったことを書く

●どのような効果があったかを具体的に書く

●経済的な効果についてはできるだけ具体的に書く

記述例

・本技術に加え、○○を加味することで精度の高い××とすることができた。

・○○環境基準の達成、最適な運転・運用方法の確立、見える化により、××システムの信頼性の向上に貢献した。

・流下能力の機能アップや施工性に対する技術的効果だけでなく○○％のコスト削減が行えた。

5）現時点での技術評価

720文字と限られた中なので、この項目については、入れられたら入れ

る程度に考えてよいと思います。

- 現時点の技術の観点で評価する
- 今後の技術的展望、抱負を述べる
- 現時点で考えた場合の評価を述べる
- 別の応用できる技術について述べる
- 今後の課題があれば述べる

記述例

・本技術は、○○事故における××にも応用できると考える。

・今後は、○○できるように、さらに改善を検討したい。

・総合的に安価で省エネな○○を提供し、顧客満足度向上と地球温暖化防止に寄与したい。

・今後の課題として、○○について調査、研究を行いたい。

業務内容の詳細にコンピテンシーを入れた一例は下記となります。

業務内容の詳細

当該業務での立場、役割、成果等
１．業務概要での立場、役割 　本設計は、合流幹線へ流入する主要枝線を泥土圧シールド工法（仕上内径 1,800 mm）で築造するものである。❶私は技術責任者の立場で、社内、発注者、メーカーとの協議・調整を行い詳細設計の業務を担った。 ２．問題及び課題 　当該計画路線において、一部河川横断施工となるが、横断部に架かる橋の橋台築造時の締切鋼矢板が残置されており、シールド計画位置に鋼矢板があるためシールド工事の支障になることが問題となった。そのため、どのように鋼矢板を除去して安全にシールド工事を行うかが課題となった。 ３．技術的提案 　検討に当たり、過去にシールド機により、鋼矢板等を切削した事例を調査した結果、３件の事例が得られた。いずれも支障物遭遇時にカッタートルクの上昇や音・振動等が発生しているものの、障害物は切削できている。そこで、❷シールドマシンによる機械的切削除去を行うための条件を次のように提案した。 ❸①支障物が動かないように地盤改良を行う ②フィッシュテールを通過させるための穴を鋼矢板に開けておき、これをガイドとする ③支障物切削用のビットを装備する ④支障物を円滑に坑外へ搬出するための排泥設備を装備する ⑤切削不能となった時、人がチャンバに入って処理できるように機内薬注設備を装備する ４．技術的成果 ❹切削不能になることもなく、工事は無事完了した。❺河川下での工事のため、安全を重視し本工法を採用したことにより、騒音・振動等の環境面にも配慮できた。 ５．現時点での評価と今後の展望 　設計の段階から支障物（鋼矢板）の除去を目的としたシールドマシンの採用は、皆無であったが、本件が初事例となった。❻今後も安全や環境を重視した計画策定に取り組む所存である。

上記の❶～❻はどのコンピテンシーであるかを表したもので、業務内容の詳細に番号を記載してはいけません。

❶リーダーシップ・コミュニケーション　❷問題解決
❸マネジメント　❹評価　❺技術者倫理　❻継続研鑽

5. 合格発表と技術士登録手続き

(1) 合格発表

技術士第二次試験の合格発表は、筆記試験と口頭試験の2回に分かれます。筆記試験の合格発表は、受験年度の10月下旬ごろに、文部科学省のホームページ、公益社団法人日本技術士会のホームページなどに受験番号のみ発表されます。また、全受験者（欠席者は除く）に筆記試験の合格、不合格が郵便で通知されます。

筆記試験の合格者のみが、口頭試験を受験できます。

口頭試験の合格発表は、受験年度の3月上旬頃の決められた日に、官報、公益社団法人日本技術士会のホームページ、文部科学省のホームページなどに、受験番号もしくは氏名が掲載されます。また、合格者には、文部科学大臣から「技術士第二次試験合格証」が送付されます。

2003年度までは、正答の公表や成績の公開はありませんでしたが、2004年度から成績票が送付されるようになりました。成績は科目別にA、B、Cの3段階で示され、Aが合格点をクリアしたことになります。

(2) 技術士登録手続き

試験に合格しても『技術士』を名乗ることはできません。

技術士第二次試験に合格後、技術士の登録をして、初めて「技術士」と名乗ることができます。

登録事務は、文部科学大臣から指定された「指定登録機関」である公益社団法人日本技術士会が国に代わって行います。

技術士の登録を行う場合は、次の書類を準備する必要があります。

①「技術士登録申請書」

②申請者の本籍地の市区町村長発行の（身元）証明書

③登記所（東京法務局登記官）発行の登記されていないことの証明書

登録手続きは、最新の技術士会発行の「技術士登録の手引」に従って手続きします。

第2章

論文作成のポイント

1. 技術士試験における論文

(1) 論文の特徴

技術士第二次試験の受験者は、すでに社会人であり、学会論文や仕事上の技術報告書などで、技術的な論文を書く機会が多い人たちです。したがって、解析や、推論も手馴れていると思われます。

技術士第二次試験における論文は、与えられた時間内に、決められた字数以内に、論点を外さずに、まとめなくてはなりません。しかも、知識だけでなく、解析や推論も必要です。次に書き方の特徴を挙げます。

1) 論文は手書きとなります。最近はパソコンで文章を書くことが多く、鉛筆で文章を書くことはほとんどないため、試験官が読みやすいように鉛筆で書く練習も重要です。また、手書きのため後から修正することは、非常に難しいので、書き始める前に大まかな構想を立てたほうが修正の手間が省けます。

2) 文字制限があるため、答案用紙の範囲内で論文を完成しなくてはなりません。しかも、答案用紙の90%以上書くことも必要です。

3) 時間制限があるため、600文字を20分程度で書かなければならず、ゆっくり考えながら書くことはできません。

このように技術士試験の論文には、特有の制約があり、事前に対策をしておく必要があります。

(2) 各科目の設問の種類

① Ⅰ必須科目

「技術部門」全般にわたる専門知識、応用能力、問題解決能力及び課題遂行能力に関する問題が出題され、記述式で出題数は2問程度で600字詰用紙3枚以内で2時間で解答します。

② 選択科目

問題は2つに分かれ、「Ⅱ選択科目」に関する専門知識及び応用能力では、600字詰用紙3枚以内で解答します。「Ⅲ選択科目」に関する問題解決能力及び課題遂行能力では、600字詰用紙3枚以内で解答します。

どちらも記述式で、専門知識及び応用能力では出題数は解答数の2倍程度、問題解決能力及び課題遂行能力では出題数は2問程度で、合わせて3時間30分で解答します。

③ 業務内容の詳細

試験制度の変更により、平成25年度から第二次試験科目であった技術的体験論文はなくなりました。代わりに出願時の実務経験証明書が重視され、その中に業務内容の詳細として自分が自信を持って説明できる1つの業績を720字以内で記載します（25ページ参照）。これは筆記試験合格後の口頭試験の際に問われる問題となります。

2. 論文作成の上達法

専門技術の問題だから専門家でなければわからない内容と考えることは間違いです。専門技術の問題であってもそれをわかりやすく説明できるかどうかがポイントとなります。

試験の採点委員は、短時間で多くの受験生の答案をすべて読んで採点しなければなりません。そのため、試験の採点委員は、理解しにくい文章については、内容を理解しながら読み返そうとはしません。

したがって、理解できない答案は低い点となり、読みやすい答案は高い点となります。

技術士試験は、論文形式での解答を基本としています。解答が正しくても、論文形式で解答をしないと得点に結びつきません。ここでは、技術論文の作成の上達する方法について、以下の方法をお勧めします。

(1) 論文の構成は、唐突感なく、ストーリー性をもたせることが大切

論文の構成要素は大きく「序論」、「本論」、「結論」からなっています。

「序論」では、「現在の状況」、「課題と問題点」、「事実の現象」など「どのように議論していくか」ということの導入部になります。技術的に何が課題であるか、あるいは、何が問題となっているのかの「問題提起」を行うまでが

「序論」です。

「本論」では、「序論」での「問題提起」を受けて、「結論」を導き出す過程となるところであり、「結論」に至る「議論を展開」するところといえます。「本論」は結論に至る証明にあたる部分なので、なぜそのように考えたのかといった説得力のある「論理展開」が必要となります。

「結論」は、「序論」の「問題提起」から「本論」の「議論を展開」をした結果を受けて、最終的に主張する「答」の部分にあたります。単に結論を述べるだけでなく、「本論」で議論されてきたことを要約して、「～であるからこう考える」のように導き出します。

以上のように、論文では、ストーリー性をもたせ、「序論」を受けて「本論」、「本論」を受けて「結論」というように、いきなり「答」を出すのではなく、3つのステップを踏んで、唐突感なく、流れるように文章を構成することを心がける必要があります。

「結論」だけ書くと、2、3行で書き終わってしまいます。論文形式とするには、結論をどのように導いたのかという過程が大切であり、前の文章を受けて、次の文章につなげていくといったストーリー性を持たせることが大切です。

唐突感がない文章とするには、接続詞をうまく使う必要があります。

用語	接続詞
重ねて示す	また、さらに、そして、そのうえ、および、かつ、重ねて、ならびに、加えて、しかも、同様に
反対	しかし、反対に、しかしながら、逆に、ところが、それにもかかわらず、だが
話題転換	一方、ところで
言い換える	つまり、要するに、または、すなわち、具体的には、詳しくは、ちなみに、たとえば
因果関係	結果として、その結果、結果的に
事例	例えば、具体例として、一例として
条件	ただし、の場合、のときには
話を変える	ところで、さて、話は変わって
補完	なお、さらに
時間	今後、将来は、以前は
結論	したがって、よって、ゆえに、結果として

(2) 問題文に忠実な答案を作成

まず、問題文をよく読んで、問題で求められていることを正確に把握します。そして、問題文で求められていることに対して、その順番どおりに、的確でわかりやすい文章で論理的な答案を作成します（論理とは、議論のすじみち、論証のすじみちであり、与えられた条件から正しい結論を得る考え方のすじみちのことを言います。つまり、話と話がつながっていることです）。

論文の採点結果が思わしくない人の多くが、問題文で求められていることに対して、順番どおりに的確でわかりやすい文章で論理的に答えていないことが多いようです。

論文の展開方法には、次の方法があります。

①演繹法（えんえきほう）

・一般的原理から特殊な事実を推論する。

例文：水源林は水を貯えることができる緑のダムだ。
A地区の上流域は都市化が進み森林がなくなった。
だから、A地区の河川水量は減り水不足となった。

②帰納法

・個々の事例から一般論を導く

例文：東京都は水不足だ。大阪府も水不足だ。京都府も水不足だ。
日本の大都市は水不足だ。

③反復法

・事例の列挙

例文：環境問題としては、土壌汚染、大気汚染、水質汚染がある。

④消去法

・いくつかの方法を出して消去して導く

例文：下水幹線管きょの埋設方法としては、開削工法、推進工法、シールド工法があるが、河川横断の管布設延長が長いため、開削工法と推進工法は採用できない。

⑤対比法

・比較して導く

例文：今回の場合、地盤改良工法と薬液注入工法が考えられるが、コスト面では薬液注入工法が優れているが、安全面では地盤改良工法が優れている。

(3) 人の書いた論文を真似る

誰しもいきなり立派な論文が書けるわけではありません。最初は、専門雑誌等に掲載されている人の論文の書き方を真似して、とにかく論文を作ってみることが大切です。

勉強方法として、過去に出題された技術士試験の必須や専門について、人の作成した論文を真似て自分なりに作ってみるとよいでしょう。

真似るというのは、まったく同じように書くのではなく、説明の仕方、論理展開、課題の整理や結論への導き方等を真似ることです。

最初は、人真似な論文となりますが、自分で論文を作成することによって、自分のものにすることができ、いつのまにか、自分の文章として書くことができるようになります。

(4) 技術士に書いた論文をみてもらいアドバイスを受ける

論文は、いくら一人で考えてもなかなかレベルアップしません。

自分でいくら良い文章が書けたと思っても自己満足であることが多いものです。

論文のレベルアップに一番良い方法は、身近な技術士からのアドバイスを受けることです。技術士は、技術論文試験に合格したものであり、最低限技術論文をどのように書けばよいかの技術を身につけているものと言えます。

論文で最も多いパターンとして、自分の考えていることが、論文を通して他の人に伝わっていないことがよくあります。これは、自分の頭の中には、結論ありきとなっていて、途中の説明が欠落してしまい、他の人に自分の考えていることが伝わらないためです。

このような場合、技術士であれば的確にどの部分をどのように直せばよいかのアドバイスをすることができます。

中には、「てにをは」の問題ではなく、根本的に論文そのものを修正しないといけない場合もあるでしょう。

とにかく、アドバイスされたことは、まず、そのアドバイスどおりに書いてみることが必要です。アドバイスどおりに書けたと思ったら、また、論文を見てもらいアドバイスを受けましょう。これを繰り返していくと、最初に書いた自分の文章は、どんどんなくなっていきますが、文章がブラッシュアップされていくのがわかるはずです。

(5) 論文の表現法

論文の表現法として、悪い例と良い例をまとめてみました。

悪い例	良い例
〜だと思う	〜である
〜が望まれる	〜が必要である
〜研究が待たれる	〜と推察する
〜とすべきだ	〜が必要である
〜ないかと考える	〜と考える

あいまいな知識だと考える場合は、以下の書き方とするとよいです。

「一般的には○○と言われている」

「通常は××と判断される」

あいまいな知識だと感じた場合、試験委員にそのあいまいさを感じさせない表現とする必要があります。

(6) キーワード学習

技術士第二次試験では、専門知識ばかりでなく、その周辺のかなり広い範囲の知識および問題点の発見と対応が求められます。また、そのような論点について、試験問題を見たその場で速やかに論文構成をする能力を身に付けておかなければなりません。

このため、選択問題からキーワードとして、重要課題を選び、ある程度論文の形にしておく準備を試験前にする必要があります。本書では過去10年間の選択問題から重要キーワードを選び解説をしていますが、受験者自身でも独自に重要と思える事項に関し、下記の形式でキーワードを作成することを勧めます。

①説明（現状、背景、意義、意味、位置づけ、定義、役割）

②課題（問題点、課題、目標設定）

③解決策（提案、解決策、方策、検討フロー、解決策の比較検討）

④展望（留意点、展望、見通し、予測、今後のあり方）

必ずしも②課題、③解決策、④展望はなくても良いですが、できるだけ考えていただきたい。

例題として、『合流式下水道』を当てはめてみます。

説明：合流式下水道は、汚水と雨水を同一の系統で排除する方式で、浸水防除と水洗化の普及促進を同時に図るとともに施工が容易で安価である利点がある。

課題：しかし近年は、雨天時に公共用水域に未処理下水が流出することによる水質汚濁、公衆衛生上の問題が発生している。

解決策：平成16年4月より原則10年間で合流式下水道の改善を完了することが、下水道施行令の改善で義務付けられた。

①汚濁負荷量の削減（分流式下水道並み）

②公衆衛生上の安全確保（放流回数の半減）

③きょう雑物の削減（流出防止）

展望：事業の実施に当たっては、対象地区の概要、整備目標、事業内容、年度計画を定めた「合流式下水道緊急改善計画」を策定する必要があり、これをもって社会資本総合整備計画に基幹事業として記載することが可能となる。

また、下図のように関連するキーワードごとに集めることも効果的です。

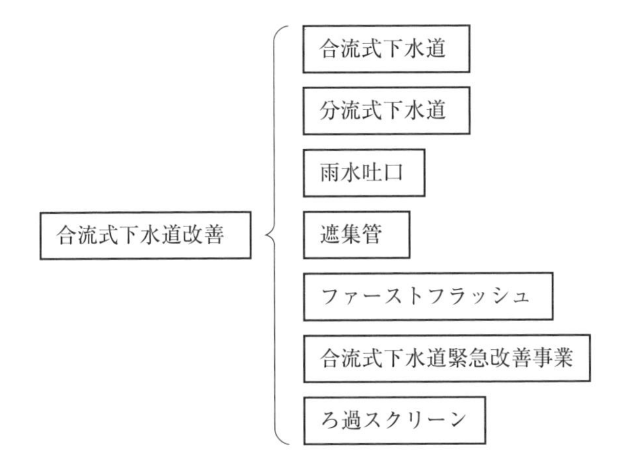

なお、「課題」と「問題点」の違いについては27ページでも述べましたが、区別して記載する必要があります。

「問題」とは、解決すべきトラブルです。

「課題」とは、これから達成すべき目的や目標です。

「問題」は事象を指し、「課題」は問題を解決するための取組み対象を指します。

また、『修習技術者のための修習ガイドブック　―技術士を目指して―　第3版』公益社団法人日本技術士会では、次の説明がされています。

・問題：目標値と現状値のギャップ（問題＝目標（水準）－現状値）

・課題：問題を解決するために為すべきこと

・解決策：課題に対する実施事項の立案

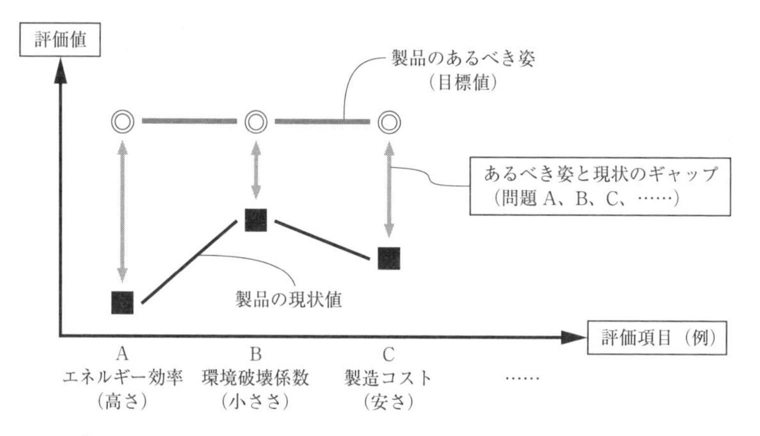

出典：『修習技術者のための修習ガイドブック　―技術士を目指して―　第3版』

（7）試験本番での論文の書き方

試験の本番では、制限時間内に与えられた問題のすべてに、解答を書かなければなりません。以下に注意点を記します。

①時間配分を決める

答案用紙が配られたら、すべての問題に目を通し、あらかじめ問題ごとの時間配分を決め、問題構成に何分、記述に何分と割り当て、時間内に解答が書けるようにします。

②論文構成をする

解答を書く前に数分間を使って、論文構成をしておけば、後から書き直すなどの手間が省け、時間内に解答が書けるようになるでしょう。

③答案用紙は90%以上埋める

解答はできる限り、答案用紙の90%以上を埋めるようにします。ただし、あまりだらだらと書くようであれば、採点者の印象が悪くなります。解答としてキーワードがうまくはまっていればよいのですが、短かすぎても印象が悪くなってしまいます。

3. 論文の基本的ルール

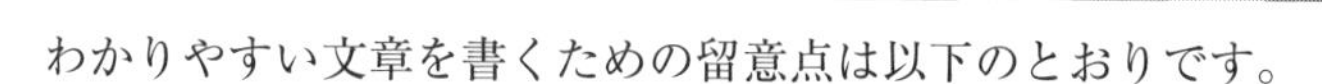

わかりやすい文章を書くための留意点は以下のとおりです。

①「～である。」調に文末が終わる文体で統一します。

②一つの文の長さは、50～70字、600字詰解答用紙（1行24文字）で、2～3行として、4行目に入ったらできるだけ前半にとどめます。

③一つの文には、一つの内容だけ書き（一文一義）、必要な場合は接続詞で他の文とつなげます。

④一つの段落の長さは、100～300字（4～12行）目安として150文字(6～7行）とするとよいです。段落が長すぎると、論点がわからなくなります。

⑤箇条書きは、有効な手段（なんといってもわかりやすくなります）です。
箇条書きは1つの項目を1行で示します。
文末には読点（「。」）は不要です。

⑥文章で表現しにくい場合は、図表を用いると見やすくなります。
ただし、時間がかかるので注意が必要です。

⑦省略文字は使用しません。

第 ＝ 才	曜 ＝ 旺
門 ＝ 门	個 ＝ 仁
点 ＝ 奌	濾 ＝ 沪
職 ＝ 聀 耺	

⑧略記には説明を入れます。

ライフサイクルコスト（以下LCC）

コージェネレーションシステム（以下コージェネ）

4. 論文の表記上の原則

①見出し記号

1	.	大	項	目					
	1.	1	中	項	目				

論述するうえで、文章の区切りや話の展開が変わるところでは見出しをつけます。レベルの高い見出しほど、左端から書き始めます。

ただし、それぞれの文章の始まりは、左詰めひとマス空けたところから書き出します。

2	.	電	食	の	防	止	法			
	1.	1	外	部	電	源	法			
	管	と	不	溶	性	電	極	と	の	

②点と丸

に	つ	い	て	述	べ	る。
防	食	法	と	し	て	は、

点と丸が行の最後に来た場合は、次の行には入れず、最後の文字と一緒の枠に入れます。

③英数

英文字の表記は大文字はひとマス、小文字および数字はひとマスに2文字入れます。

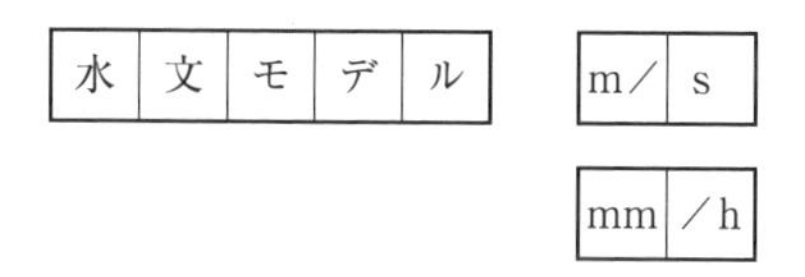

④論文の最後

以上を入れます。（入れるスペースがない場合は不要です）

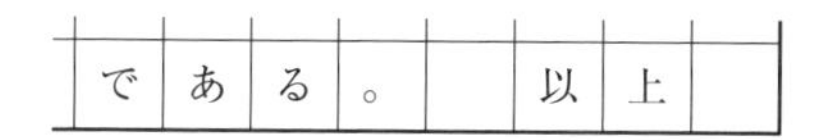

5. 図形の基本ルール

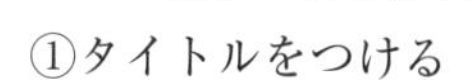

①タイトルをつける

図や表にはタイトルをつけます。

タイトルとは、「図−1　○○」のような見出しのことです。

一つの文書に図表を複数入れる場合は、図表に番号を振ります。

「次の図」や「上表」という文章とすると、文章の改訂などで位置が変わるとわからなくなります。

②図のタイトルは図の下、表のタイトルは表の上に書く

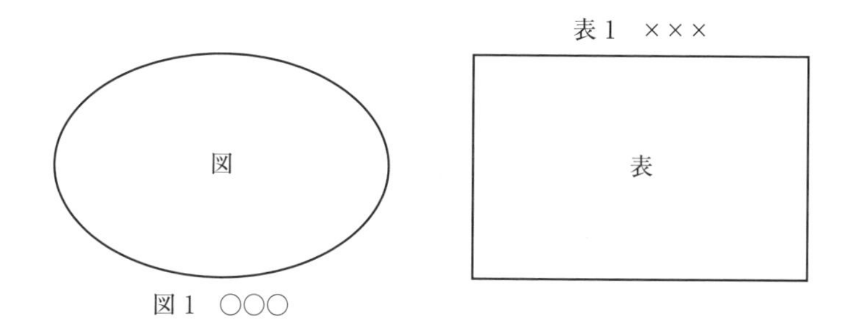

③図の要素や記号の意味には凡例を入れる

想定する読み手が、図を構成する要素や記号の意味を解釈できるように、図に凡例を入れます。

④表は最左列を軸とする

表には、「最左列を軸とする」という原則があります。最左列を軸とするとは、一番左に置く項目を基準として、右側の列に配置する項目を決めます。

【悪い例】

汚泥処理の目的

プロセス	汚泥処理の目的
濃縮、脱水、乾燥	量の減少
消化、燃焼、溶融	固形物の減少
嫌気性消化、コンポスト化、焼却、溶融、炭化、燃料化	質的安定化

上表は、表のタイトルに対して、右側が軸となっています。この表は、下表のように、汚泥処理の目的とプロセスを入れ替えると最左列が軸となります。

汚泥処理の目的

汚泥処理の目的	プロセス
量の減少	濃縮、脱水、乾燥
固形物の減少	消化、燃焼、溶融
質的安定化	嫌気性消化、コンポスト化、焼却、溶融、炭化、燃料化

④表には空欄を作らない

なんらかの理由で空欄となる場合は、「該当せず」や「未決定」、「—」等を入れます。空欄を作ると、入れ忘れと思われるからです。

6. 読みやすくするテクニック

(1) 項目タイトルにアンダーライン

項目タイトルにアンダーラインを利用すると読みやすくなります。

> Ⅰ．予備エアレーションタンク
>
> 　1．大きさ及び形状
>
> 　　①タンク容積
>
> 　　②タンクの形状
>
> 　2．エアレーション方式、送気量及び散気装置
>
> 　　①エアレーション方式
>
> 　　②送気量
>
> 　　③散気装置

(2) 項目タイトルのつけかた

項目タイトルは、その項目の内容を具体的に示していなければなりません。技術士試験の解答では、試験問題に記載されている文言をそのまま使うことが最も適当です。

下記の問題は、令和5年度に出題された必須科目の問題です。

> Ⅰ－2　東日本大震災では津波により多くの水道施設が被害にあったほか、下水道施設における被害は地震動によるものよりも大きかった。また、平成30年7月豪雨では多くの水道施設が被害を受け、全国18道府県で断水が発生したほか、令和元年東日本台風では下水道施設が浸水しその機能を停止した。
>
> 　しかし、人々の生活さらには生命の維持のために重要なライフライン施設である上下水道施設は、災害時においてもその機能の確保が求められている。

そのため洪水・内水・津波・高潮等の水害発生時においても上下水道施設の機能を維持又は、万が一機能停止を余儀なくされた場合でも迅速に機能回復を可能とするための、ハード及びソフト面での対策が必要となる。

このような状況を踏まえ、以下の問いに答えよ。

(1) 技術者としての立場で、水害に対し上下水道施設に共通する重要な課題を多面的な観点から3つ抽出し、それぞれの観点を明記したうえで、その課題の内容を示せ。

(2) 前問（1）で抽出した課題のうち最も重要と考える課題を1つ挙げ、その課題に対する複数の解決策を示せ。

(3) 前問（2）で示したすべての解決策を実行しても新たに生じうる課題とそれへの対策について、専門技術を踏まえた考えを示せ。

(4) 前問（1）～（3）の業務遂行において必要な要件を、技術者としての倫理、社会の持続可能性の観点から題意に即して述べよ。

以上の問題に対する項目タイトルは以下のようになります。

1. 水害に対し上下水道施設に共通する重要な課題
2. 最も重要と考える課題と複数の解決策
   2. 1　最も重要と考える課題
   2. 2　複数の解決策
3. 新たに生じうる課題と対策
   3. 1　新たに生じうる課題
   3. 2　対策
4. 業務遂行において必要な要件
   4. 1　技術者としての倫理の観点
   4. 2　社会の持続可能性の観点

（この項目タイトルは一例であり、他にも様々な展開が可能です。なお、タイトルは1行に収まるように記載します。）

第3章

「必須科目」・「選択科目」の対策

1. 過去の問題

(1) 2023年度

(10) 上下水道部門「必須科目Ⅰ」

Ⅰ 次の2問題（Ⅰ－1、Ⅰ－2）のうち1問題を選び解答せよ。（解答問題番号を明記し、答案用紙3枚を用いてまとめよ。）

Ⅰ－1 近年、上下水道事業では、人口減少に伴う収入の減少、深刻化する人材不足及び老朽化の増加等の課題に直面している。そのような中、国において、水道では水道施設の点検を含む維持・修繕の実施に関するガイドラインを改訂し、下水道では新下水道ビジョン加速戦略での重点項目において維持管理情報等を起点としたマネジメントサイクル（点検・調査、修繕・改築に至るサイクル）の確立の重要性を明記するなど、効率的・効果的に計画・設計、修繕・改築を行うための維持管理情報等の重要性が一層増している。

このような状況を踏まえ、下記の問いに答えよ。

(1) 上下水道事業での点検・調査等による維持管理情報等の取得、蓄積、活用に関して、技術者としての立場で多面的な観点（ただし、費用面は除く）から3つの重要な課題を抽出し、それぞれの観点を明記したうえで、その課題の内容を示せ。

(2) 前問（1）で抽出した課題のうち最も重要と考える課題をその理由とともに1つ挙げ、その課題に対する複数の解決策を具体的に示せ。

(3) 前問（2）で示したすべての解決策を実行しても新たに生じうるリスクとそれへの対策について、専門技術を踏まえた考えを示せ。

(4) 上記事項を業務として遂行するに当たり、技術者としての倫理、社会の持続可能性の観点から必要となる要件、留意点を述べよ。

Ⅰ－2 東日本大震災では津波により多くの水道施設が被害にあったほか、下水道施設における被害は地震動によるものよりも大きかった。また、平成30年7月豪雨では多くの水道施設が被害を受け、全国18道府県で断水が発生したほか、令和元年東日本台風では下水道施設が浸水しその機能を停止した。

しかし、人々の生活さらには生命の維持のために重要なライフライン施設である上下水道施設は、災害時においてもその機能の確保が求められている。

そのため洪水・内水・津波・高潮等の水害発生時においても上下水道施設の機能を維持又は、万が一機能停止を余儀なくされた場合でも迅速に機能回復を可能とするための、ハード及びソフト面での対策が必要となる。

このような状況を踏まえ、以下の問いに答えよ。

(1) 技術者としての立場で、水害に対し上下水道施設に共通する重要な課題を多面的な観点から3つ抽出し、それぞれの観点を明記したうえで、その課題の内容を示せ。

(2) 前問(1)で抽出した課題のうち最も重要と考える課題を1つ挙げ、その課題に対する複数の解決策を示せ。

(3) 前問(2)で示したすべての解決策を実行しても新たに生じうる課題とそれへの対策について、専門技術を踏まえた考えを示せ。

(4) 前問(1)～(3)の業務遂行において必要な要件を、技術者としての倫理、社会の持続可能性の観点から題意に即して述べよ。

(10－1) 上水道及び工業用水道「選択科目Ⅱ」

Ⅱ　次の2問題(Ⅱ－1、Ⅱ－2)について解答せよ。(問題ごとに答案用紙を替えること。)

Ⅱ－1　次の4設問(Ⅱ－1－1～Ⅱ－1－4)のうち1設問を選び解答せよ。(緑色の答案用紙に解答設問番号を明記し、答案用紙1枚にまとめよ。)

Ⅱ－1－1　スマート水道メーターの3つの利活用方法とそれぞれの効果を説明し、導入における留意点を述べよ。

Ⅱ－1－2　鉄、マンガンを含み、フミン質による着色がある原水における浄水処理方法を述べよ。

Ⅱ－1－3　急速ろ過池の洗浄方式を3種類挙げ、それぞれの特徴や留意点及び洗浄終了時から通水初期において講じられる措置を述べよ。

Ⅱ－1－4　配水池内部の調査清掃方法を2つ以上挙げ、それぞれの利点と留意点について述べよ。

Ⅱ－2　次の2設問（Ⅱ－2－1、Ⅱ－2－2）のうち1設問を選び解答せよ。（青色の答案用紙に解答設問番号を明記し、答案用紙2枚を用いてまとめよ。）

Ⅱ－2－1　大規模地震などの非常時における他ルートによるバックアップ体制、特に河川幅の広い一級河川を横断する送配水管の複線化を行う建設工事を計画することとなった。あなたがこの業務の担当責任者として業務を進めるに当たり、以下の内容について記述せよ。

(1) 河川幅の広い一級河川を横断する送配水管の複線化を行うに当たり、2つ以上の工法を選び、調査・検討すべき事項とその内容について説明せよ。

(2) 上記のうち1つの工法を選び、選んだ理由を示すとともに、その業務を進める手順を列挙して、主な検討項目の留意すべき点、工夫すべき点を述べよ。

(3) 上記の業務を効率的、効果的に進めるための関係者との調整方策について述べよ。

Ⅱ－2－2　河川表流水を水源とする急速ろ過方式の浄水場において、夏季を中心として、かび臭原因物質である2－MIB（2－メチルイソボルネオール）とジェオスミンが検出され、検出頻度が増加傾向にある中、対策の検討が求められている。あなたが、この検討業務の担当責任者として進めるに当たり、以下の内容について記述せよ。

(1) 調査、検討すべき事項とその内容について説明せよ。

(2) 業務を進める手順とその際に留意すべき点、工夫を要する点を含めて述べよ。

(3) 業務を効率的、効果的に進めるための関係者との調整方策について述べよ。

(10－1) 上水道及び工業用水道「選択科目Ⅲ」

Ⅲ　次の2問題（Ⅲ－1、Ⅲ－2）のうち1問題を選び解答せよ。（赤色の答案用紙に解答問題番号を明記し、答案用紙3枚を用いてまとめよ。）

Ⅲ－1　水道事業は我が国の生活基盤を支えるインフラとして重要な役割を果たしており、水道管路の総延長は72万kmに達し、膨大な資産を有している。水道事業の年間電力消費量は74億kWh／年、CO_2排出量は422万t CO_2／年となっている。

2015年の国連サミットにおいて、持続可能で多様性と包摂性のある社会の実現のために、持続可能な開発目標（SDGs）が2030年を年限とした17項目の国際目標が設定された。SDGsの達成に向けて、政府においてはアクションプランを公表しており、水道事業においても計画的な取組が求められている。

(1) 水道事業においてSDGsの達成に向けて、「6. 安全な水とトイレを世界中に」、「7. エネルギーをみんなにそしてクリーンに」、「9. 産業と技術革新の基盤をつくろう」の目標に対して、技術者としての立場で多面的な観点で、2つ以上の目標から3つの重要な課題を抽出し、それぞれの観点を明記したうえで、課題の内容を示せ。

(2) 前問（1）で抽出した課題のうち最も重要と考える課題を1つ挙げ、その課題に対する複数の解決策を示せ。

(3) 前問（2）で示したすべての解決策を実行しても新たに生じうるリスクとそれへの対策について、専門技術を踏まえた考えを示せ。

Ⅲ－2　日本の水道は、人口減少に伴う給水収益の減少や水道事業者の技術者不足に加え、高度経済成長期において集中的に整備してきた水道施設の老朽化の増大が顕著となっている。また、耐震化の遅れや多数の水道事業者が小規模であり経営基盤が脆弱である。これらの課題を解決し、将来にわたり、安全な水の安定供給を維持していくためには、水道事業の基盤強化を図ることが急務となっている。

上記の状況と改正水道法による国の基盤強化の基本的な方針を踏まえ、水道分野の技術者として、以下の問いに答えよ。

(1) 水道事業の持続性を確保するために、技術者としての立場で多面的な観点から検討すべき課題を3つ抽出し、それぞれの観点を明記したうえで、課題の内容を示せ。

(2) 前問(1)で抽出した課題から最も重要と考える課題を1つ挙げ、その課題に対する複数の解決策を示せ。

(3) 前問(2)で示したすべての解決策を実行しても新たに生じうるリスクと解決策について、専門技術を踏まえた考えを示せ。

(10－2) 下水道「選択科目Ⅱ」

Ⅱ 次の2問題(Ⅱ－1、Ⅱ－2)について解答せよ。(問題ごとに答案用紙を替えること。)

Ⅱ－1 次の4設問(Ⅱ－1－1～Ⅱ－1－4)のうち1設問を選び解答せよ。(緑色の答案用紙に解答設問番号を明記し、答案用紙1枚にまとめよ。)

Ⅱ－1－1 雨水管理総合計画における雨水管理方針の項目を3つ以上抽出し、項目ごとに主な検討内容と留意点をそれぞれ述べよ。

Ⅱ－1－2 下水道管路施設について、硫化水素による腐食のメカニズムを踏まえた腐食防止対策を2つ挙げるとともに、それぞれの概要を述べよ。

Ⅱ－1－3 りん除去を図るための嫌気好気活性汚泥法について、概要を述べるとともに、各反応タンクでのりん蓄積生物(PAO)が担う機構を説明せよ。

Ⅱ－1－4 汚泥処理設備における機械脱水の方式としてろ過方式、遠心分離方式が挙げられるが、その方式ごとに脱水機形式を1機種以上挙げてその脱水原理を簡潔に述べよ。また、脱水設備を導入するうえでの主な留意点について2項目以上述べよ。

Ⅱ－2　次の2設問（Ⅱ－2－1、Ⅱ－2－2）のうち1設問を選び解答せよ。
（青色の答案用紙に解答設問番号を明記し、答案用紙2枚を用いてまとめよ。）

Ⅱ－2－1　A市は、下水道の整備を開始してから45年が経過する。下水道管の老朽化や腐食の進行が想定される下水道整備区域において、修繕や改築を計画的かつ効率的に行うための実施計画の策定が求められている。

あなたが、この業務の担当責任者に選ばれた場合、以下の内容について記述せよ。

(1) 点検・調査手法と、その結果を踏まえて検討すべき事項とその内容について説明せよ。

(2) 修繕か改築かの選択に際して、業務を進める手順とその際の留意点、工夫を要する点を含めて述べよ。

(3) 業務を効率的、効果的に進めるため、関係者と調整する内容とその方策について述べよ。

Ⅱ－2－2　近年、全国で発生している災害を受け、国では「防災・減災、国土強靭化のための5か年加速化対策」を実施している。

このような状況において、B市では古くから下水道整備が進み、多くのストックを保有する中、豪雨による洪水や内水氾濫の被害が想定されている。また、大規模地震による被害も想定されていることから、下水道事業において災害を未然に軽減・防止する対策計画の策定が急務となっている。

あなたは、この災害軽減・防止対策計画を策定する業務の担当として選ばれた場合、以下の内容について記述せよ。

(1) 調査・検討すべき事項とその内容について説明せよ。

(2) 災害軽減・防止対策の項目を業務遂行順に列挙して、その項目ごとに留意すべき点、工夫を要する点を述べよ。

(3) 業務を効率的、効果的に進めるため、関係者と調整する内容とその方策について述べよ。

(10－2) 下水道「選択科目Ⅲ」

Ⅲ　次の2問題（Ⅲ－1、Ⅲ－2）のうち1問題を選び解答せよ。（赤色の答案用紙に解答問題番号を明記し、答案用紙3枚を用いてまとめよ。）

Ⅲ－1　A市のB処理場は、供用開始から100年が経過している。躯体の劣化に対して補修工事などにより老朽化対策を実施してきたが、水処理施設の大半が建設から50年以上が経過しており、抜本的な施設再構築が必要となっている。

現況の躯体は耐力が不足しているが、常時下水が流入する中、複数施設で耐震化が不可能となっている。また、流入水質は全窒素が高いが、反応タンクのHRTが短く、放流水質の管理が難しくなっている。近年は、大規模水害に対して、水処理機能の維持、早期回復のための施設の耐水化も求められている。

B処理場の計画処理能力は50万m^3／日となっているが、晴天日の日最大汚水量の実績値とほぼ同等の値となっており、用地も余裕がない状況である。そこで、近隣の処理場への一部編入の可能性を含め、B処理場の再構築を検討することとした。

こうした状況を踏まえ、B処理場を再構築する技術者として、以下の問いに答えよ。

(1) B処理場の再構築を検討するに当たり、技術者としての立場で多面的な観点（ただし、費用面は除く）から重要な課題を3つ抽出し、その内容を観点とともに述べよ。

(2) 抽出した課題のうち最も重要と考える課題を1つ挙げ、その課題に対する複数の解決策を示せ。

(3) 解決策に共通して新たに生じうるリスクとそれへの対策について、専門技術を踏まえた考えを示せ。

Ⅲ－2　輸入依存度の高い肥料原料の価格が高騰する中、下水汚泥資源の肥料活用が注目されている。A市は、下水汚泥全量を焼却処理してきたが、焼却炉の更新計画において下水汚泥の肥料化について検討を行うこととなった。A市では、畑作を中心に平均的な耕地面積を有しているが、下水由来の肥料が流通した実績はない。こうした状況を踏まえ、下水道の技術者として下水汚泥の肥料利用を計画するに当たり、以下の問いに答えよ。

(1) 肥料利用を計画するに当たり、技術者としての立場で技術面、利用面等の多面的な観点（ただし、費用面を除く）から重要な課題を3つ抽出し、その内容を観点とともに述べよ。

(2) 抽出した課題のうち最も重要と考える課題を1つ挙げ、その課題に対する複数の解決策を示せ。

(3) 解決策に共通して新たに生じうるリスクとそれへの対策について、専門技術を踏まえた考えを示せ。

(2) 2022年度

(10) 上下水道部門「必須科目Ⅰ」

Ⅰ　次の2問題（Ⅰ－1、Ⅰ－2）のうち1問題を選び解答せよ。（解答問題番号を明記し、答案用紙3枚を用いてまとめよ。）

Ⅰ－1　近年、デジタル化が進み、国では2021年9月1日にデジタル庁が発足するなど、デジタルトランスフォーメーション（以下「DX」という。）社会の構築として、あらゆる分野で検討が開始されている。

インフラを支える上下水道事業においても、人口減少による料金、使用料収入の減少、技術者の不足や老朽化施設の増加など様々な課題を抱える中で安定的に事業を継続させるため、今後、DXの活用について検討が求められる。

このような状況を踏まえ、下記の問いに答えよ。

(1) 上下水道事業に共通するDXに関する状況を踏まえ、技術者としての立場で多面的な観点から3つの課題を抽出し、それぞれの観点を明記したうえで、その課題の内容を示せ。

(2) 前問（1）で抽出した課題のうち最も重要と考える課題を1つ挙げ、その課題に対してDXを活用した複数の具体的な対策を示せ。

(3) 前問 (2) の対策を実行しても新たに生じうるリスクとそれへの対策について、専門技術を踏まえた考えを示せ。

(4) 上記事項を業務として遂行するに当たり、技術者としての倫理、社会の持続可能性の観点から必要となる要件、留意点を述べよ。

Ⅰ－2 上下水道は、生活基盤を支えるインフラとして重要な役割を果たす一方で、その事業活動においては、多くの資源やエネルギーを消費し、温室効果ガスや廃棄物等を大量に排出している。このため、上下水道には、事業活動に伴う環境負荷を低減し、地球温暖化の抑制や持続可能な社会の構築に貢献していくことが求められている。

このような状況を踏まえ、以下の問いに答えよ。

(1) 上下水道分野において事業活動に伴う環境負荷を低減するために、技術者としての立場で多面的な観点から3つの課題を抽出し、それぞれの観点を明記したうえで、課題の内容を示せ。

(2) 抽出した課題のうち最も重要と考える課題を1つ挙げ、その課題に対する複数の解決策を示せ。

(3) すべての解決策を実行しても新たに生じうるリスクとそれへの対策について、専門技術を踏まえた考えを示せ。

(4) 前問 (1) ～ (3) の業務遂行において必要な要件を、技術者としての倫理、社会の持続可能性の観点から述べよ。

(10－1) 上水道及び工業用水道「選択科目Ⅱ」

Ⅱ 次の2問題 (Ⅱ－1、Ⅱ－2) について解答せよ。(問題ごとに答案用紙を替えること。)

Ⅱ－1 次の4設問 (Ⅱ－1－1～Ⅱ－1－4) のうち1設問を選び解答せよ。(緑色の答案用紙に解答設問番号を明記し、答案用紙1枚にまとめよ。)

Ⅱ－1－1 浄水処理に用いる凝集剤を2種類以上挙げ、それぞれについて特徴及び使用に際しての留意点について述べよ。

Ⅱ－1－2　表流水を原水とする浄水場に膜ろ過を導入する場合に、膜処理の前段に組み合わされる一般的な前処理設備を1つ以上挙げ、それぞれの期待される効果及び水処理上の留意点を述べよ。

Ⅱ－1－3　管路のダウンサイジングによる効果と留意点についてそれぞれ1つ以上述べよ。

Ⅱ－1－4　水道管の布設工事における、開削工法と非開削工法の、それぞれの概要と特徴について述べよ。

Ⅱ－2　次の2設問（Ⅱ－2－1、Ⅱ－2－2）のうち1設問を選び解答せよ。（青色の答案用紙に解答設問番号を明記し、答案用紙2枚を用いてまとめよ。）

Ⅱ－2－1　水道水は、水質基準を満足するよう、原水の水質に応じた水道システムを整備・管理することにより安全性が確保されているが、水道水へのさまざまなリスクが存在し、水質汚染事故や異臭味被害が発生している。

水道をとりまくこのような状況の中で、水道水の安全性を一層高め、今後とも利用者が安心して飲める水道水を安定的に供給していくためには、水源から給水栓に至る統合的な水質管理を実現することが重要である。

このためには、水源から給水栓に至る各段階で危害評価と危害管理を行い、安全な水の供給を確実にする水道システムを構築する「水安全計画」（Water Safety Plan：WSP）の策定が提唱されている。あなたが、この「水安全計画」を新たに策定する業務を進めるに当たり、以下の内容について記述せよ。

(1) 水道システムの把握と危害分析について、調査検討すべき事項とその内容について説明せよ。

(2) 管理措置と対応方法の設定を進める手順を列挙して、それぞれの項目ごとに留意すべき点、工夫を要する点を述べよ。

(3) 「水安全計画」の運用も含め、業務を効率的、効果的に進めるための関係者との調整方策について述べよ。

Ⅱ－2－2　南海トラフ地震による地震危険度が高い地域に位置する中核

都市において、水道の地震対策を効率的に実施するために、計画を策定することになった。あなたがこの業務の担当責任者として業務を進めるに当たり、下記の内容について記述せよ。

(1) 水道の地震被害想定を行うに当たり、調査・検討すべき事項とその内容について説明せよ。

(2) 業務を進める手順を列挙し、主な検討項目の留意すべき点、工夫すべき点を述べよ。

(3) 業務を効率的、効果的に進めるための関係者との調整方策について述べよ。

(10－1) 上水道及び工業用水道「選択科目Ⅲ」

Ⅲ　次の2問題（Ⅲ－1、Ⅲ－2）のうち1問題を選び解答せよ。（赤色の答案用紙に解答問題番号を明記し、答案用紙3枚を用いてまとめよ。）

Ⅲ－1　我が国の水道事業においては、人口減少等に伴う水需要の減少や施設の老朽化に伴う更新需要の増大など、経営環境が厳しさを増している。このような中で、将来にわたり安定した事業経営を継続するため、抜本的な改革等の取組を通じ、経営基盤の強化と財政マネジメントの向上を図ることが求められている。

収支を維持することが厳しい事業環境の水道事業体において経営戦略の改定を検討するとともに、持続可能な水道事業の運営を担う技術者として、以下の問いに答えよ。

(1) 技術者としての立場で多面的な観点から3つの課題を抽出し、それぞれの観点を明記したうえで、課題の内容を示せ。

(2) 前問（1）で抽出した課題のうち最も重要と考える課題を1つ挙げ、その課題に対する複数の解決策を示せ。

(3) 前問（2）で示したすべての解決策を実行しても新たに生じうるリスクとそれへの対策を、中長期的な視点を踏まえて示せ。

Ⅲ－2　2019年10月1日に施行された改正水道法において、水道事業者等は水道施設を良好な状態に保つため、その維持・修繕を行わなければならないこととされた。

また、改正法の施行に伴い、法に定める基準として、水道法施行規則が改正され、水道施設の点検方法や頻度と範囲、点検により異状を確認した際の維持・修繕の措置、コンクリート構造物における点検及び修繕の記録等の基準が定められた。

上記の状況を踏まえ、水道分野の技術者として以下の問いに答えよ。

(1) コンクリート構造物の水道施設を良好な状態に保つために、技術者として多面的な観点から検討すべき課題を3つ抽出し、それぞれの観点を明記したうえで、その課題の内容を示せ。

(2) 抽出した課題から最も重要と考える課題を1つ挙げ、その課題に対する複数の対応策を示せ。

(3) 対応策によって新たに生じるリスクと解決策について、専門技術を踏まえた考えを示せ。

(10－2) 下水道「選択科目Ⅱ」

Ⅱ　次の2問題（Ⅱ－1、Ⅱ－2）について解答せよ。（問題ごとに答案用紙を替えること。）

Ⅱ－1　次の4設問（Ⅱ－1－1～Ⅱ－1－4）のうち1設問を選び解答せよ。（緑色の答案用紙に解答設問番号を明記し、答案用紙1枚にまとめよ。）

Ⅱ－1－1　分流式下水道における計画汚水量の基本数値である計画1日平均汚水量、計画1日最大汚水量及び計画時間最大汚水量について、それぞれの定義と用途について述べよ。また、算定に当たっての留意点について述べよ。

Ⅱ－1－2　下水道管路における圧送式輸送システムのリスクについて2つ挙げるとともに、それぞれのリスクについての対策について述べよ。

Ⅱ－1－3　標準活性汚泥法の下水処理施設において、最初沈殿池及び最終沈殿池の容量を決めるうえで重要な設計因子について2つ説明するとともに、それぞれの設計上の留意点を述べよ。

Ⅱ－1－4 汚泥処理における3つ以上の工程から発生する返流水について、その発生源と留意が必要な水質項目について挙げよ。また、適切に返流水を処理する場合における計画面及び維持管理面での留意点を各々述べよ。

Ⅱ－2 次の2設問（Ⅱ－2－1、Ⅱ－2－2）のうち1設問を選び解答せよ。
（青色の答案用紙に解答設問番号を明記し、答案用紙2枚を用いてまとめよ。）

Ⅱ－2－1 近年、都市化の進展等に伴う浸透面積の減少により雨水の流出量が増え、河川や下水道にかかる負荷が増加していることに加え、気候変動の影響等により大雨等が頻発し、内水氾濫が発生するリスクが増大している。また、昨年には「特定都市河川浸水被害対策法等の一部を改正する法律」が施行され、流域治水の取組が法的にも加速されることとなった。

このような状況の中、ある流域において流域治水を考慮した「気候変動を踏まえた下水道による都市浸水対策計画の策定」をすることになった。あなたがこの業務の担当者に選ばれた場合、下記の内容について記述せよ。

(1) 調査・検討すべき事項とその内容について説明せよ。
(2) 業務を進める手順を列挙して、それぞれの項目ごとに留意すべき点、工夫を要する点を述べよ。
(3) 業務を効率的、効果的に進めるための関係者との調整方策について述べよ。

Ⅱ－2－2 A市は、下水道事業費の削減や市の脱炭素化の推進等を目的に、処理能力100,000 m^3/日、水処理方式は標準活性汚泥法、汚泥処理方式は重力及び機械濃縮、脱水、焼却で稼働しているA市唯一のB終末処理場を対象に汚泥消化の導入を検討することとした。あなたが業務責任者として選任された場合、下記の内容について記述せよ。

(1) 調査、検討すべき事項とその内容について説明せよ。
(2) 業務を進める手順を列挙して、それぞれの項目ごとに注意すべき点、工夫を要する点を述べよ。

(3) 業務を効率的、効果的に進めるための関係者との調整方策について述べよ。

(10－2) 下水道「選択科目Ⅲ」

Ⅲ 次の2問題（Ⅲ－1、Ⅲ－2）のうち1問題を選び解答せよ。（赤色の答案用紙に解答問題番号を明記し、答案用紙3枚を用いてまとめよ。）

Ⅲ－1 D県A市（人口約60万人）の単独公共下水道B処理区（合流区域（汚水・雨水）、分流区域（汚水））のC処理場は、供用開始から50年以上経過し、更新時期を迎えている。人口減少に伴い、厳しい財政状況の中、施設の耐震化や合流式下水道の改善、高度処理の導入などの機能の高度化や処理区の不明水対策も進んでいなかった。そこで、単独公共下水道B処理区に隣接しているD県流域下水道E処理区（分流式（汚水））のF処理場に編入することとなった。

こうした状況を踏まえ、単独公共下水道処理区を流域下水道処理区に編入する技術者として、以下の問いに答えよ。

(1) 単独公共下水道処理区を流域下水道処理区に編入するに当たって、技術者としての立場で多面的な観点から課題を3つ抽出し、それぞれの観点を明記したうえで、その課題の内容を示せ。

(2) 抽出した課題のうち最も重要と考える課題を1つ挙げ、その課題に対する複数の解決策を示せ。

(3) 前問 (2) で示したすべての解決策を実行しても新たに生じうるリスクとそれへの対策について示せ。

Ⅲ－2 A町（人口1万人未満）の汚水処理人口普及率は80％を超えており、公共下水道（オキシデーションディッチ法）による処理がほとんどであるが、一部、浄化槽での処理とし尿汲み取りを行っている。浄化槽汚泥とし尿は、し尿処理施設で処理を行っているがし尿処理施設は老朽化が進んでおり、今後人口が減少していくと予想される中で将来的にし尿処理施設を廃止し、下水処理場で共同処理する計画であり、浄化槽汚泥とし尿を水処理施設へ投入して処理することとしている。

こうした状況を踏まえ、浄化槽汚泥とし尿を下水処理場で共同処理を行うに当たり、技術者の立場として以下の問いに答えよ。

(1) 浄化槽汚泥とし尿を受け入れるに当たり、下水処理場における影響を検討することとなった。多面的な観点から課題を3つ抽出し、それぞれの観点を明記したうえで、その課題の内容について述べよ。

(2) 前問（1）で抽出した課題のうち最も重要と考える課題を1つ挙げ、その課題に対する複数の解決策を示せ。

(3) 前問（2）で示したすべての解決策を実行しても新たに生じうるリスクを示すとともに、それらへの対策を述べよ。

(3) 2021年度

(10) 上下水道部門「必須科目Ⅰ」

Ⅰ　次の2問題（Ⅰ－1、Ⅰ－2）のうち1問題を選び解答せよ。（解答問題番号を明記し、答案用紙3枚を用いてまとめよ。）

Ⅰ－1　日本の将来人口は、減少していくと予測されている。この人口減少により上下水道事業では、将来水需要の減少に伴う料金収入の減収や職員数の減少が見込まれている。一方、多くの施設は、老朽化が進行しており、更新時期を迎えつつある。このため、今後も安定して事業を継続していくためには、厳しい財政状況の下で執行体制の省力化を図りながら事業が進められるように上下水道事業の基盤強化を着実に進めていくことが求められている。

(1) 上下水道事業に共通する事業基盤強化に関して、技術者としての立場で多面的な観点から3つ課題を抽出し、それぞれの観点を明記したうえで、課題の内容を示せ。

(2) 抽出した課題のうち最も重要と考える上下水道に共通する課題を1つ

挙げ、その課題に対する複数の解決策を示せ。

(3) 解決策に共通して生じうる新たなリスクとそれへの対策について、専門技術を踏まえた考えを示せ。

(4) 業務遂行において必要な要件を技術者としての倫理、社会の持続可能性の観点から述べよ。

Ⅰ－2 平成30年7月豪雨や北海道胆振東部地震などの被害を受け、平成30年12月14日に閣議決定された「防災・減災、国土強靱化のための3か年緊急対策」が平成30年度から令和2年度に進められ、さらに令和3年度からは「防災・減災、国土強靱化のための5か年加速化対策」が進められている。この状況を踏まえ、以下の問いに答えよ。

(1) 社会の重要な機能を維持するため重要なインフラである上下水道が国土強靱化に資するため、対策すべき課題について、技術者としての立場で多面的な観点から3つ抽出し、それぞれの観点を明記したうえで、課題の内容を示せ。

(2) 抽出した課題のうち最も重要と考える課題を1つ挙げ、その課題に対する複数の具体的な対策を示せ。

(3) すべての解決策を実行しても新たに生じうるリスクとそれへの対策について、専門技術を踏まえた考えを示せ。

(4) 上記事項を業務として遂行するに当たり、技術者としての倫理、社会の持続可能性の観点から必要となる要件・留意点を述べよ。

(10－1) 上水道及び工業用水道「選択科目Ⅱ」

Ⅱ 次の2問題（Ⅱ－1、Ⅱ－2）について解答せよ。(問題ごとに答案用紙を替えること。)

Ⅱ－1 次の4設問（Ⅱ－1－1～Ⅱ－1－4）のうち1設問を選び解答せよ。(緑色の答案用紙に解答設問番号を明記し、答案用紙1枚にまとめよ。)

Ⅱ－1－1 活性炭処理の種類とそれぞれの特徴と処理上の留意点について

述べよ。

Ⅱ－１－２ 水道原水に係るクリプトスポリジウム等による汚染のおそれの判断と、対応措置について述べよ。

Ⅱ－１－３ 配水管網設計において、配水管網の機能とその設計目標について述べよ。

Ⅱ－１－４ 有収率向上のための対策を複数挙げ、それぞれの技術的要件について述べよ。

Ⅱ－２ 次の２設問（Ⅱ－２－１、Ⅱ－２－２）のうち１設問を選び解答せよ。（青色の答案用紙に解答設問番号を明記し、答案用紙２枚を用いてまとめよ。）

Ⅱ－２－１ 水道施設の適切な管理等のために、水道施設台帳を作成して保管するとともに、水道施設の計画的な更新を行い、その事業の収支の見通しを公表するよう努めることが求められている。あなたが、この水道施設台帳を新たに整備する業務を進めるに当たり、以下の内容について記述せよ。

⑴ 調査、検討すべき事項とその内容について説明せよ。

⑵ 留意すべき点、工夫を要する点を含めて業務を進める手順について述べよ。

⑶ 水道施設台帳の運用も含め、業務を効率的、効果的に進めるための関係者との調整方策について述べよ。

Ⅱ－２－２ 河川表流水を水源とし、急速ろ過方式を採用する浄水場において、いわゆるゲリラ豪雨と呼ばれる局地的大雨の影響により、年に数回の頻度で原水が極めて高濁度となる事象が発生しており、対策の検討が求められている。あなたが、この検討業務を担当責任者として進めるに当たり、以下の内容について記述せよ。

⑴ 調査、検討すべき事項とその内容について説明せよ。

⑵ 業務を進める手順を列挙して、それぞれの項目ごとに留意すべき点、工夫を要する点を述べよ。

⑶ 業務を効率的、効果的に進めるための関係者との調整方策について

述べよ。

(10－1) 上水道及び工業用水道「選択科目Ⅲ」

Ⅲ　次の2問題（Ⅲ－1、Ⅲ－2）のうち1問題を選び解答せよ。（赤色の答案用紙に解答問題番号を明記し、答案用紙3枚を用いてまとめよ。）

Ⅲ－1　中小規模の水道事業者の多くは、人口減少に伴う水需要の減少、水道施設の老朽化、深刻化する人材不足等に直面しており、技術的・財政的に様々な課題を抱えている。

さらに、市町村合併等が行われた地域の水道事業者においては、浄水場等の水道施設が点在し、運転監視装置の設備機器構成や仕様が異なることにより、運転管理や保全管理が複雑になっている場合があり、適切な維持管理を難しくしている。

上記の状況を踏まえ、水道分野の技術者として以下の問いに答えよ。

(1) 水道施設の監視制御システムを整備するに当たり、技術者として多面的な観点から検討すべき課題を3つ抽出し、それぞれの観点を明記したうえでその内容を示せ。

(2) 抽出した課題から最も重要と考える課題を1つ挙げ、その課題に対する複数の対応策を示せ。

(3) 対応策によって新たに生じるリスクと解決策について、専門技術を踏まえた考えを示せ。

Ⅲ－2　我が国の水道事業を取り巻く事業環境は、人口減少に伴う給水収益の減少、施設・管路の老朽化等に伴い、急速に厳しさを増している。このため、市町村の区域を超えた広域的な水道事業者間の多様な連携（広域連携）などによって今後の事業基盤を確立することも効果的である。

一方で、料金格差等の課題があるため、短期的には経営統合の実現が困難な地域も多くみられる。このような地域における広域連携方策を検討する技術者として、以下の問いに答えよ。

(1) 技術者としての立場で多面的な観点から広域連携により解決できる課

題を3つ抽出し、それぞれの観点を明記したうえで、課題の内容を示せ。

(2) 抽出した課題のうちあなたが最も重要と考える課題を1つ挙げ、その課題に対する複数の解決策を示せ。

(3) 提案した解決策を実行したとしても新たに生じうるリスクとそれへの対応について、中長期的な視点も含めて考えを示せ。

(10－2) 下水道「選択科目Ⅱ」

Ⅱ　次の2問題（Ⅱ－1、Ⅱ－2）について解答せよ。（問題ごとに答案用紙を替えること。）

Ⅱ－1　次の4設問（Ⅱ－1－1～Ⅱ－1－4）のうち1設問を選び解答せよ。（緑色の答案用紙に解答設問番号を明記し、答案用紙1枚にまとめよ。）

Ⅱ－1－1　処理場・ポンプ場における内水及び外水に係る耐水化と防水化について、内水及び外水に係る対象外力を述べよ。また、耐水化と防水化を対比して説明し、各々の具体的な対策手法を述べよ。

Ⅱ－1－2　分流式下水道における雨天時浸入水に起因する事象について、その発生原因を2つ挙げるとともに、管路施設での対策を述べよ。

Ⅱ－1－3　標準活性汚泥法において採用される、水中攪拌式以外のエアレーション方式について2つ説明せよ。また、これらの方式に採用する複数の散気装置を挙げるとともに、採用に当たっての留意点を述べよ。

Ⅱ－1－4　下水汚泥のエネルギー利活用の目的を説明し、下水汚泥の固形燃料化と汚泥消化の特徴及び導入における留意点を述べよ。

Ⅱ－2　次の2設問（Ⅱ－2－1、Ⅱ－2－2）のうち1設問を選び解答せよ。（青色の答案用紙に解答設問番号を明記し、答案用紙2枚を用いてまとめよ。）

Ⅱ－2－1　大規模な地震時においても下水道が有すべき機能を維持するため、既存の下水道施設への地震対策が必要である。そこで、重要な下水道施設の耐震化を図る「防災」と被災を想定して被害の最小化を図る

「減災」を組合せた下水道総合地震対策を計画することになった。あなたが業務責任者として選任された場合、下記の内容について記述せよ。

(1) 調査、検討すべき事項とその内容について説明せよ。

(2) 業務を進める手順を列挙して、それぞれの項目ごとに留意すべき点、工夫を要する点を述べよ。

(3) 業務を効率的、効果的に進めるための関係者との調整方策について述べよ。

Ⅱ－2－2　地方のある中核都市A市は、全体計画では処理施設を高度処理と位置付けているものの、現在まで標準活性汚泥法で運転を行ってきた。近年、建設当初と比べて下水道普及率の向上等により水量・水質が変化しており、また機械・電気設備の老朽化が進行していることから、標準法として供用中の施設において、部分的な施設・設備の改造や運転管理の工夫により、早期かつ安価に高度処理化を図る「段階的高度処理」へと移行するための更新計画を立案し、実行に移すこととなった。一方、財政難、運転管理職員の減少等、下水道事業環境は厳しい状況にある。あなたが本更新計画の業務責任者として選任された場合、下記について記述せよ。

(1) 調査、検討すべき事項とその内容について、説明せよ。

(2) 業務を進める手順を列挙して、それぞれの項目ごとに留意すべき点、工夫を要する点を述べよ。

(3) 業務を効率的、効果的に進めるための関係者との調整方策について述べよ。

(10－2) 下水道「選択科目Ⅲ」

Ⅲ　次の2問題（Ⅲ－1、Ⅲ－2）のうち1問題を選び解答せよ。（赤色の答案用紙に解答問題番号を明記し、答案用紙3枚を用いてまとめよ。）

Ⅲ－1　海域と1級河川とに面した低平地及び丘陵地からなるB市（市域面積約7,000 ha、人口約40万人）は、分流式で下水道の整備が概成しており、洪水や高潮、津波被害と比べ、内水被害に対する危機意識は低い状況であった。

B市に降った雨水は、ポンプ場や排水樋管から海域や河川に排除されているが、近年の気候変動の影響による降雨状況の変化に伴い、内水被害が頻発化・激甚化してきており、市民の内水被害への危機意識も高まり、内水ハザードマップを作成することとなった。

こうした状況を踏まえ、内水ハザードマップを作成する技術者として、以下の問いに答えよ。

(1) 内水ハザードマップを作成するに当たり、技術者としての立場で多面的な観点から課題を3つ抽出し、それぞれの観点を明記したうえで、課題の内容を示せ。

(2) 抽出した課題のうち最も重要と考える課題を1つ挙げ、その課題に対する複数の解決策を示せ。

(3) すべての解決策を実行しても新たに生じうるリスクとそれへの対策について、専門技術を踏まえた考えを示せ。

Ⅲ－2 下水道事業は、人口減少による使用料収入の減少、老朽化施設の増加などの背景からより効率的な事業実施が求められており、また、降雨の局地化・集中化・激甚化に対する新たな防災・減災のあり方を検討する必要がある。さらに、人口減少社会における汚水処理の最適化、エネルギー・地球温暖化問題への対応なども求められている。

これら様々な課題に対して、持続的かつ質の高い下水道事業の展開を実現するために、ICTの活用が推進されており、下水道事業の質・効率性の向上や情報の見える化を進める責任者の立場として、以下の問いに答えよ。

(1) ICTの活用を推進して対応すべき課題について、技術者としての立場で多面的な観点から3つ抽出し、その内容を観点とともに示せ。

(2) 抽出した課題のうち最も重要と考える課題を1つ挙げ、その課題に対する複数の解決策を示せ。

(3) 解決策に共通して新たに生じるリスクとそれへの対策について、専門技術を踏まえた考えを示せ。

2. 技術士に求められる資質能力と試験科目別確認項目

「技術士に求められる資質能力（コンピテンシー）」とは、技術士がその業務遂行に当たり求められる資質能力です。具体的には、表3. 2. 1の8つの資質能力を指します。

この「技術士に求められる資質能力（コンピテンシー）」は、国際エンジニアリング連合（IEA）の「専門職としての知識・能力」（プロフェッショナル・コンピテンシー）を参考にして制定されました。これらは、別の表現で言えば、技術士であれば最低限備えるべき資質能力と言えます。

技術士はこれらの資質能力をもとに、CPD活動を行い、コンピテンシーを維持・向上させ、新しい技術とともに絶えず変化し続ける仕事の性質に適応する能力を高めることが求められています。

なお、これら8つの資質能力について技術士試験の筆記試験と口頭試験において、表3. 2. 1のように試験科目ごとに確認されることになっています。

筆記試験においては、継続研さん以外が確認され、口頭試験では、コミュニケーション、リーダーシップ、マネジメント、評価、技術者倫理、継続研さんの6つの資質能力が確認されます。

このようなことから、筆記試験、口頭試験においては、それぞれの資質能力を意識した解答や受け答えが必要となります。

表3. 2. 1　試験科目別確認項目

技術士に求められる資質能力		筆記試験				口頭試験
		必須科目 I	選択科目 Ⅱ－1	選択科目 Ⅱ－2	選択科目 Ⅲ	
専門的学識	技術士が専門とする技術分野（技術部門）の業務に必要な、技術部門全般にわたる専門知識及び選択科目に関する専門知識を理解し応用すること。	○ 基本知識理解	○ 基本知識理解	○ 業務知識理解	○ 基本知識理解	—
	技術士の業務に必要な、我が国固有の法令等の制度及び社会・自然条件等に関する専門知識を理解し応用すること。	—	○ 基本理解レベル	○ 業務理解レベル	—	—

表3.2.1　試験科目別確認項目（つづき）

<table>
<tr><th colspan="2" rowspan="2">技術士に求められる資質能力</th><th colspan="4">筆記試験</th><th rowspan="2">口頭試験</th></tr>
<tr><th>必須科目Ⅰ</th><th>選択科目Ⅱ－1</th><th>選択科目Ⅱ－2</th><th>選択科目Ⅲ</th></tr>
<tr><td rowspan="2">問題解決</td><td>業務遂行上直面する複合的な問題に対して、これらの内容を明確にし、調査し、必要に応じてデータ・情報技術を活用して定義し、これらの背景に潜在する問題発生要因や制約要因を抽出し分析すること。</td><td>○
課題抽出</td><td>—</td><td>—</td><td>○
課題抽出</td><td>—</td></tr>
<tr><td>複合的な問題に関して、多角的な視点を考慮し、ステークホルダーの意見を取り入れながら、相反する要求事項（必要性、機能性、技術的実現性、安全性、経済性等）、それらによって及ぼされる影響の重要度を考慮した上、複数の選択肢を提起し、これらを踏まえた解決策を合理的に提案し、又は改善すること。</td><td>○
方策提起</td><td>—</td><td>—</td><td>○
方策提起</td><td>—</td></tr>
<tr><td>評価</td><td>業務遂行上の各段階における結果、最終的に得られる成果やその波及効果を評価し、次段階や別の業務の改善に資すること。</td><td>○
新たなリスク</td><td>—</td><td>—</td><td>○
新たなリスク</td><td>○</td></tr>
<tr><td rowspan="3">技術者倫理</td><td>業務遂行にあたり、公衆の安全、健康及び福利を最優先に考慮した上で、社会、経済及び環境に対する影響を予見し、地球環境の保全等、次世代に渡る社会の持続可能な成果の達成を目指し、技術士としての使命、社会的地位及び職責を自覚し、倫理的に行動すること。</td><td>○
社会的認識</td><td>—</td><td>—</td><td>—</td><td rowspan="3">○</td></tr>
<tr><td>業務履行上、関係法令等の制度が求めている事項を遵守し、文化的価値を尊重すること。</td><td>—</td><td>—</td><td>—</td><td>—</td></tr>
<tr><td>業務履行上行う決定に際して、自らの業務及び責任の範囲を明確にし、これらの責任を負うこと。</td><td>—</td><td>—</td><td>—</td><td>—</td></tr>
<tr><td>マネジメント</td><td>業務の計画・実行・検証・是正（変更）等の過程において、品質、コスト、納期及び生産性とリスク対応に関する要求事項、又は成果物（製品、システム、施設、プロジェクト、サービス等）に係る要求事項の特性（必要性、機能性、技術的実現性、安全性、経済性等）を満たすことを目的として、人員・設備・金銭・情報等の資源を配分すること。</td><td>—</td><td>—</td><td>○
業務遂行手順</td><td>—</td><td>○</td></tr>
<tr><td>コミュニケーション</td><td>・業務履行上、情報技術を活用し、口頭や文書等の方法を通じて、雇用者、上司や同僚、クライアントやユーザー等多様な関係者との間で、明確かつ包摂的な意思疎通を図り、協働すること。
・海外における業務に携わる際は、一定の語学力による業務上必要な意思疎通に加え、現地の社会的文化的多様性を理解し関係者との間で可能な限り協調すること。</td><td>○
的確表現</td><td>○
的確表現</td><td>○
的確表現</td><td>○
的確表現</td><td>○</td></tr>
<tr><td>リーダーシップ</td><td>・業務遂行にあたり、明確なデザインと現場感覚を持ち、多様な関係者の利害等を調整し取りまとめることに努めること。
・海外における業務に携わる際は、多様な価値観や能力を有する現地関係者とともに、プロジェクト等の事業や業務の遂行に努めること。</td><td>—</td><td>—</td><td>○
関係者調整</td><td>—</td><td>○</td></tr>
<tr><td>継続研さん</td><td>・CPD活動を行い、コンピテンシーを維持・向上させ、新しい技術とともに絶えず変化し続ける仕事の性質に適応する能力を高めること。</td><td>—</td><td>—</td><td>—</td><td>—</td><td>○</td></tr>
</table>

3. Ⅰ必須科目

(1) 出題内容

「必須科目」試験における概念と出題内容、評価項目は、表3. 3. 1となっています。

表3. 3. 1 「必須科目」

記述式 600字×3枚以内［40点］【2問出題1問選択解答】

概　念	**専門知識** 専門の技術分野の業務に必要で幅広く適用される原理等に関わる汎用的な専門知識
	応用能力 これまでに習得した知識や経験に基づき、与えられた条件に合わせて、問題や課題を正しく認識し、必要な分析を行い、業務遂行手順や業務上留意すべき点、工夫を要する点等について説明できる能力
	問題解決能力及び課題遂行能力 社会的なニーズや技術の進歩に伴い、社会や技術における様々な状況から、複合的な問題や課題を把握し、社会的利益や技術的優位性などの多様な視点からの調査・分析を経て、問題解決のための課題とその遂行について論理的かつ合理的に説明できる能力
出題内容	現代社会が抱えている様々な問題について、「技術部門」全般に関わる基礎的なエンジニアリング問題としての観点から、多面的に課題を抽出して、その解決方法を提示し遂行していくための提案を問う。
評価項目	技術士に求められる資質能力（コンピテンシー）のうち、専門的学識、問題解決、評価、技術者倫理、コミュニケーションの各項目

この「必須科目」は、上下水道部門全般にわたる専門知識、応用能力、問題解決能力及び課題遂行能力に関する問題となっています。

表3.3.2 「必須科目」試験内容

試験科目	試験内容［配点］	解答時間
I 必須科目	「技術部門」全般にわたる専門知識、応用能力、問題解決能力及び課題遂行能力に関するもの 記述式　600字×3枚以内　［40点］	2時間00分 (10:00〜12:00)

必須科目は、専門知識、応用能力、問題解決能力に加え課題遂行能力を求められる内容となっています。

専門知識：幅広く適用される原理等に関わる汎用的な専門知識

応用能力：①与えられた条件に合わせて、問題や課題を正しく認識
　　　　　②必要な分析を行う
　　　　　③業務遂行手順や業務上留意すべき点、工夫を要する点等について説明できる能力

問題解決能力及び課題遂行能力：
　　　　　①複合的な問題や課題を把握
　　　　　②社会的利益や技術的優位性などの多様な視点からの調査・分析
　　　　　③問題解決のための課題とその遂行について論理的かつ合理的に説明できる能力

前述のように「必須科目」は、「技術部門」全体（上水道、下水道）の単に専門知識を問うだけではなく、それぞれの問題や課題は何か、また、その問題をどのように解決するのか、さらに解決策に共通して新たに生じうるリスクとそれへの対策、業務遂行において必要な要件を問う問題となりました。

このようなことから、上水道と下水道の現状の問題や課題は何かをあらかじめ整理して、その方策として国としてはどのようなことを行っているかを勉強していないと、解答できません。

また、論文の評価項目として、技術士に求められる資質能力（コンピテンシー）のうち、専門的学識、問題解決、評価、技術者倫理、コミュニケーションが求められています。

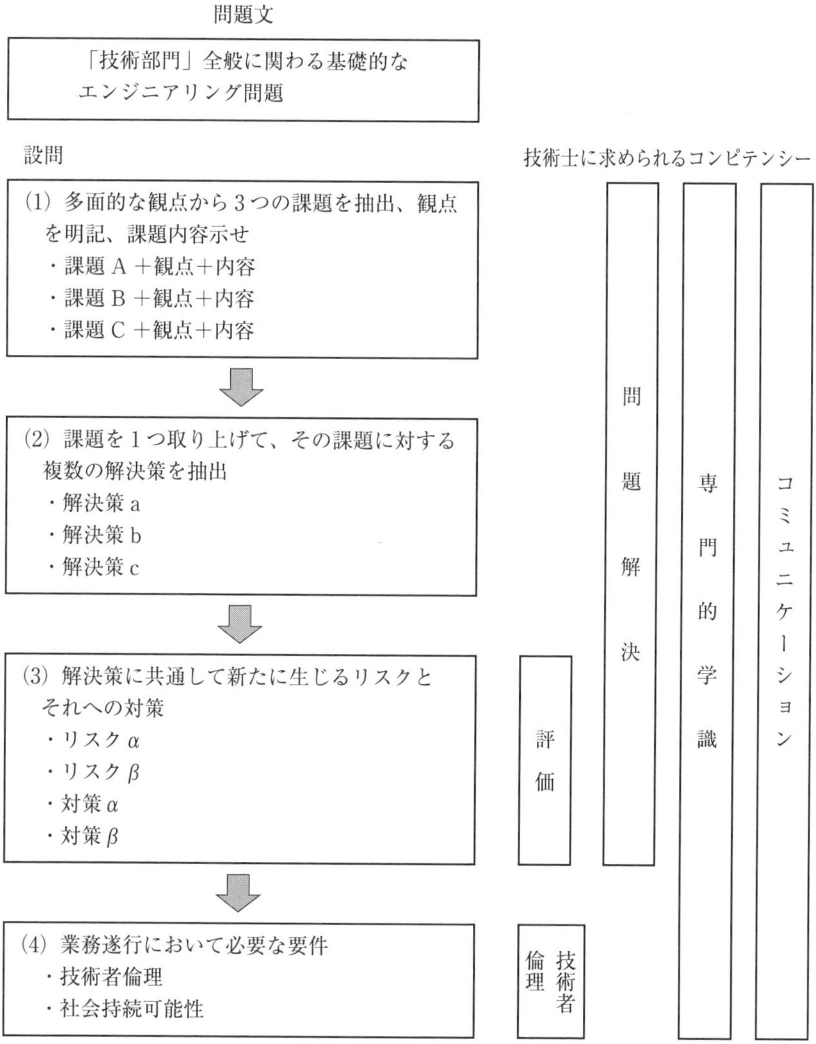

問題文

「技術部門」全般に関わる基礎的な
エンジニアリング問題

設問

(1) 多面的な観点から3つの課題を抽出、観点を明記、課題内容示せ
・課題A＋観点＋内容
・課題B＋観点＋内容
・課題C＋観点＋内容

↓

(2) 課題を1つ取り上げて、その課題に対する複数の解決策を抽出
・解決策a
・解決策b
・解決策c

↓

(3) 解決策に共通して新たに生じるリスクとそれへの対策
・リスク α
・リスク β
・対策 α
・対策 β

↓

(4) 業務遂行において必要な要件
・技術者倫理
・社会持続可能性

技術士に求められるコンピテンシー

評価

技術者倫理

問題解決

専門的学識

コミュニケーション

専門的学識（基本知識理解）：

技術的専門知識

問題解決（課題抽出、方策提起）：

①複合的問題の内容の明確化

②問題発生要因や制約要因の抽出・分析

③相反する要求事項（必要性、機能性、技術的実現性、安全性、経済性等）によって及ぼされる影響の重要度を考慮

④複数の選択肢を提起

⑤解決策を合理的に提案・改善

評価（新たなリスク）：

①成果やその波及効果を評価

②次段階や別の業務の改善に資する

技術者倫理（社会的認識）：

①公衆の利益の優先

②持続可能性の確保

③信用の保持

コミュニケーション（的確表現）

①明確な意思疎通

②社会的文化的多様性の理解と協調

「必須問題」では、多面的な視点から複数の課題を抽出・分析し、その中の課題を1つ取り上げて、その課題に対する複数の解決策を提案することが求められています。さらに、解決策に共通して新たに生じるリスクとそれへの対策を求め、業務遂行において必要な要件を技術者倫理、社会持続可能性の観点から説明を求められる問題となっています。

実際の設問構成と、技術士に求められるコンピテンシーの関係は前ページ図となりますので、設問に対してコンピテンシーを意識した解答が求められます。

(2) 問題の分析

1) 設問の整理

2023年度の上下水道部門の「必須科目」について、出題テーマ、背景、設問について分けると表3. 3. 3となります。2問題出題1問題選択解答ですが、2問題とも同じパターンでの設問となっています。

このことから、「必須科目」の勉強法として、上下水道全般に関わる基礎的な問題に対して、技術士に求められる資質能力（試験科目別確認項目）に当てはめると、①～⑤のように整理して解答すれば良いことがわかると思います。

①問題文の背景・出題テーマ

②課題抽出

③方策提起

④新たなリスク

⑤社会的認識

表3. 3. 3　2023年上下水道部門「必須科目」

出題テーマ	背　景	設　問			
		課題抽出	方策提起	新たなリスク	社会的認識
維持管理情報等を起点としたマネジメントサイクル	人口減少に伴う収入の減少、深刻化する人材不足、老朽化の増加	多面的な観点（ただし、費用面は除く）から3つの重要な課題を抽出し、それぞれの観点を明記、課題の内容を示せ	最も重要と考える課題をその理由とともに1つ挙げ、その課題に対する複数の解決策を具体的に示せ	すべての解決策を実行しても新たに生じうるリスクとそれへの対策について、専門技術を踏まえた考えを示せ	業務として遂行するに当たり、技術者としての倫理、社会の持続可能性の観点から必要となる要件、留意点を述べよ
水害発生時の機能確保	東日本大震災をはじめとする上下水道施設の機能停止	多面的な観点から3つ抽出し、それぞれの観点を明記、課題の内容を示せ	最も重要と考える課題を1つ挙げ、その課題に対する複数の解決策を示せ	すべての解決策を実行しても新たに生じうる課題とそれへの対策について、専門技術を踏まえた考えを示せ	業務遂行において必要な要件を、技術者としての倫理、社会の持続可能性の観点から題意に即して述べよ

表3.3.4 2022年度上下水道部門「必須科目」

出題テーマ	背 景	設 問			
		課題抽出	方策提起	新たなリスク	社会的認識
デジタルトランスフォーメーション	人口減少による料金、使用料収入の減少、技術者不足、老朽化施設の増加	多面的な観点から3つの課題を抽出し、それぞれの観点を明記、課題の内容を示せ	最も重要と考える課題を1つ挙げ、その課題に対してDXを活用した複数の具体的な対策を示せ	対策を実行しても新たに生じうるリスクとそれへの対策について、専門技術を踏まえた考えを示せ	業務として遂行するに当たり、技術者としての倫理、社会の持続可能性の観点から必要となる要件、留意点を述べよ
事業活動に伴う環境負荷低減	事業活動において、多くの資源やエネルギーを消費し、温室効果ガスや廃棄物等を大量に排出	同上	最も重要と考える課題を1つ挙げ、その課題に対する複数の解決策を示せ	すべての解決策を実行しても新たに生じうるリスクとそれへの対策について、専門技術を踏まえた考えを示せ	業務遂行において必要な要件を、技術者としての倫理、社会の持続可能性の観点から述べよ

表3.3.5 2021年上下水道部門「必須科目」

出題テーマ	背 景	設 問			
		課題抽出	方策提起	新たなリスク	社会的認識
上下水道事業の基盤強化	厳しい財政状況	多面的な観点から課題を抽出し、観点を明記、課題の内容を示せ	最も重要と考える上下水道に共通する課題を1つ挙げ、その課題に対する複数の解決策	解決策に共通して生じうる新たなリスクとそれへの対策	業務遂行において必要な要件を技術者としての倫理、社会の持続可能性の観点から述べる
防災・減災、国土強靭化	平成30年7月豪雨、北海道胆振東部地震などの被害	同上	同上	同上	同上

表3.3.6　2020年度上下水道部門「必須科目」

出題テーマ	背　景	設　問			
		課題抽出	方策提起	①懸念事項と対応策 ②新たなリスクと対策	社会的認識
健全な水循環	社会構造の変化及び気候変動等の要因	多面的な観点から上下水道事業に共通する課題を抽出し分析	最も重要と考える課題を1つ挙げ、その課題に対する複数の解決策	すべての解決策を実行した上で生じる波及効果と専門技術を踏まえた懸念事項への対応策	業務遂行において必要な要件を技術者としての倫理、社会の持続可能性の観点から述べる
上下水道事業を安定的に継続	水需要減少、財政状況厳しい、技術者不足、施設老朽化	同上	同上	解決策に共通して新たに生じるリスクとそれへの対策	同上

表3.3.7　2019年度上下水道部門「必須科目」

出題テーマ	背　景	設　問			
		課題抽出	方策提起	新たなリスクと対応策	社会的認識
実効性のある上下水道事業共通の計画立案と災害リスク低減	頻発するさまざまな災害や事故	多面的な観点から上下水道事業に共通する課題を抽出し分析	最も重要と考える上下水道事業に共通する課題を1つ挙げ、その課題に対する複数の解決策	解決策に共通して新たに生じうるリスクとそれへの対策	業務遂行において必要な要件を技術者としての倫理、社会の持続可能性の観点から述べる
地球温暖化	インフラ設備、水輸送のための管路システム及び水処理におけるエネルギー消費	同上	同上	同上	同上

2）出題テーマ

2019～2023年度上下水道部門「必須科目」は、表3.3.3～表3.3.7のように、2問題出題され1問題を選択解答する問題となっています。

2020年度には新たなリスクと対策の従来どおりの設問ともう1問が、懸念事項と対応策の設問となっています。

「リスク」も「懸念」も「将来の悪い結果に関する予測」に関連する言葉という点では共通していますが、「リスク」は「悪い結果が発生する可能性」に意味の重点が置かれています。

「リスク」に対して、「懸念」という表現は「まだ起こっていない将来の出来事について気がかりなこと・不安に思うこと」という意味です。

このような問題に遭遇しても、まず言葉の意味をじっくりと考えて解答することが大切です。

今後の出題テーマについて、今回の「必須科目」が論文形式であった2007～2012年度までの出題は表3.3.8でした。

表3.3.8 2007～2012年度までの「必須科目」の出題テーマ

年度	2012年度	2011年度	2010年度	2009年度	2008年度	2007年度
出題テーマ	施設の老朽化・機能維持	上下水道の電力使用量削減	水質・耐震・更新	地震対策	水循環	水質・水循環

今後の「必須科目」の上下水道部門の共通テーマとしては、下記が考えられます。

・水循環

・災害対策

・環境対策

・資源・エネルギー利用

・アセットマネジメント

・官民連携

・広域化・共同化

・施設の最適化

・料金制度の最適化

・人口減少
・温室効果ガス削減
・施設の老朽化
・資金の確保
・職員数の減少
・Society 5.0
・SDGs
・コンセッション
・ICT / IoT
・デジタルトランスフォーメーション（DX）
・グリーントランスフォーメーション（GX）

3）課題抽出、方策提起

上下水道部門の共通テーマについて、課題を抽出します。課題数は最低2つ、できれば3つの課題がほしいです。

また、多面的な観点から課題を抽出する必要があるので、社会的利益や技術的優位性などの観点から抽出する必要があります。

さらに、最も重要と考える課題を1つ選ぶ必要があります。経済性、安全性、施工性、工期、機能性、技術の実現性等の相反する要求事項を考慮して、なぜ最も重要と考えたのかの理由を明示する必要があります。

その最重要課題に対する複数の解決策について、共通するリスクを念頭に置いた複数の解決策（2つ以上、できれば3つ）を述べます。

4）新たに生じうるリスクと対策

ここで、解答のポイントとなることは、『解決策に共通して新たに生じうるリスクとそれへの対策』です。

つまり、課題に対して解決策を出した上に、さらにその解決策に共通して新たに生じうるリスクとそれへの対策が必要となることです。

単に課題に対して解決策を述べるだけではだめなのです。

解決策から新たに生じうるリスクを考えながら、解決策を出す必要がありますが実際にはなかなか難しいと思います。

新たに生じうるリスクとして参考となるものとして下記があります。

・経済性、人的資源、情報、安全、環境等の総合技術監理の視点

・ヒト、モノ、カネ、情報、時間

・品質、コスト、工期

・必要性、機能性、技術的実現性、安全性、経済性

解決策から新たに生じうるリスクを試験会場で考えるのではなく、さまざまなパターンをあらかじめ用意しておけば試験会場であまり悩むことなく記載できると思います。

また、方策提起と解決策に共通して新たに生じうるリスクを同時に考えるのです。くれぐれも方策提起まで記載してから、解決策に共通して新たに生じうるリスクを書こうとすると、手が止まってしまいます。このようなことにならないようにあらかじめ、「課題抽出」、「方策提起」と「共通して新たに生じうるリスク」を同時に考えておくのです。

5）社会的認識

2つのことを問われているので、「技術者倫理の観点」と「社会の持続可能性の観点」の2つに分けて記載します。

①「技術者倫理の観点」

設問は、「技術者としての倫理」となっているので、「3義務2責務」や「技術士倫理綱領」が参考となります。

ただし、「業務遂行において」とあるので、あくまでも、解答した（1）、（2）、（3）と関連付ける必要があります。

（4）だけ「突然ですが！」、といった技術者倫理だけ唐突に述べてはいけません。

技術士倫理綱領よりと記載しましたが、論文内に入れにくい項目もあるので、あらかじめ用意しておくとよいです。

また、技術士法3義務2責務の（公益確保の責務）、技術士倫理綱領の中で、一番優先される（安全・健康・福利の優先）が記載しやすいものと考えます。

例）……を実施するにあたり、社会や環境に与える影響を十分考慮し、人々の安全、福利などの公益を損なうことのないよう実施する必要がある。

……を実施するに当たっては、技術士法で定められた3義務2責務のうち、公益確保を最優先に実施する。合わせて……等の関連法規についても遵守する必要がある。

・公共の安全、福利を最優先に考慮するため、……に重点を置いた……業務を行う。

・各作業時の担当者が常に現地状況を把握し共有化を行い、現地条件の変化に応じた設計・施工の効率化を図る。これは、技術士倫理綱領の「9. 相互の尊重」に適合する。

②「社会の持続可能性の観点」

技術者倫理の観点と同じように、解答した（1）、（2）、（3）と関連付ける必要があります。また、次のようなキーワードを入れた文章とすればよいでしょう。

持続可能な社会、低炭素社会、循環型社会、自然共生社会、SDGs、温暖化防止、環境保全

例）環境保全への貢献や公衆衛生の改善・向上に……

……廃棄物排出と各種汚染を環境の受容可能な範囲に抑制……

……環境の安定性と持続性を保つ開発方策を選定……

……資源とエネルギーが可能な限り循環するシステムを構築……

SDGsで定めた17の目標のうち「……」に重点を置く必要があります。

これら方策で材料使用量を低減し資源循環負荷を低減します。

……によって都市経済が持続的に成長し、居住者が持続的に街づくりに参加し、社会の持続性が確保されます。ここで言う社会の持続可能性とはSDGsの「8. 働きがいも経済成長も」に相当します。

(3) 解答までの流れ

問題本文

上下水道部門全般に関わる基礎的なエンジニアリング問題
・問題の背景
・出題テーマ

出題される問題の構成内容は、問題本文と設問に分かれている。

設問

(1) 課題抽出
(2) 最重要課題、複数解決策
(3) 解決策に共通して生じる新たなリスクと対策
(4) 業務遂行に必要な要件

問題文をじっくり読み問題文のポイントを整理する（問題文が求めているものについてアンダーラインを引くと抜けがなくなる）

出題テーマ、背景を考える

なぜこの問題が出されたかを考える

同時に考える
(1) 課題抽出
(2) 方策提起
(3) 新たなリスク

上下水道部門全般の共通課題を多面的観点から考える

解決策に共通する新たに生じうるリスクを念頭に置いた複数の解決策を提案する

(4) 社会的認識

2つの観点で記載し、(1)、(2)、(3) に関連づける

項目タイトル（論文構成）を考える

項目タイトルごとのキーワードを抽出する

・答案用紙以外に書く
・項目ごとの大まかな範囲を解答用紙に薄く書く（後で消せるように）

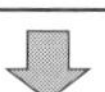

・技術的背景の説明
・テーマに対する課題の抽出・分析
・最重要課題と複数の解決策
・解決策に共通して生じる新たなリスクとその対策
・業務遂行上必要要件

解答

(4) 観点・課題・解決策の相関図

観点と課題、解決策を試験場で考えるのではなく、あらかじめ下記のような自分用の相関図を作っていたら、スムーズに解答できるようになります。

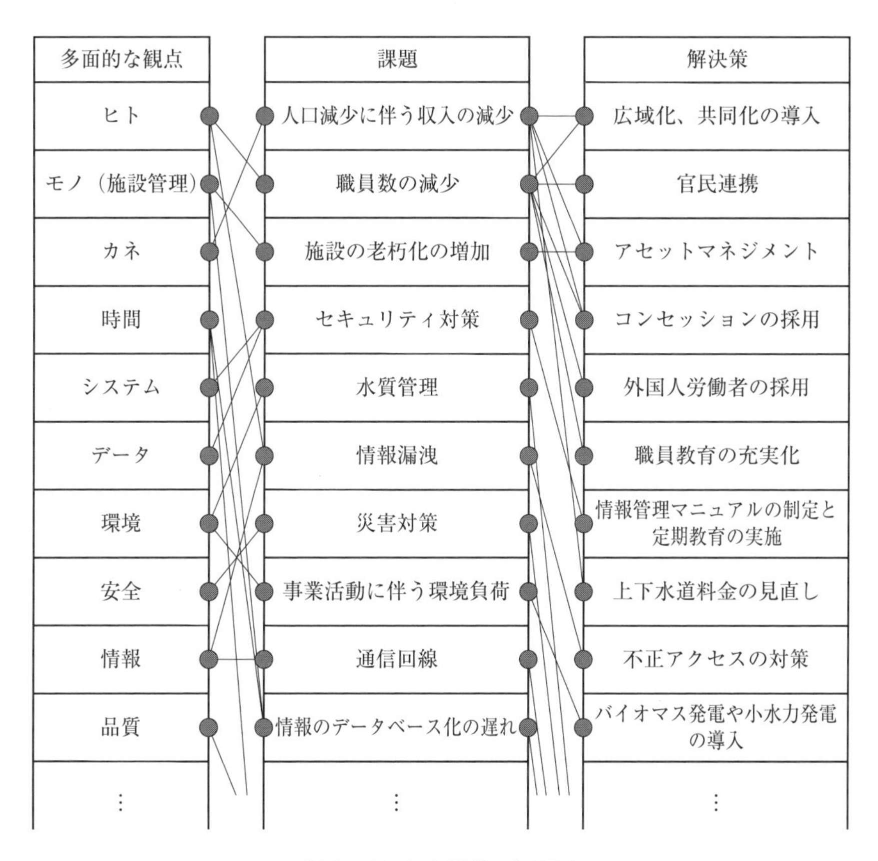

観点・課題・解決策の相関図

(5) 時間配分

「必須科目」は、1問題（2問題から1問題を選ぶ）600字×3枚を2時間で解答することとなっています。

1枚（600字）の記載時間を25分程度とすると、

構想時間40分　記載時間25分×3＝75分　見直し5分　計120分

このように構想時間を十分とることができます。

問題を見て、すぐに記載せず、構想時間をとり、

①出題テーマ、背景を考える

②項目タイトル（論文構成）を考える

③項目タイトルごとのキーワード（骨子）を抽出する

④項目ごとの大まかな範囲を解答用紙に書く

以上の作業を行って書き出します。

(6) 解答までの実際の解き方

下記の問題は、2023年度上下水道部門の「必須科目」の問題です。

設問のポイントと問題文の求めているものについてアンダーラインを引くと抜けがなくなります。

> Ⅰ－1　近年、上下水道事業では、人口減少に伴う収入の減少、深刻化する人材不足及び老朽化の増加等の課題に直面している。そのような中、国において、水道では水道施設の点検を含む維持・修繕の実施に関するガイドラインを改訂し、下水道では新下水道ビジョン加速戦略での重点項目において維持管理情報等を起点としたマネジメントサイクル（点検・調査、修繕・改築に至るサイクル）の確立の重要性を明記するなど、効率的・効果的に計画・設計、修繕・改築を行うための維持管理情報等の重要性が一層増している。
>
> 　このような状況を踏まえ、下記の問いに答えよ。
>
> (1) 上下水道事業での点検・調査等による維持管理情報等の取得、蓄積、活用に関して、技術者としての立場で多面的な観点（ただし、費用面は除く）から3つの重要な課題を抽出し、それぞれの観点を明記した

うえで、その課題の内容を示せ。
(2) 前問 (1) で抽出した課題のうち最も重要と考える課題をその理由とともに1つ挙げ、その課題に対する複数の解決策を具体的に示せ。
(3) 前問 (2) で示したすべての解決策を実行しても新たに生じうるリスクとそれへの対策について、専門技術を踏まえた考えを示せ。
(4) 上記事項を業務として遂行するに当たり、技術者としての倫理、社会の持続可能性の観点から必要となる要件、留意点を述べよ。

表3.3.9 出題テーマと背景

出題テーマ	背　景	設　問			
		課題抽出	方策提起	新たなリスク	社会的認識
上下水道事業での点検・調査等による維持管理情報等の取得、蓄積、活用	人口減少に伴う収入の減少、深刻化する人材不足、老朽化の増加	多面的な観点（ただし、費用面は除く）から3つの重要な課題を抽出し、それぞれの観点を明記、課題の内容を示せ	最も重要と考える課題をその理由とともに1つ挙げ、その課題に対する複数の解決策を具体的に示せ	すべての解決策を実行しても新たに生じうるリスクとそれへの対策について、専門技術を踏まえた考えを示せ	業務として遂行するに当たり、技術者としての倫理、社会の持続可能性の観点から必要となる要件、留意点を述べよ

【項目タイトルおよびキーワード】

1. 課題と内容

1.1　取得の課題（人的資源の観点）

上下水道職員は1997年をピークに減少、現在約30%減の7.3万人、運営団体の約40%が職員5名以下

1.2　蓄積の課題（情報管理の観点）

台帳のデータベース化率は約60%、データベースの見直しを実施しているのは半数以下

1.3　活用の課題（施設管理の観点）

発生するトラブルの約80%は過去に実績がある一方、維持管理に関してのデータベース化率は約25%

2. 最も重要と考える課題、その理由、解決策

2.1 最も重要と考える課題とその理由

人的資源が最も重要

運営団体の約40%が職員平均年齢50歳以上が理由

2.2 解決策

1) IoTを活用したシステムの導入

IoT技術、センサー、ITV、データの状態監視、予防保全型維持管理による長寿命化対策

2) コンセッションの採用

雇用機会、ビッグデータ、新規ビジネスチャンス創出

3) 外国人労働者の採用

上下水道プラントを海外輸出

3. 新たに生じうるリスクと対策

3.1 新たに生じうるリスク

情報漏洩、作業ミス、情報の持ち出し、機密情報の管理基準

3.2 リスクへの対策

作業員に対する教育、情報管理マニュアルの制定、PDCAサイクル、定期的に見直し

4. 業務遂行において必要な要件・留意点

4.1 技術者としての倫理の観点

公共性、情報セキュリティ、技術士法（3義務2責務）、法令遵守

4.2 社会の持続可能性の観点

SDGs、住み続けられる街づくり、第5次社会資本整備重点計画、高度経済成長期に整備、更新時期、少子高齢化、水需要は減少傾向、維持管理情報管理を活用、選択と集中

令和５年度　技術士第二次試験答案用紙

受験番号	
問題番号	Ⅰ－1
答案使用枚数	1 枚目　3 枚中

技術部門	上下水道　部門
選択科目	
専門とする事項	

※

○受験番号、問題番号、答案使用枚数、技術部門、選択科目及び専門とする事項の欄は必ず記入すること。
○解答欄の記入は、１マスにつき１文字とすること。（英数字及び図表を除く。）

1．課題と内容

1.1　取得の課題（人的資源の観点）

上下水道の職員は1997年をピークに減少しており、現在は約30％減の7.3万人である。運営団体の約40％が職員5名以下で対応している。維持管理情報のデータベース化を行うためのシステム構築をする人員が不足している点が、人的資源の観点の課題となる。

1.2　蓄積の課題（情報管理の観点）

上下水道運営事業者の台帳のデータベース化率は約60％である。しかし、設備更新等に応じて、データベースの見直しを実施しているのは半数以下である。データベースの蓄積の体制ができておらず、現状把握ができない点が、情報管理の観点からの課題となる。

1.3　活用の課題（施設管理の観点）

発生するトラブルの約80％は過去に実績がある。一方、維持管理に関してのデータベース化率は25％と低い。現場で発生しているトラブル等の情報が共有されておらず、維持管理情報の活用ができない点が、施設管理の観点の課題となる。

2．最も重要と考える課題、その理由、解決策

2.1　最も重要と考える課題とその理由

人的資源に関する取得の課題を最重要課題と考える。

上下水道事業の運営は人に頼るところが理由である。しかし、運営団体の約40％が職員平均年齢50歳以上であり、労働者確保が求められる。

●裏面は使用しないで下さい。　●裏面に記載された解答は無効とします。　24字×25行

令和5年度　技術士第二次試験答案用紙

受験番号		技術部門	上下水道　部門	※
問題番号	Ⅰ－1	選択科目		
答案使用枚数	2 枚目　3 枚中	専門とする事項		

○受験番号、問題番号、答案使用枚数、技術部門、選択科目及び専門とする事項の欄は必ず記入すること。
○解答欄の記入は、1マスにつき1文字とすること。（英数字及び図表を除く。）

2．2　解決策

1）IoTを活用したシステムの導入

IoT技術を用いて、センサーやITVを活用し計測の自動化を行うことで、少人数での情報取得が可能となる。また、データの状態監視を行うことで、予防保全型維持管理による長寿命化対策の副次効果もある。

2）コンセッションの採用

情報システム構築ノウハウを持つ民間企業に、官が持つ技術ノウハウが融合することで、新たな雇用機会が生まれる。また、上下水道が持つビッグデータを利用する新規ビジネスチャンス創出の副次効果もある。

3）外国人労働者の採用

我が国の労働人口は減少傾向にあることから、外国人労働者を活用する。また、将来、上下水道プラントを海外輸出する際に、国内で経験した外国人労働者は幹部職員として活用できる副次効果もある。

3．新たに生じうるリスクと対策

3．1　新たに生じうるリスク

情報漏洩がリスクとなる。情報漏洩の原因の上位3点として、①作業員（上下水道事業の従事者）の作業ミス、②退職者による情報の持ち出し、③取引先での情報漏洩が挙げられる。機密情報の管理基準が存在しないことで、情報に対する意識が低くなり、機密情報と一般情報を区別せず、無意識に漏洩させてしまう点が問題となる。

●裏面は使用しないで下さい。　●裏面に記載された解答は無効とします。　24字×25行

令和５年度　技術士第二次試験答案用紙

受験番号		技術部門	上下水道　部門	※
問題番号	Ⅰ－1	選択科目		
答案使用枚数	3 枚目　3 枚中	専門とする事項		

○受験番号、問題番号、答案使用枚数、技術部門、選択科目及び専門とする事項の欄は必ず記入すること。
○解答欄の記入は、１マスにつき１文字とすること。（英数字及び図表を除く。）

3．2　リスクへの対策

作業員に対する教育と、情報管理マニュアルの制定が対策となる。作業員に定期的に情報教育を行い、情報に対する意識付けさせることが重要である。合わせて、情報管理マニュアルを制定し、情報の管理運輸手続きを定めることも重要となる。尚、情報管理マニュアルはPDCAサイクルに基づき、定期的に見直しすることが必要となる。

4．業務遂行において必要な要件・留意点

4．1　技術者としての倫理の観点

上下水道事業は公共性の高い事業であり、情報漏洩事故による社会的影響が大きい。そのため、情報セキュリティ対策に留意する。業務遂行に必要な要件として、技術士法で定められた3義務2責務を遵守することである。合わせて、環境基本法、水道法、下水道法等関連法規も遵守する必要がある。

4．2　社会の持続可能性の観点

必要な要件として、SDGsに定められた「住み続けられる街づくり」、第5次社会資本整備重点計画等の指針を遵守することである。上下水道設備の多くは高度経済成長期に整備されたものであり、更新時期を迎えている。一方で、我が国は少子高齢化に伴い水需要は減少傾向にある。今後、上下水道事業を維持していくために、維持管理情報管理を活用した、選択と集中に留意して業務を進めることが重要となる。　以上

●裏面は使用しないで下さい。　●裏面に記載された解答は無効とします。　24字×25行

4. 選択科目

4.1 試験の特徴

(1) 問題の種類、試験方法、試験時間、配点

選択科目は、技術部門の選択科目に対する試験となっており、「上水道及び工業用水道」と「下水道」があります。選択科目の試験は、「専門知識」、「応用能力」、「問題解決能力及び課題遂行能力」となっており、試験方法は表3.4.1.1のとおりとなっています。

表3.4.1.1 「選択科目」試験方法の変更

試験科目	試験内容［配点］	解答時間
Ⅱ 選択科目	「選択科目」についての専門知識及び応用能力に関するもの 記述式　600字×3枚以内　［30点］ （専門知識1枚、応用能力2枚）	3時間30分 (13：00～16：30)
Ⅲ 選択科目	「選択科目」についての問題解決能力及び課題遂行能力に関するもの 記述式　600字×3枚以内　［30点］	

(2) 選択科目及び選択科目の内容

上水道及び工業用水道、下水道ともに、表3.4.1.2　選択科目の内容のアンダーライン部が特に重要項目と考えます。

表3.4.1.2　選択科目及び選択科目の内容

技術部門	選択科目	選択科目の内容
10　上下水道部門	上水道及び工業用水道	上水道計画、工業用水道計画、水源環境、取水・導水、浄水、送配水、給水、水質管理、アセットマネジメントその他の上水道及び工業用水道に関する事項
	下水道	下水道計画、流域管理、下水収集・排除、下水処理、雨水管理、資源・エネルギー利用、アセットマネジメントその他の下水道に関する事項

(3) 時間配分

「選択科目」について、それぞれの解答時間、600字詰用紙への解答枚数は、表3. 4. 1. 1となっています。

600字詰用紙1枚の記載時間を25分程度とすると、各選択科目の構想時間、記載時間、見直し時間は下記のように考えることができます。

- 「専門知識」

  構想時間5分　記載時間25分×1枚＝25分　見直し3分　計33分

- 「応用能力」

  構想時間15分　記載時間25分×2枚＝50分　見直し7分　計72分

- 「問題解決能力及び課題遂行能力」

  構想時間20分　記載時間25分×3枚＝75分　見直し10分　計105分

合計210分

ここでのポイントは、いきなり書き出すのではなく、必ず構想時間を十分とることが大切です。

4. 2　Ⅱ－1専門知識

(1) 出題内容

記述式　600字×1枚以内［10点］【4問出題1問選択解答】

概　念	「選択科目」における専門の技術分野の業務に必要で幅広く適用される原理等に関わる汎用的な専門知識
出題内容	「選択科目」における重要なキーワードや新技術等に対する専門知識を問う。
評価項目	技術士に求められる資質能力（コンピテンシー）のうち、専門的学識、コミュニケーションの各項目

600字詰解答用紙1枚に解答する問題として、4つの問題の中から1つの問題を選び解答する問題となっています。

この専門知識の問題は、平成24年度以前の試験にもあり、内容も変わっていません。ですから、平成24年以前の出題内容も傾向と対策を立てる場合に役に立ちます出題内容として、「重要なキーワード」と「新技術」について、選択科目の業界等で必ず出てくるキーワードや近年重要性を増してきた新しい技術についても出題されると考えてよいでしょう。

専門知識とは、幅広く適用される原理等に関わる汎用的な専門知識をいいます。

また、技術士に求められる資質能力（コンピテンシー）のうち、専門的学識、コミュニケーションが求められています。

専門的学識（基本知識理解、基本理解レベル）：

①技術的専門知識

②法令等の制度、社会・自然条件等の専門知識

コミュニケーション（的確表現）

①明確な意思疎通

②社会的文化的多様性の理解と協調

つまり、技術の専門知識を、的確に順序立てて文章に表す能力が必要となります。

(2) 記載内容

①技術に対する知識を記載する

単純に知識を問う問題ですから、意見ではなく技術に対する知識を記載します。

②技術体系の中に位置づけられた技術であることを記載する

単に技術の説明だけではなく、技術体系の中に位置づけられた体系的な知識であることを記載します。

たとえば、次のような直結給水について述べる問題の場合、給水方式にはどのような方式があるかを述べ、直結給水方式の説明を行い、さらに直結給水方式にはどのような方式があるかを述べます。

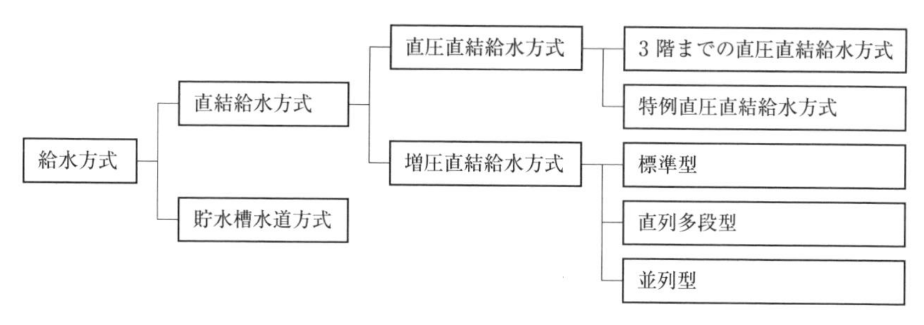

給水方式の分類

③キーワードは何かを考え記載する

解答にあたって、問題の出題意図をしっかり読み解く能力と訓練が必要です。

問題の出題意図を読み解くためには、出題者（作問委員）が問題を出題した理由が何かを考える必要があります。

技術士第二次試験の問題作成から採点までの流れは次のとおりです。

作問委員（問題作成）

↓

審議委員（問題内容の審議）

↓

試験委員（論文採点、口頭試験）

このように各委員の間では、採点基準という形で出題意図（エビデンス）や採点ポイントがキーワードを使って伝達され、それに従って採点が行われる場合があります。

キーワードを使っての伝達が行われない場合でも、採点者は問題から関係するキーワードを頭に入れて、採点を行います。

そのため、受験者は作問委員がその問題を作成した趣旨と、その中で重要と考えられるキーワードが何かを考えて、そのキーワードを使って解答する必要があります。

専門知識問題は、特殊な課題についてではなく、普段の仕事や専門雑誌、業界新聞に掲載されている内容です。ですから、業務上遭遇した問題、新聞、雑誌等に出てくる内容を整理しておけば、十分解答できるはずです。

　また、特に留意したいのは、試験の年やその前年位に変わった基準・規制等や新しく出された指針等、あるいはその同様な時期に起きた重要な出来事がテーマとして出題される可能性は非常に高いです。

(3) 条件整理

項目タイトルを考える前に、前提となる条件を整理します。

①背景、経緯（問題文が出題された）

②ポイント（問題文が要求している）

(4) 項目タイトル（論文構成）

項目タイトル（章立て）は、その項目タイトルの内容を具体的に示す必要があります。技術士試験の解答としては、試験問題に記載されている文言をそのまま使用することが最も適当です。

問題文をそのまま項目タイトルに使用するのは安易だと考えるかもしれませんが、問題文に対して忠実な項目タイトルをつけなかった場合、採点者がどの設問に対して解答しているかわからなくなります。

たとえば、次のように項目タイトルをつけます。

問題例１

> Ⅱ－１－４　配水池内部の調査清掃方法を2つ以上挙げ、それぞれの利点と留意点について述べよ。
>
> （2023年度　上水道及び工業用水道）

1. 配水池内部の調査清掃方法
2. 利点と留意点

（この項目タイトルは一例であり、他にも様々な展開が可能です）

問題例2

> Ⅱ－1－1　雨水管理総合計画における雨水管理方針の項目を3つ以上抽出し、項目ごとに主な検討内容と留意点をそれぞれ述べよ。
>
> （2023年度　下水道）

1. 雨水管理総合計画における雨水管理方針
2. 主な検討内容と留意点

（この項目タイトルは一例であり、他にも様々な展開が可能です）

以上の2例は、大項目についてのみ記載しました。中小項目がある場合は中小項目についても同じように考えます。

(5) 解答までの流れ

以上のように問題文を読んでいきなり書き出すのではなく、解答までの流れは、次のように考えます。

問題本文

背景、経緯、ポイントの整理
・問題文が出題された背景、経緯を考える
・問題文が要求しているポイントを整理する

問題文をじっくり読み、問題文が求めているものを探る
（問題文が求めているものについて、アンダーラインを引くと抜けがなくなる）

項目タイトル（論文構成）を考える

項目タイトルごとのキーワードを抽出する

答案用紙以外に書く
項目ごとの大まかな範囲を解答用紙に書く（後で消せるように）

・技術的背景、経緯の説明
解答にあたっては、下記を意識して記載する
・基本知識理解
・基本理解レベル
・的確表現

解答
・技術部門全般にわたる専門知識及び選択科目に関する専門知識を理解し応用する
・我が国固有の法令等制度及び社会・自然条件等に関する専門知識を理解し応用する。
・明確かつ効果的な意思疎通を行う

論文を作成するときには、項目タイトル（論文構成）を考えて、それぞれの項目タイトルごとにキーワードを入れないと、高い得点を得ることはできません。

(6) 解答までの実際の解き方

下記の問題は、2023年度の上水道及び工業用水道の専門知識問題です。

> Ⅱ－１－２　鉄、マンガンを含み、フミン質による着色がある原水における浄水処理方法を述べよ。

【条件整理】

①背景、経緯：水質基準に適合する浄水処理方法

②ポイント：処理方法は複数述べる

【項目タイトルおよびキーワード】

1. 粉末活性炭を使用する方法

概要：着水井に粉末活性炭を注入、凝集沈澱後塩素を注入しマンガン砂ろ過、高分子のフミン酸、低分子のフルボ酸、粉末活性炭ではフルボ酸が吸着除去、凝集沈澱ではpH 6、フミン酸が除去、凝集沈澱後中間塩素、鉄・マンガンを酸化不溶化、マンガン砂表層で鉄を除去、中層下層でマンガンを除去

特徴：短期的にフミン質が混入

2. オゾン・活性炭を使用する方法

概要：長期的にフミン質が混入、初めに前塩素、鉄・マンガンを酸化し不溶性、マンガン砂ろ過を行い鉄・マンガン除去、オゾン反応槽で高分子有機物のフミン質を易分解性の低分子有機物、生物活性炭層で低分子有機物の吸着・分解除去

特徴：オゾン・生物活性炭、活性炭の寿命、再生費用が低減

令和５年度　技術士第二次試験答案用紙

受験番号	1001B00XX	技術部門	上下水道　部門
問題番号	Ⅱ－1－2	選択科目	上水道及び工業用水道
答案使用枚数	1 枚目　1 枚中	専門とする事項	

○受験番号、問題番号、答案使用枚数、技術部門、選択科目及び専門とする事項の欄は必ず記入すること。
○解答欄の記入は、1マスにつき1文字とすること。（英数字及び図表を除く。）

　鉄、マンガンを含みフミン質による着色のある原水の処理方法の概要と特徴を以下に述べる。

1．粉末活性炭を使用する方法

概要：着水井に粉末活性炭を注入し、凝集沈澱後塩素を注入しマンガン砂ろ過を行う。フミン質は高分子のフミン酸と比較的低分子のフルボ酸からなる。粉末活性炭ではフルボ酸が吸着除去され、凝集沈澱ではpHを6にすることで、フミン酸が除去される。凝集沈澱後、中間塩素を行い。鉄・マンガンを酸化して不溶性とし、マンガン砂の表層で鉄を除去し、中層下層でマンガンを除去する。

特徴：短期的にフミン質が混入する場合に使い、従来の設備が使えるので、設備費が安い。

2．オゾン・活性炭を使用する方法

概要：地下水によっては長期的にフミン質が混入しているものがある。この場合、初めに前塩素を行い鉄・マンガンを酸化し不溶性として、マンガン砂ろ過を行い、鉄・マンガンを除去する。次にオゾン反応槽で高分子有機物のフミン質を易分解性の低分子有機物に変え、生物活性炭槽で低分子となった有機物を吸着・分解除去する。

特徴：オゾン・生物活性炭を使用することにより、フミン質による色度成分は殆ど完全に除去される。生物活性炭により、活性炭の寿命が延び、再生費用が低減できる。

以上

●裏面は使用しないで下さい。　●裏面に記載された解答は無効とします。　24字×25行

Ⅱ－１－３　りん除去を図るための嫌気好気活性汚泥法について、概要を述べるとともに、各反応タンクでのりん蓄積生物（PAO）が担う機構を説明せよ。

（2023年度　下水道）

令和５年度　技術士第二次試験答案用紙

受験番号	1002B00XX	技術部門	上下水道　部門	※
問題番号	Ⅱ－１－３	選択科目	下水道	
答案使用枚数	１枚目　１枚中	専門とする事項		

○受験番号、問題番号、答案使用枚数、技術部門、選択科目及び専門とする事項の欄は必ず記入すること。
○解答欄の記入は、１マスにつき１文字とすること。（英数字及び図表を除く。）

リン除去を図るための嫌気好気活性汚泥法について
1．概要：嫌気好気活性汚泥法は活性汚泥に含まれる
PAO（ポリリン酸蓄積細菌）を利用した生物学的リン
除去法である。その処理方式は最初沈澱池の後に嫌気
タンク、好気タンク、最終沈澱池を置き、最終沈澱池
からの返送汚泥は嫌気タンクに戻す。PAOは嫌気条件
でリンを体外に放出し、好気条件でリンを摂取してポ
リリン酸として蓄積する。嫌気好気活性汚泥法ではPA
Oを使ってリンの放出摂取を繰り返す結果として放出
するリン量よりも摂取するリン量の方が多いので、下
水中からリンは除去される。
2．各反応タンクでのPAOが担う機構
●嫌気タンクでは返送汚泥に蓄積されたポリリン酸を
PAOが分解してリン酸とする。その際に発生するエネ
ルギーを使って下水中の易分解性有機物を摂取して体
内にPHAとして蓄積する。生成したリン酸は嫌気タン
ク反応液中に放出される。
注）PHA：ポリヒドロキシアルカノエイト
●好気タンクではPAOは体内に蓄積したPHAを水と炭
酸ガスに分解する。その際に発生するエネルギーを利
用して嫌気タンクで放出された反応液中のリン酸を吸
収する。また流入下水中のリン化合物が分解して生成
したリン酸も吸収してポリリン酸として蓄積する。そ
の際、嫌気タンクで放出した以上のリンを吸収するこ
とによって、下水中のリンを除去する。　以上

●裏面は使用しないで下さい。　●裏面に記載された解答は無効とします。　24字×25行

(7) 過去問題の分析

表3. 4. 2. 1　2014～2023年度の出題傾向（上水道及び工業用水道）

項　目		2023 年度	2022 年度	2021 年度	2020 年度	2019 年度
水道計画						
取水施設						
浄水施設	沈澱池		浄水処理に用いる凝集剤を2種類以上挙げ、それぞれについて特徴及び使用に際しての留意点			凝集沈澱池（横流式）の処理の仕組みと運転の留意点
浄水施設	ろ過池	急速ろ過池の洗浄方式を3種類挙げ、特徴や留意点、洗浄終了時から通水初期において講じられる措置	表流水原水の浄水場に膜ろ過を導入する場合の前処理設備を1つ以上挙げ、期待される効果、留意点			
浄水施設	滅菌・消毒				①紫外線処理導入において、施設整備の技術的要件 ②塩素処理の目的、実施方法、留意点	
浄水施設	高度浄水処理	鉄、マンガンを含み、フミン質による着色がある原水における浄水処理方法		①活性炭処理の種類、特徴、留意点 ②クリプトスポリジウム等による汚染のおそれの判断と対応措置		
浄水施設	汚泥・排水処理					
配水施設		配水池内部の調査清掃方法を2つ以上挙げ、それぞれの利点と留意点		配水管網の機能と設計目標	直結式給水方式の拡大効果、留意点	配水池の役割と設計時の留意点
管路			水道管布設工事における、開削工法と非開削工法の概要と特徴		ポンプ圧送系のウォーターハンマの仕組み、防止方法	配水管における残留塩素濃度の変化要因と複数の方策
水質						地下水利用における水質障害・汚染の種類、それぞれの対策
災害対策						
渇水対策						
維持管理、保全		スマート水道メーターの3つの利活用方法と効果、導入の留意点	管路のダウンサイジングによる効果と留意点	有収率向上のための対策、技術的要件		
資源・エネルギー循環						
経営基盤の強化						

表3. 4. 2. 1 2012～2023年度の出題傾向（上水道及び工業用水道）（つづき）

項 目		2018 年度	2017 年度	2016 年度	2015 年度	2014 年度
水道計画						
取水施設						
浄水施設	沈澱池			傾斜板沈降装置の目的、設計する際の留意点	凝集剤の使用目的、特徴、留意点	
	ろ過池	①急速ろ過のメカニズムと運転における留意点 ②MF 膜、UF 膜における膜のファウリングと劣化とは何か。引き起こす要因				多層ろ過池
	滅菌・消毒		次亜塩素酸ナトリウムの貯蔵管理、注入設備の運転管理における留意点	消毒以外で塩素を用いる目的、塩素注入点の違いによる浄水処理方法と特徴	魚類によるバイオアッセイを設置する目的、留意点	
	高度浄水処理		鉄、マンガンを高い濃度で含む原水の浄水処理方法、特徴、留意点			
	汚泥・排水処理					
配水施設		配水ブロック化の利点、設計における留意点				
管路		給水管の凍結防止のハード面での対策、水道事業体が行うべきソフト面での措置	①配水管の管径決定の留意点 ②ポンプ、バルブのキャビテーション発生のしくみと対策	①金属管の電食が生じる原因、電食防止対策の手法と留意点 ②直結式給水の形式、中高層建築物に導入する場合の効果、留意点	排水設備設置の目的、設計する際の留意点	①水管橋の形式と設計留意点 ②給水区域内で確保すべき水圧、管網設計留意点
水質						
災害対策						
渇水対策						
維持管理、保全					残留塩素管理の必要性と方策	浄水場に自家用発電設備設置の目的、設計留意点
資源・エネルギー循環						
経営基盤の強化						

表3. 4. 2. 2　2012～2023年度の出題傾向（下水道）

項　目		2023 年度	2022 年度	2021 年度	2020 年度	2019 年度
下水道計画			計画1日平均汚水量、計画1日最大汚水量、計画時間最大汚水量の定義と用途、算定に当たっての留意点	内水及び外水に係る対象外力、具体的な対策手法		
ポンプ場						
処理場	水処理	りん除去を図るための嫌気好気活性汚泥法の概要、各反応タンクでのPAOが担う機構	標準活性汚泥法の最初沈澱池及び最終沈澱池容量を決める重要な設計因子を2つ説明し、設計上の留意点	標準活性汚泥法で採用される水中攪拌式以外のエアレーション方式を2つ説明、これらの方式で採用する複数の散気装置、採用に当たっての留意点	オキシデーションディッチ法の設計、運転管理上の留意点、改築の留意点	
処理場	汚泥処理	汚泥処理設備の脱水機形式を1種類以上挙げ、その脱水原理、脱水設備導入での主な留意点2項目以上	汚泥処理の3つ以上の工程から発生する返流水について、その発生源と留意が必要な水質項目、適切に返流水を処理する場合の計画面及び維持管理面での留意点	下水汚泥のエネルギー利活用の目的、下水汚泥の固形燃料化と汚泥消化の特徴及び導入における留意点	下水汚泥の焼却の目的、焼却設備の設計上の留意点、内容	遠心濃縮、常圧浮上濃縮、ベルト式ろ過濃縮、重力濃縮の概要と特徴
処理場	滅菌・消毒					
処理場	高度処理					硝化反応の概要と特徴
管渠			圧送式輸送システムのリスクについて2つ挙げ、それぞれのリスクについての対策	分流式下水道における雨天時浸入水に起因する事象の発生原因、管路施設での対策		①分流式と合流式の特徴を多面的に比較 ②自立管・複合管の特徴、適用工法、概要
雨水対策		雨水管理総合計画における雨水管理方針を3つ以上抽出し、項目ごとに検討内容と留意点			浸水対策手法のうち主要ハード対策の種類、目的、施設計画上の留意点	
災害対策						
合流式下水道改善						
資源・エネルギー循環						
維持管理及び保全		下水道管路施設について、硫化水素による腐食のメカニズムを踏まえた腐食防止対策を2つ挙げ、それぞれの概要			下水道管きょ維持管理における巡視、点検、調査の特徴、方法	
公共用水域の水質改善						
経営基盤の強化						

表3. 4. 2. 2　2012～2023年度の出題傾向（下水道）（つづき）

項　目		2018年度	2017年度	2016年度	2015年度	2014年度
下水道計画		下水道の種類				
ポンプ場						
処理場	水処理		標準活性汚泥法の最終沈澱池の役割、主要な設備の機能、特徴			SRTの概念、活性汚泥法をSRT大小の特徴
	汚泥処理		汚泥炭化技術と汚泥乾燥技術の概要と燃料化物の特徴	圧入式スクリュープレス脱水機及び遠心脱水機の原理、ベルトプレス脱水機と比較した特徴		機械濃縮の方法、特徴、設備構成の概要
	滅菌・消毒	分流式下水道の下水処理水の消毒方法を3つ挙げ、それぞれの特徴				
	高度処理			ステップ流入式多段硝化脱窒法の概要と設計上の留意点		
管渠				推進工法の立坑の設計、施工上の留意点、代表的な土留め工法の概要と特徴		開削工法、推進工法、シールド工法の長所、短所
雨水対策						
災害対策		局地的集中豪雨時のマンホール蓋浮上・飛散の原因と対策			管路、処理場、ポンプ場、トイレ使用に関する減災計画について考慮すべき事項	
合流式下水道改善				雨水滞水池の機能と計画時の留意点		
資源・エネルギー循環		下水汚泥を肥料として緑農地利用する場合の留意事項、利用形態			①下水処理水再利用のため下水処理プロセス後段に付加する処理技術、技術的特徴、除去対象する水質、再生水の利用用途 ②活性汚泥法の反応タンクにおける省エネルギー対策	
維持管理及び保全			①状態監視保全、時間計画保全、事後保全の概要及び適用における留意点 ②管路の硫化水素腐食のメカニズムと対策、点検計画策定の留意点		下水道管きょのスクリーニングの概要、必要性及び実施に当たっての留意点	
公共用水域の水質改善						
経営基盤の強化						経営基盤を強化する取組み、歳入・歳出より

4.3　Ⅱ－2応用能力

(1) 出題内容

記述式　600字×2枚以内［20点］【2問出題1問選択解答】

概　念	これまでに習得した知識や経験に基づき、与えられた条件に合わせて、問題や課題を正しく認識し、必要な分析を行い、業務遂行手順や業務上留意すべき点、工夫を要する点等について説明できる能力
出題内容	「選択科目」に関係する業務に関し、与えられた条件に合わせて、専門知識や実務経験に基づいて業務遂行手順が説明でき、業務上で留意すべき点や工夫を要する点等についての認識があるかどうかを問う。
評価項目	技術士に求められる資質能力（コンピテンシー）のうち、専門的学識、マネジメント、コミュニケーション、リーダーシップの各項目

2つの問題から1つの問題を選び、600字詰解答用紙2枚に解答する問題です。

この応用能力問題は、2013年度以降に出題されるようになった言わば業務プロセス問題と言えます。

具体的には、あるテーマについて業務に即して、準備段階の基礎調査、業務の手順の計画、業務の実行、留意すべき事項等を述べる内容となっています。この問題は、出題された業務内容を知らなければ解答できません。ですから、勉強方法としては、上水道は厚生労働省水道部（2024年4月国土交通省へ移管）、下水道は国土交通省下水道部から出されている過去5年分程度のマニュアル、ガイドライン、手引き等について、出題問題に沿って自分なりにまとめていく必要があります。

出題は、問題本文と2～3つの設問からなります。

問題本文にて、

①「選択科目」に関する業務

②与えられた条件

③立場

が与えられ、それぞれの設問に沿って解答していきます。

与えられた条件に合わせて、専門知識や実務経験に基づいて業務遂行手順を説明させ、そのとき、業務上で留意すべき点や工夫を要する点等を問う問題となっています。

知識として知っていることだけを書いても高得点とはならず、受験者の業務経験を踏まえた解答を求めた内容となっています。

技術士に求められる応用能力とは、理論やすでに得た知識を、具体的な個々の事例にあてはめて用いることであり、業務の中で解決を迫られる技術的課題を解決するために発揮されるべき技術士の能力といえます。

また、技術士に求められる資質能力（コンピテンシー）のうち、専門的学識、マネジメント、コミュニケーション、リーダーシップが求められています。

専門的学識（業務知識理解、業務理解レベル）：

①技術的専門知識

②法令等の制度、社会・自然条件等の専門知識

マネジメント（業務遂行手順）

業務のPDCAにおいて、要求事項の特性を満たすように最適資源配分を行う

コミュニケーション（的確表現）

①明確な意思疎通

②社会的文化的多様性の理解と協調

リーダーシップ（関係者調整）

①多様な関係者の利害等を調整し取りまとめる

②多様な価値観や能力を有する現地関係者と、事業や業務の遂行に努める

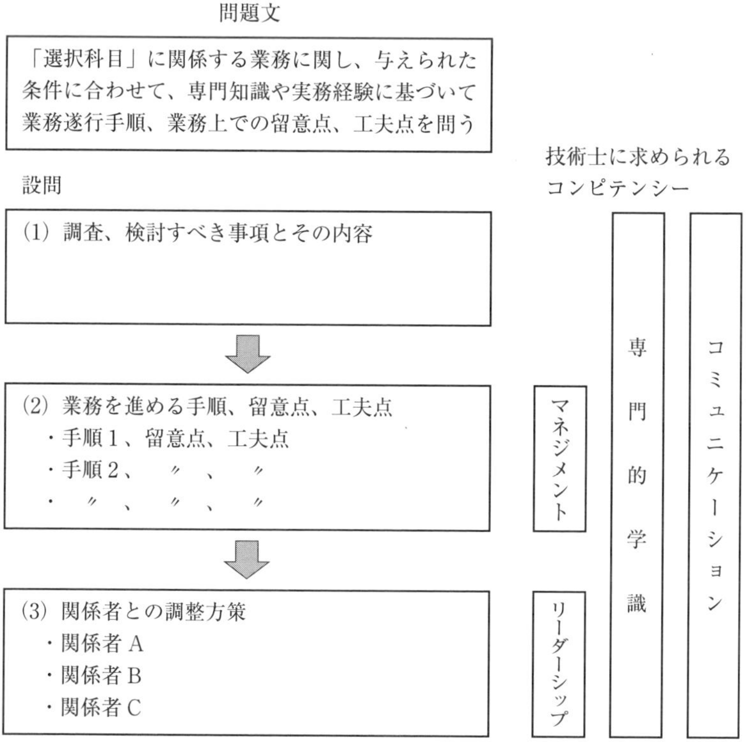

問題文

「選択科目」に関係する業務に関し、与えられた条件に合わせて、専門知識や実務経験に基づいて業務遂行手順、業務上での留意点、工夫点を問う

設問

(1) 調査、検討すべき事項とその内容

(2) 業務を進める手順、留意点、工夫点
・手順１、留意点、工夫点
・手順２、　〃　、　〃
・　〃　、　〃　、　〃

(3) 関係者との調整方策
・関係者 A
・関係者 B
・関係者 C

技術士に求められるコンピテンシー

マネジメント

リーダーシップ

専門的学識

コミュニケーション

(2) 条件整理

いきなり項目タイトルを考えるのではなく、その前に下記のように前提となる条件を整理します。

①背景

②目的

③対象施設

④条件

⑤立場

(3) 項目タイトル（論文構成）

専門知識問題でも述べましたが、どの設問に対する解答であるかがわかるように設問の中のキーワードを使用したタイトルとします（設問の中のキーワードを使用しないと、どの設問の解答なのか採点者がわからなくなります)。

たとえば、次のようにタイトルをつけます。

> Ⅱ－2－2 南海トラフ地震による地震危険度が高い地域に位置する中核都市において、水道の地震対策を効率的に実施するために、計画を策定することになった。あなたがこの業務の担当責任者として業務を進めるに当たり、下記の内容について記述せよ。
>
> (1) 水道の地震被害想定を行うに当たり、調査・検討すべき事項とその内容について説明せよ。
>
> (2) 業務を進める手順を列挙し、主な検討項目の留意すべき点、工夫すべき点を述べよ。
>
> (3) 業務を効率的、効果的に進めるための関係者との調整方策について述べよ。
>
> (2022年度　上水道及び工業用水道)

(1) 調査、検討すべき事項とその内容

(2) 業務を進める手順

(3) 関係者との調整方策

(この項目タイトルは一例であり、他にも様々な展開が可能です)

また、中小項目についても同じように考えます。

(4) 解答までの流れ

①対象となる業務 ②与えられた条件 ③解答者の立場	問題本文	出題される問題の構成内容は、問題本文と設問に分かれている
(1) 調査、検討事項とその内容 (2) 業務手順、留意点、工夫点 (3) 関係者との調整	設問	問題文をじっくり読み 問題文のポイントを整理する（問題文が求めているものについてアンダーラインを引くと抜けがなくなる）

↓

問題文が出題された背景、目的、対象施設、条件、立場を考える	背景、目的、対象施設、条件、立場等の整理
(1) 調査、検討事項	業務の基礎知識
(2) 業務手順、留意点、工夫点	業務遂行手順を留意点、工夫点を含めて説明
(3) 関係者との調整	関係者の利害関係を調整
項目タイトル（論文構成）を考える 項目タイトルごとのキーワードを抽出する	答案用紙以外に書く 項目ごとの大まかな範囲を解答用紙に薄く書く （後で消せるように）

・技術的背景やキーワードの説明 ・業務の事前調査、調査内容の説明 ・業務手順の説明 ・業務上の留意すべき点、工夫を要する点 ・関係者との調整	解答

問題を見て、すぐ記載せず、構想時間をとり（構想時間は93ページ参照）、

①背景、経緯、ポイントの整理

②項目タイトル（論文構成）を考える

③項目タイトルごとのキーワードを抽出する

④項目ごとの大まかな範囲を解答用紙に薄く書く

以上の作業を行って書き出します。

(5) 手順の参考(リスクマネジメントの手順)

応用能力問題の思考手順として、リスクの最小化を目的とするリスクマネジメントのフローが参考となると思います。

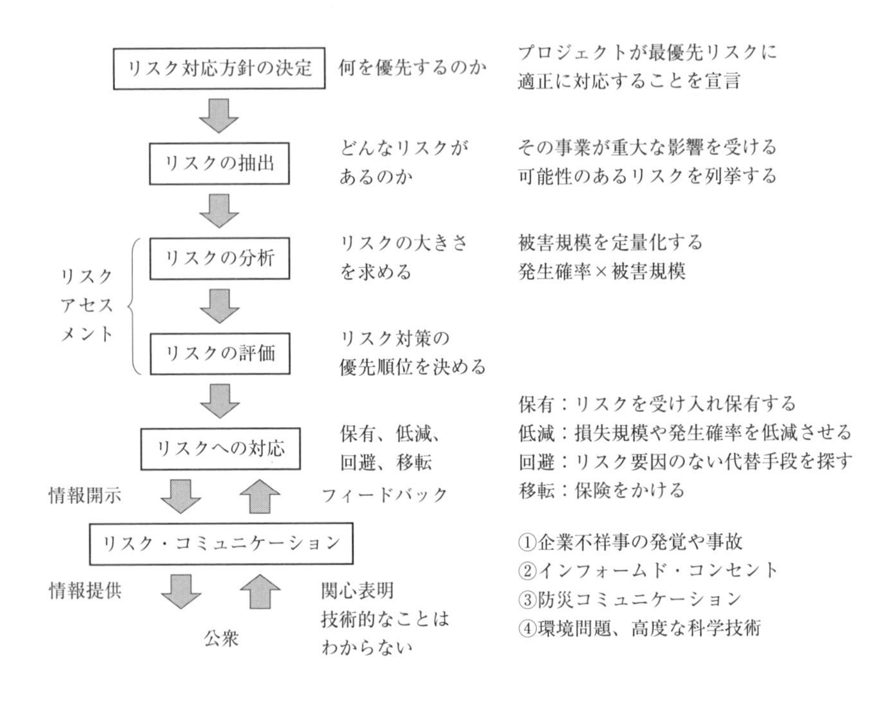

(6) 解答までの実際の解き方

下記の問題は、2023年度上水道及び工業用水道の応用能力問題です。

> Ⅱ-2-1 大規模地震などの非常時における他ルートによるバックアップ体制、特に河川幅の広い一級河川を横断する送配水管の複線化を行う建設工事を計画することとなった。あなたがこの業務の担当責任者として業務を進めるに当たり、以下の内容について記述せよ。
>
> (1) 河川幅の広い一級河川を横断する送配水管の複線化を行うに当たり、2つ以上の工法を選び、調査・検討すべき事項とその内容について説明せよ。
>
> (2) 上記のうち1つの工法を選び、選んだ理由を示すとともに、その

業務を進める手順を列挙して、主な検討項目の留意すべき点、工夫すべき点を述べよ。

(3) 上記の業務を効率的、効果的に進めるための関係者との調整方策について述べよ。

【条件整理】

①背景：大規模地震などの非常時における他ルートによるバックアップ体制

②目的：送配水管の複線化

③対象施設：送配水管

④条件：河川幅の広い一級河川横断

⑤立場：業務の担当責任者

【項目タイトルおよびキーワード】

1. 調査・検討すべき事項とその内容

1.1 シールド工法

準拠すべき法規、手続き、対策。地山条件（土質、地層、地下水等）、地表状況

1.2 水管橋

河川法、河川管理条例、地形、地質、障害物、環境、将来計画、

2. シールド工法の業務遂行手順

河川水流遮断、水質、環境

2.1 シールドトンネル設計時

ルート選定、シールド機の検討、立坑、環境保全、切羽の崩壊、補助工法、地山の安定

2.2 シールドトンネル施工時

発進立坑築造、シールド機設置、地中掘削、セグメント組立、シールド機撤去、掘削速度

2.3 シールドトンネルへの送配水管の挿入時

鋼管、ダクタイル鋳鉄管、充填方式、点検通路方式

3. 関係者との調整方策

河川管理者、周辺住民、シールド工法の概要、工事期間、工事方法、工事による影響

令和５年度　技術士第二次試験答案用紙

受験番号	1001B00XX
問題番号	Ⅱ－２－１
答案使用枚数	１枚目　２枚中

技術部門	上下水道　部門
選択科目	上水道及び工業用水道
専門とする事項	

※

○受験番号、問題番号、答案使用枚数、技術部門、選択科目及び専門とする事項の欄は必ず記入すること。
○解答欄の記入は、１マスにつき１文字とすること。（英数字及び図表を除く。）

1．調査・検討すべき事項とその内容

1.1　シールド工法

シールド工法は、法規による規制を受けるものが多く、関係機関に対して諸手続きを必要とすることも多いので、準拠すべき法規の有無、手続き、対策等を事前に検討する。また、地山条件（土質、地層、地下水等）や地表状況に左右される要素が極めて大きいので、これらを考慮して事前調査を行う。

1.2　水管橋

水管橋の設置には、河川法や河川管理条例など法令に基づく手続きが必要となるため、これらの手続きを事前に確認しておくことが重要である。また、水管橋の計画・設計に当たっては、地形、地質、障害物、環境について調査し、将来計画との整合性について十分な検討が必要となる。

2．シールド工法の業務遂行手順

河川の水流を遮断することなく施工ができ、河川の水質や環境への影響が少ない工法であることから、シールド工法を選定した。

2.1　シールドトンネル設計時

トンネルのルート選定やシールド機の検討、立坑やトンネル設置時に伴う周辺の環境保全、シールド工法の規模や内容について検討を行う。

留意点：地山が不安定で切羽の崩壊等が懸念される場合、補助工法により、地山の安定を図る。

●裏面は使用しないで下さい。　●裏面に記載された解答は無効とします。　24字×25行

令和５年度　技術士第二次試験答案用紙

受験番号	1001B00XX	技術部門	上下水道　部門	※
問題番号	Ⅱ－２－１	選択科目	上水道及び工業用水道	
答案使用枚数	２枚目　２枚中	専門とする事項		

○受験番号、問題番号、答案使用枚数、技術部門、選択科目及び専門とする事項の欄は必ず記入すること。
○解答欄の記入は、１マスにつき１文字とすること。（英数字及び図表を除く。）

工夫点：地盤の状態に合わせてシールドマシンの種類や掘削方法等を工夫する必要がある。

2．2　シールドトンネル施工時

工法の施工手順は次の通りである。①発進立坑築造、②シールド機設置、③地中掘削、④セグメント組立、（③と④を繰返す）、⑤トンネル完成後シールド機撤去。

留意点：シールド機の掘削速度が速すぎると、地盤が崩壊する可能性があるため、掘削速度に留意する。

工夫点：周辺環境によっては、騒音や振動を抑える等の工夫が必要となる。

2．3　シールドトンネルへの送配水管の挿入時

トンネル内の送配水管は、鋼管又はダクタイル鋳鉄管が一般的であり、充填方式と点検通路方式がある。

留意点：充填方式は、シールド断面が小さく、工費は安いが、管の点検や補修時には断水する必要がある。

工夫点：充填方式の場合、管の接合作業は内面より行うため、施工計画を工夫する必要がある。

3．関係者との調整方策

3．1　河川管理者との調整

河川管理者に対して、シールド工法の各段階における作業について、河川管理側の作業との調整を行う。

3．2　周辺住民との調整

周辺住民との説明会では、工法の概要や工事期間、工事方法、工事による影響について説明を行うとともに、工事期間中の道路使用についての調整を行う。

●裏面は使用しないで下さい。　●裏面に記載された解答は無効とします。　24字×25行

Ⅱ－2－2 近年、全国で発生している災害を受け、国では「防災・減災、国土強靭化のための5か年加速化対策」を実施している。

このような状況において、B市では古くから下水道整備が進み、多くのストックを保有する中、豪雨による洪水や内水氾濫の被害が想定されている。また、大規模地震による被害も想定されていることから、下水道事業において災害を未然に軽減・防止する対策計画の策定が急務となっている。

あなたは、この災害軽減・防止対策計画を策定する業務の担当として選ばれた場合、以下の内容について記述せよ。

(1) 調査・検討すべき事項とその内容について説明せよ。

(2) 災害軽減・防止対策の項目を業務遂行順に列挙して、その項目ごとに留意すべき点、工夫を要する点を述べよ。

(3) 業務を効率的、効果的に進めるため、関係者と調整する内容とその方策について述べよ。

(2023年度 下水道)

令和５年度　技術士第二次試験答案用紙

受験番号	1002B00XX	技術部門	上下水道　部門
問題番号	Ⅱ－２－２	選択科目	下水道
答案使用枚数	１枚目　２枚中	専門とする事項	

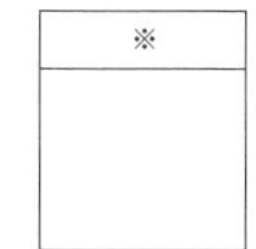

○受験番号、問題番号、答案使用枚数、技術部門、選択科目及び専門とする事項の欄は必ず記入すること。
○解答欄の記入は、１マスにつき１文字とすること。（英数字及び図表を除く。）

1．調査・検討すべき事項とその対策

　1.1　現況施設の調査

　下水道施設のストック量は膨大である。そのため、すべての施設の点検及び修繕・改築について調査することは、労力・時間・費用面においても困難である。そのため、限られた条件において実践するためには、リスク評価による優先順位付けを行い、老朽化施設に対しての修繕・改築計画の検討を行う必要がある。

　1.2　現在の対策状況の把握

　B市における過去の豪雨による内水氾濫被害や、地震被害状況を調査する。この被害結果と老朽化施設の修繕・改築計画を把握した上で、防災拠点を結ぶ重要汚水管きょや重要雨水管きょの災害に対する対策の検討を行う。

2．災害軽減・防止対策の業務遂行手順

　2.1　施設情報の収集・整理（現状の把握）

　点検・調査計画及び修繕・改築計画の策定に必要な上位計画、他計画、諸元、リスク、点検・調査、修繕・改築に関する施設情報を収集・整理する。

　①留意点：他部門の計画として、地震・津波対策計画、浸水対策計画との整合を図る。

　②工夫点：施設情報を効率的に整理するためには、機能、系列、種類等で分類・階層化して整理する。

　2.2　リスク評価

　災害に対する下水道施設のリスク評価は、リスクを

●裏面は使用しないで下さい。　●裏面に記載された解答は無効とします。　24字×25行

令和5年度　技術士第二次試験答案用紙

受験番号	1002B00XX	技術部門	上下水道　部門	※
問題番号	Ⅱ－2－2	選択科目	下水道	
答案使用枚数	2枚目　2枚中	専門とする事項		

○受験番号、問題番号、答案使用枚数、技術部門、選択科目及び専門とする事項の欄は必ず記入すること。
○解答欄の記入は、1マスにつき1文字とすること。(英数字及び図表を除く。)

特定し、被害規模の検討を行い、発生確率を算定してリスクの大きさを評価する。

①留意点：リスク評価にあたっては、現実的で理解しやすい指標を立てる。

②工夫点：リスクの大きさは、被害規模と発生確率の積あるいはマトリックスで評価する。

2.3　実施スケジュール

リスク評価による優先順位付けを行いつつ、制約条件（予算、組織体制等）を勘案して、実施スケジュールを検討する。

①留意点：適切な対策手法を立案する場合、全体最適化を図る必要がある。

②工夫点：実施スケジュールにおいて、段階的な改築方策を考慮する。

3．関係者と調整する内容とその方策

3.1　関係部局との調整

河川部局については、豪雨による洪水や内水氾濫に対して、河川の調整池と下水道の雨水貯留施設等のストック等を相互に活用できる等予め調整を行う。道路部局については、大規模地震時に防災拠点を結ぶ重要汚水管きょルートの道路の防災対策について協議する。

3.2　地域住民との調整

内水ハザードマップの公表を行い、自助での促進として、浸水土のうの設置や止水版の設置個所について、予め地域住民と調整等を行う。

以上

●裏面は使用しないで下さい。　●裏面に記載された解答は無効とします。　24字×25行

(7) 過去問題の分析

ここでは2013年度以降を掲載する。

表3. 4. 3. 1 2013年度～2023年度（上水道及び工業用水道）

「選択科目」に関する業務		与えられた条件	立 場	設 問
2023年度	送配水管の複線化	河川幅の広い一級河川	業務の担当責任者	①調査、検討すべき事項とその内容 ②業務を進める手順を列挙して、主な検討項目の留意すべき点、工夫すべき点 ③関係者との調整方策
2023年度	かび臭対策	2-MIBとジェオスミンが検出	検討業務の担当責任者	①調査、検討すべき事項とその内容 ②業務を進める手順、留意すべき点、工夫を要する点 ③関係者との調整方策
2022年度	水安全計画	水質汚染事故や異臭味被害が発生	指定なし	①調査、検討すべき事項とその内容 ②管理措置と対応方法の設定を進める手順、留意すべき点、工夫を要する点 ③関係者との調整方策
2022年度	水道の地震対策	南海トラフ地震による地震危険度が高い地域に位置する中核都市	業務の担当責任者	①調査、検討すべき事項とその内容 ②業務を進める手順、留意すべき点、工夫を要する点 ③関係者との調整方策
2021年度	水道施設台帳	水道施設の適切な管理	指定なし	①調査、検討すべき事項とその内容 ②留意すべき点、工夫を要する点を含めて業務を進める手順 ③関係者との調整方策
2021年度	原水の高濁度対策	河川表流水を水源とし急速ろ過方式を採用する浄水場	担当責任者	①調査、検討すべき事項とその内容 ②業務を進める手順、留意すべき点、工夫を要する点 ③関係者との調整方策
2020年度	リスクマネジメント	災害時においても給水への影響を最小限にする	指定なし	①調査、検討すべき事項とその内容 ②業務を進める手順、留意すべき点、工夫を要する点 ③関係者との調整方策
2020年度	横流式沈澱池からのフロック流出	河川表流水を水源とする浄水場	担当責任者	①調査、検討すべき事項とその内容 ②業務を進める手順、留意すべき点、工夫を要する点 ③関係者との調整方策
2019年度	管路診断	効果的な管路更新計画策定	担当責任者	①調査、検討すべき事項とその内容 ②業務を進める手順、留意すべき点、工夫を要する点 ③関係者との調整
2019年度	スラッジの脱水効率の低下が問題、改善が求められる	河川表流水を原水とする急速ろ過方式の浄水場	担当責任者	①調査、検討すべき事項とその内容 ②業務を進める手順、留意すべき点、工夫を要する点 ③関係者との調整

表3.4.3.1 2013年度～2023年度（上水道及び工業用水道）（つづき）

「選択科目」に関する業務		与えられた条件	立 場	設 問
2018年度	「浄水処理対応困難物質」による水質事故対策策定	表流水を原水とする浄水場	策定責任者	①対象物質の要件 ②平常時の予防的措置、事故発生時の対策 ③対策策定の留意事項
	民間的経営手法の採用	水道法の改正に向けた取組、各種手引き等の整備	水道事業者	①民間的経営手法導入の背景と具体的な手法 ②手法の説明、期待される効果 ③業務を進める際の留意点
2017年度	アセットマネジメントの実践	施設の更新・耐震化の遅れ、水需要の減少	AMの担当者	①収集・整理すべき情報 ②マクロマネジメントの実施内容 ③マクロマネジメント実施結果の活用方法
	活性炭処理の導入	沈澱、急速砂ろ過処理の浄水場、異臭味原因物質の濃度が低下しない	計画策定の責任者	①活性炭形状の違いによる処理の特徴 ②浄水処理フロー決定にあたり、事前に収集・把握すべき事項 ③浄水処理フロー決定のための検討内容、留意事項
2016年度	突発的で局地的な豪雨による高濁水の流下	河川表流水を原水としている急速ろ過方式の浄水場	浄水場の運転管理の責任者	①原水濁度が上昇を始めるまで ②原水濁度が上昇を始めてから ③原水濁度が上限を超えたとき
	送・配水管路の更新	管路更新を効率的かつ効果的に行う	管路更新計画の策定担当者	①確認すべき情報 ②管路診断法 ③留意点
2015年度	塩素消毒のみで給水している浄水場	原水から大腸菌が定常的に検出されたため、紫外線処理か膜ろ過処理の導入	計画策定の責任者	①調査・確認内容 ②処理方式選定の留意事項 ③導入設備、維持管理の留意事項
	送・配水管の破裂や漏水事故防止	管路事故の予防と速やかな復旧対応	管路の維持管理を担当する責任者	①事故原因の抽出 ②予防対策 ③事故時の対応
2014年度	オゾン処理導入	凝集沈澱・ろ過処理の既存浄水場	計画策定の責任者	①調査・確認内容 ②プロセス選定の留意事項 ③導入設備の留意事項
	震災対策用貯水施設	導入	担当責任者	①導入背景と役割 ②手順、検討事項 ③維持管理の留意事項
2013年度	水安全計画	安全な水の供給	指定なし	①評価 ②管理措置の設定 ③計画の運用
	小水力発電設備	導入に当たり	指定なし	①導入背景 ②調査内容 ③手順、留意事項

表3. 4. 3. 2　2013年度～2023年度（下水道）

「選択科目」に関する業務		与えられた条件	立　場	設　問
2023年度	下水道管路の修繕、改築	下水道管の老朽化や腐食の進行が想定	担当責任者	①検討すべき事項とその内容 ②業務を進める手順とその際の留意点、工夫を要する点 ③関係者と調整する内容とその方策
	災害軽減・防止対策計画	下水道事業において災害を未然に軽減・防止する対策計画の策定が急務	災害軽減・防止対策計画を策定する業務の担当	①調査、検討すべき事項とその内容 ②業務遂行順に列挙、留意すべき点、工夫を要する点 ③関係者と調整する内容とその方策
2022年度	気候変動を踏まえた下水道による都市浸水対策計画	内水氾濫が発生するリスクが増大	業務の担当者	①調査、検討すべき事項とその内容 ②業務を進める手順を列挙、留意すべき点、工夫を要する点 ③関係者との調整方策
	汚泥消化の導入を検討	下水道事業費の削減や市の脱炭素化の推進等を目的	業務責任者として選任	①調査、検討すべき事項とその内容 ②業務を進める手順を列挙、注意すべき点、工夫を要する点 ③関係者との調整方策
2021年度	下水道総合地震対策	大規模な地震時においても下水道が有すべき機能を維持	業務責任者	①調査、検討すべき事項とその内容 ②業務を進める手順、留意すべき点、工夫を要する点 ③関係者との調整方策
	「段階的高度処理」への移行	部分的な施設・設備の改造や運転管理の工夫により、早期かつ安価に高度処理化を図る	業務責任者	①調査、検討すべき事項とその内容 ②業務を進める手順、留意すべき点、工夫を要する点 ③関係者との調整方策
2020年度	下水道BCPを見直す	東日本大震災や熊本地震の教訓や事例を踏まえて	担当責任者	①調査、検討すべき事項とその内容 ②業務を進める手順、留意すべき点、工夫を要する点 ③関係者との調整方策
	現有の水処理施設の能力評価を踏まえた改築更新計画	当初計画していた流入水量や流入水質等の計画諸元が現状と乖離	指定なし	①調査、検討すべき事項とその内容 ②業務を進める手順、留意すべき点、工夫を要する点 ③関係者との調整方策
2019年度	雨水管理総合計画策定	計画的かつ効率的な浸水対策の施設整備を進める	担当責任者	①調査、検討すべき事項とその内容 ②業務を進める手順、留意すべき点、工夫を要する点 ③関係者との調整
	し尿・浄化槽汚泥の受け入れ検討	標準活性汚泥法、汚泥処理工程は濃縮→消化→脱水→場外	指定なし	①調査、検討すべき事項とその内容 ②業務を進める手順、留意すべき点、工夫を要する点 ③関係者との調整

表3.4.3.2 2013年度～2023年度（下水道）（つづき）

「選択科目」に関する業務		与えられた条件	立 場	設 問
2018年度	下水道再構築計画策定	下水処理場間ネットワークを組み込む	指定なし	①着手時調査内容 ②業務手順、留意すべき事項 ③期待される効果
	下水道温暖化対策推進計画策定	水処理能力20万m^3/日、標準活性汚泥法、汚泥処理方式、濃縮、消化、脱水、焼却	指定なし	①事前把握事項 ②計画策定手順、検討事項 ③温室効果ガス排出抑制対策2つ、導入において予想される技術的課題、対応策
2017年度	予防保全型維持管理を前提とした修繕や改築	下水道管の老朽化や腐食が想定される下水道整備区域	指定なし	①事前点検・調査事項 ②修繕、改築の業務手順 ③改築に当たって、布設替えか更生工法かの選定の際の留意事項
	汚泥の集約処理	約30年経過した2か所の標準活性汚泥法の処理場、約15年経過した2か所のオキシデーションディッチ法の処理場	指定なし	①事前調査事項 ②汚泥集約処理の可否の検討手順 ③集約処理導入の技術的課題
2016年度	嫌気性消化プロセス導入	日平均汚水量4万m^3/日、標準活性汚泥法、分離濃縮、脱水	指定なし	①事前把握事項 ②検討項目 ③留意すべき技術的事項
	浸水被害の軽減	財政状況厳しく、早急かつ全面的な雨水整備水準の向上は困難	浸水対策に携わる下水道の担当責任者	①事前調査項目 ②業務手順と内容 ③留意事項
2015年度	合流式下水道	河川や海域の水質、生態系、水域の利用者の公衆衛生に影響	合流式下水道の改善に携わる担当責任者	①事前把握事項 ②計画策定手順 ③留意すべき技術的事項
	水環境の保全	下水道を取り巻く状況は変化している	下水道の技術者	①留意すべき現状と課題 ②計画策定手順 ③留意すべき課題への対応策
2014年度	ストックマネジメント	導入・実践	担当責任者	①導入効果 ②業務手順 ③留意事項
	下水道BCP	災害などの危機に対応して行政サービス業務を継続	担当者	①手順と留意点 ②調整事項 ③継続的改善に必要事項
2013年度	下水汚泥のエネルギー化	事業手法や地球温暖化対策を考慮	導入担当者	①事前調査事項 ②業務手順 ③留意事項
	窒素を対象とする高度処理化	選定	担当者	①事前調査、確認内容 ②選定手順 ③留意事項

4.4 Ⅲ問題解決能力及び課題遂行能力

(1) 出題内容

記述式 600字×3枚以内［30点］【2問出題1問選択解答】

概　念	社会的なニーズや技術の進歩に伴い、社会や技術における様々な状況から、複合的な問題や課題を把握し、社会的利益や技術的優位性などの多様な視点からの調査・分析を経て、問題解決のための課題とその遂行について論理的かつ合理的に説明できる能力
出題内容	社会的なニーズや技術の進歩に伴う様々な状況において生じているエンジニアリング問題を対象として、「選択科目」に関わる観点から課題の抽出を行い、多様な視点からの分析によって問題解決のための手法を提示して、その遂行方策について提示できるかを問う。
評価項目	技術士に求められる資質能力（コンピテンシー）のうち、専門的学識、問題解決、評価、コミュニケーションの各項目

2つの問題から1つの問題を選び、600字詰解答用紙3枚に解答する問題です。

問題の出題内容は、「社会的なニーズや技術の進歩に伴う様々な状況において生じるエンジニアリング問題」となっています。

ここで重要なポイントは、問題の出題テーマと問題が出された背景を考えてみることです。そして、どのような課題があり、その解決策は何があるかを考えます。

なお、設問は下記となっています。

①多面的な観点から課題を抽出し分析

②最も重要と考える課題（と選定理由）、課題に対する複数の解決策

③新たに生じうるリスクとそれへの対策

また、技術士に求められる資質能力（コンピテンシー）のうち、専門的学識、問題解決、評価、コミュニケーションが求められています。

専門的学識（基本知識理解）：

技術的専門知識

問題解決（課題抽出、方策提起）

①複合的問題の内容の明確化

②問題発生要因や制約要因を抽出・分析

③相反する要求事項（必要性、機能性、技術的実現性、安全性、経済性等）によって及ぼされる影響の重要度を考慮

④複数の選択肢を提起

⑤解決策を合理的に提案・改善

評価（新たなリスク）

①成果やその波及効果を評価

②次段階や別の業務の改善に資する

コミュニケーション（的確表現）

①明確な意思疎通

②社会的文化的多様性の理解と協調

「問題解決能力及び課題遂行能力」とは、課題（何らかの問題を引き起こしている事柄）が設定された上で、発生している問題を解決するための能力と、課題に対する遂行方策について提示する能力です。

この「問題解決能力及び課題遂行能力」のポイントは、あらかじめ課題が与えられるわけではなく、社会的ニーズや技術の進歩に伴う様々な状況において生じているエンジニアリング問題について、課題の抽出を行い、その課題に対して、広い視野で多くの解決策を提案して、さらに遂行方策を提示する必要があります。

ですから、試験会場で課題を考えるのではなく、選択科目の最新の状況や普遍的な問題に対してどのような課題があるかをあらかじめ十分勉強しておかなければなりません。

問題文

背景・テーマ＋課題
社会的なニーズや技術の進歩に伴う様々な状況において生じるエンジニアリング問題
＋（具体的な）課題

設問

(1) 多面的な観点から３つの課題を抽出、観点を明記、その内容を示せ
・課題 A ＋観点＋内容
・課題 B ＋観点＋内容
・課題 C ＋観点＋内容

(2) 最も重要と考える課題を１つ取り上げて、その課題に対する複数の解決策を抽出
・解決策 a
・解決策 b
・解決策 c

(3) 対策案によって新たに生じるリスクと解決策
・リスク α
・リスク β
・対策 α
・対策 β

技術士に求められるコンピテンシー

専門的学識

問題解決

コミュニケーション

評価

(2) 問題の分析

2013～2023年度の上下水道及び工業用水道の出題テーマと背景は表3. 4. 4. 1、下水道は表3. 4. 4. 2となります。

出題テーマをこのように並べてみると、現状の上下水道業界での話題になっていることや共通テーマ、普遍的テーマ、ビジョンのような国の方針などを考え合わせると、ある程度出題テーマの予想が立てられると思います。

その予想を1つだけではなく、3～5つ程度自分で問題を作成して勉強をすれば、かなり力がつきます。

表3.4.4.1 2013～2023年度の出題テーマと背景（上水道及び工業用水道）

年度	出題テーマ	背　景
2023年度	水道事業のSDGs達成	持続可能で多様性と包摂性のある社会の実現のために、持続可能な開発目標（SDGs）が2030年を年限とした17項目の国際目標が設定
	水道事業の基盤強化	人口減少に伴う給水収益の減少、水道事業者の技術者不足、水道施設の老朽化の増大、耐震化の遅れ、多数の水道事業者が小規模
2022年度	経営基盤の強化と財政マネジメントの向上	人口減少等に伴う水需要の減少、施設の老朽化に伴う更新需要の増大、将来にわたり安定した事業経営を継続
	水道法施行規則改正	水道施設の点検方法や頻度と範囲、点検により異常を確認した際の維持・修繕の措置、コンクリート構造物における点検及び修繕の記録等の基準が定められた
2021年度	水道施設の監視制御システムの整備	中小規模の水道事業者の多くは、技術的・財政的な課題を抱えている。市町村合併が行われた水道事業者は、適切な維持管理が難しくなっている
	広域連携	料金格差等の課題があるため、短期的には経営統合の実現が困難な地域がある
2020年度	配水区域の再編	これまでの給水区域は、水需要の増加に伴い段階的な拡張を行ってきたことから、様々な問題を抱えている
	水道水の安定供給に向けた浄水施設の更新や機能強化	原水水質の悪化、水需要の減少、自然災害の頻発化、浄水施設の老朽化
2019年度	レベルの高い水質管理の実践	水道水に対する安全性・快適性への関心がますます高まっている
	施設の再構築	水道施設の多くが耐用年数を迎え老朽化している
2018年度	新水道ビジョンを受けて様々な取組	新水道ビジョンが制定され5年が経過した
	浄水場更新計画策定	給水量の減少、かび臭物質が恒常的に高い濃度
2017年度	健全な水循環を維持又は回復のための取組を総合的かつ一体的に推進	都市部への人口の集中、産業構造の変化、地球温暖化に伴う気候変動など様々な要因が水循環に変化を生じさせる
	水道事業の基盤強化に向けた取組	中小規模水道事業者の中には事業運営が難しい状況
2016年度	安全でおいしい水	消費者の関心が高まっている
	水道の地震対策	東海地震や南海トラフ地震などさらなる大地震のひっ迫性が指摘されている
2015年度	水需要の減少	総人口の減少に伴い、給水人口や給水量の減少を前提に様々な施策を講じなければならない
	水道事業が環境に与える負荷低減	資源やエネルギー使用量の見直しにより環境負荷低減を図るとともに、環境保全に努める責務が生じている

表3. 4. 4. 1　2013～2023年度の出題テーマと背景（上水道及び工業用水道）（つづき）

年度	出題テーマ	背　景
2014年度	水道施設の改良・更新	拡張期や高度成長期に建設された多くの水道施設が老朽化してくる
	河川流量の減少、各種排水による水質事故	都市への人口や産業の集中、都市域の拡大、近年の気象変化等
2013年度	リスクに十分配慮した施設整備	非常時においても可能な限り給水義務を果たすため
	水道事業者等の事業統合を含めた多様な形態の広域化や広域連携	水道事業者等の運営基盤を強化する手法

自分で問題を作成することは、作問委員の気持ちになって問題を考えることになります。設問に対する答えとして、どのような答案であれば満足いく内容であるかを考えることが、力になると考えます。

表3. 4. 4. 2　2013～2023年度の出題テーマと背景（下水道）

年度	出題テーマ	背　景
2023年度	処理場の再構築	複数施設で耐震化が不可能、放流水質の管理が難しい、大規模水害に対して、水処理機能の維持、早期回復のための施設の耐水化を求められている
	下水汚泥の肥料利用	輸入依存度の高い肥料原料の価格が高騰
2022年度	単独公共下水道処理区を流域下水道処理区に編入	供用開始から50年以上経過し、更新時期を迎えている、人口減少に伴い、厳しい財政状況の中、施設の耐震化や合流式下水道の改善、高度処理の導入などの機能の高度化や処理区の不明水対策も進んでいない
	浄化槽汚泥とし尿を下水処理場で受け入れ	し尿処理施設は老朽化が進んでおり、今後人口が減少していくと予想される中で将来的にし尿処理施設を廃止
2021年度	内水ハザードマップ作成	近年の気候変動の影響による降雨状況の変化に伴い、内水被害が頻発化・激甚化している
	ICTの活用による下水道事業の質・効率性の向上や情報の見える化	様々な課題に対して、持続的かつ質の高い下水道事業の展開を実現するため
2020年度	気候変動を踏まえた下水道による浸水対策計画策定	気候変動を背景とした答申や提言がとりまとめられている。
	下水道施設の共同化・統廃合、維持管理の共同化及び事務の共同化	人口減少や施設老朽化に伴い厳しい経営環境に置かれている

表3.4.4.2　2013～2023年度の出題テーマと背景（下水道）（つづき）

年度	出題テーマ	背　景
2019年度	高度処理の導入計画策定	流入水量が増加してきたことから、既存施設を活用した高度処理導入について検討する必要が生じた
	計画的かつ効果的に管きょの老朽化対策を進める	保有する大部分の下水道管きょの老朽化が進み、下水道管きょに起因する道路陥没の発生が急増するなど、老朽化対策が急務
2018年度	浸水対策	主要駅周辺の大規模な地下街、放流先河川の計画高水位よりも地盤の低い住宅地での浸水被害が増加
	下水処理場の地域バイオマス受入れ、利活用	バイオマスを含む地域内循環の全体の最適化
2017年度	地震後の応急復旧	甚大な地震災害が発生して処理場の機能を喪失した状況を想定
	不明水対策及び雨水排除能力不足	大雨時に溢水等の被害、冠水被害が発生
2016年度	下水道事業の広域化・共同化	流入水量の減少等、将来にわたり全体として効率的に汚水の処理を実施するための計画を策定する
	管路施設の計画的かつ効率的な維持管理	下水道管路施設の老朽化、使用料収入の減少
2015年度	下水処理場の全面的な改築・更新	複数の下水処理場を有する大規模都市において、土木施設等の老朽化が進んだ下水処理場
	アセットマネジメント計画による経営的視点を含む施設管理の最適化を実現	「循環のみち下水道」の持続に向けた取り組みとして『人・モノ・カネの持続可能な一体管理（アセットマネジメント）の確立』が示された
2014年度	下水道未普及地域の解消	全国において未だに多くの未普及地域が存在しており、その早急かつ効率的な解消が求められている
	ICT を活用した健全な下水道事業の運営	我が国の下水道事業は多岐にわたる課題に直面する中、質が高く持続可能な下水道事業を維持し、さらに向上させていくことが求められている
2013年度	浸水被害の軽減	下水道施設の整備水準を大きく超える集中豪雨により、人命や都市機能に重大な影響を及ぼす浸水被害が顕在化している
	健全な水循環系の再構築	我が国では、近年の急激な都市化や産業構造の変化、また気象の変化等により、長い時間をかけて築かれてきた水循環系が損なわれる事態が発生している。

(3) 問題文に対する具体的な解答の内容

出題テーマ：

「社会的ニーズや技術の進歩に伴う様々な状況において生じているエンジニアリング問題を対象として、「選択問題」に関わる観点から課題の抽出」となっています。

社会的ニーズに関しては、たとえば「安定給水」、「安全でおいしい水」、「地震対策」、「浸水対策」などが考えられます。

また、技術の進歩に伴う様々な状況において生じているエンジニアリング問題に関しては、「長寿命化技術」、「省エネルギー化」、「アセットマネジメント／ストックマネジメント」などが考えられます。

背　景：

出題テーマについて、「選択科目」が抱えるどのような課題についての問題であるかその背景を考えます。

設　問：

①多面的な観点から課題を抽出し分析

・多面的な観点

経済的、安全性が良いからといった一面的な視点ではなく、様々な視点から分析する必要があります。

技術は二面性を持っており、プラス面とマイナス面が存在します(リスク、負の作用等)。

・課題を抽出し分析

テーマに対する知識を持っていないと、課題の抽出はできません。

つまり、現在の選択科目の技術的な流れにおいて、テーマに対してどのような課題があるかをあらかじめ認識していないと、課題を抽出することはできません（課題を試験会場で考えるのではなく、あらかじめ知識として整理しておく必要があります)。

それぞれの課題について、原因を分析します。

②最も重要と考える課題（と選定理由)、課題に対する複数の解決策

・最も重要と考える課題（と選定理由)

最も重要と考えた課題とその選定理由を述べます。

・課題に対する複数の解決策

最も重要と考えた課題について、具体的で現実的な複数の解決策を述べます。

③新たに生じうるリスクとそれへの対策

・技術的提案がもたらす効果や影響、メリット、デメリット、技術的提案がもたらす問題点と対処法など、必ずしもプラス面ばかりではなく、マイナス面の影響についても、技術者が一層積極的に考察することが求められるようになっています。

(4) 項目タイトル（論文構成）

項目タイトルのつけ方については、応用能力問題とほぼ同じとなります。

専門知識問題や応用能力問題と同じように、どの設問に対する解答であるかがわかるように設問の中のキーワードを使用したタイトルとします（設問の中のキーワードを使用しないと、どの設問の解答なのか採点者がわからなくなります。また、タイトルは1行に入るようにしてください)。

たとえば、次のようにタイトルをつけます。

Ⅲ－1　水道事業は我が国の生活基盤を支えるインフラとして重要な役割を果たしており、水道管路の総延長は72万kmに達し、膨大な資産を有している。水道事業の年間電力消費量は74億kWh／年、CO_2排出量は422万t CO_2／年となっている。

2015年の国連サミットにおいて、持続可能で多様性と包摂性のある社会の実現のために、持続可能な開発目標（SDGs）が2030年を年限とした17項目の国際目標が設定された。SDGsの達成に向けて、政府においてはアクションプランを公表しており、水道事業においても計画的な取組が求められている。

(1) 水道事業においてSDGsの達成に向けて、「6. 安全な水とトイレを世界中に」、「7. エネルギーをみんなにそしてクリーンに」、「9. 産業と技術革新の基盤をつくろう」の目標に対して、技術者としての立場で多面的な観点で、2つ以上の目標から3つの重要な課題を抽出し、それぞれの観点を明記したうえで、課題の内容を示せ。

(2) 前問（1）で抽出した課題のうち最も重要と考える課題を1つ挙げ、その課題に対する複数の解決策を示せ。

(3) 前問（2）で示したすべての解決策を実行しても新たに生じうるリスクとそれへの対策について、専門技術を踏まえた考えを示せ。

1. 水道事業におけるSDGs達成の課題
2. 最重要課題と課題に対する解決策
   1) 最も重要と考える課題
   2) 課題に対する解決策
3. 新たに生じうるリスクと対策
   1) 新たに生じうるリスク
   2) 対策

（この項目タイトルは一例であり、他にも様々な展開が可能です）

(5) 解答までの流れ

内容	区分	説明
社会的なニーズや技術の進歩に伴う様々な状況において生じるエンジニアリング問題	問題本文	出題される問題の構成内容は、問題本文と設問に分かれている。
(1) 多面的な観点から課題を抽出し分析 (2) 最も重要と考える課題（と選定理由）、課題に対する複数の解決策 (3) 新たに生じうるリスクとそれへの対策	設問	問題文をじっくり読み、問題文のポイントを整理する（問題文が求めているものについてアンダーラインを引くと抜けがなくなる）

出題テーマ、背景を考える　　なぜこの問題が出されたかを考える

同時に考える
- (1) 課題抽出
- (2) 方策提起
- (3) 新たなリスク

上下水道の選択科目について多面的観点から考える

解決策に共通する新たに生じうるリスクを念頭に置いた複数の解決策を提案する

項目タイトル（論文構成）を考える

項目タイトルごとのキーワードを抽出する

答案用紙以外に書く
項目タイトルごとに大まかな範囲を、答案用紙に薄く書く（後で消せるように）

解答
- 技術的背景の説明
- 出題テーマに対する基本的考え方
- 多面的観点から課題の抽出・分析
- 最重要課題に対する複数の解決策
- 解決策に共通して生じる新たなリスクとその対策

問題を見て、すぐ記載せず、構想時間をとり、

①出題テーマ、背景を考える

②項目タイトル（論文構成）を考える

③項目タイトルごとのキーワードを抽出する

④項目ごとの大まかな範囲を解答用紙に薄く書く

以上の作業を行って書き出します。

(6) 解答までの実際の解き方

下記の問題は、2023年度下水道の問題解決能力及び課題遂行能力の問題です。

> Ⅲ−2　輸入依存度の高い肥料原料の価格が高騰する中、下水汚泥資源の肥料活用が注目されている。A市は、下水汚泥全量を焼却処理してきたが、焼却炉の更新計画において下水汚泥の肥料化について検討を行うこととなった。A市では、畑作を中心に平均的な耕地面積を有しているが、下水由来の肥料が流通した実績はない。こうした状況を踏まえ、下水道の技術者として下水汚泥の肥料利用を計画するに当たり、以下の問いに答えよ。
>
> (1) 肥料利用を計画するに当たり、技術者としての立場で技術面、利用面等の多面的な観点（ただし、費用面を除く）から重要な課題を3つ抽出し、その内容を観点とともに述べよ。
>
> (2) 抽出した課題のうち最も重要と考える課題を1つ挙げ、その課題に対する複数の解決策を示せ。
>
> (3) 解決策に共通して新たに生じうるリスクとそれへの対策について、専門技術を踏まえた考えを示せ。

【出題テーマと背景】

表3. 4. 4. 3

出題テーマ	背　景	設　問		
		課題抽出	方策提起	新たなリスク
下水汚泥の肥料利用	輸入依存度の高い肥料原料価格の高騰	技術面、利用面等の多面的観点（ただし、費用面を除く）から重要な課題を3つ抽出し、その内容を観点とともに述べよ	最も重要と考える課題を1つ挙げ、その課題に対する複数の解決策	解決策に共通して新たに生じうるリスクとそれへの対策

【項目タイトルおよびキーワード】

1. 課題と内容

1.1　重金属処理の課題（社会環境の観点）

下水汚泥、重金属の処理方法、肥料取締法上の許容値

1.2　負のイメージ払しょくの課題（情報の観点）

生産者及び消費者、負のイメージの払しょく、情報提供の検討

1.3　流通ルートの確保の課題（物流の観点）

流通ルートの確保、定期的に供給、市販のホームセンター

2. 最も重要と考える課題、その理由、解決策

2.1　最も重要と考える課題とその理由

消費先への流通ルート、幅広い地域

2.2　解決策

1）農協（JA）との連携（農業従事者を対象）

農協と連携、下水道事業者は肥料のみを提供

2）肥料メーカーとの連携（一般消費者を対象）

日本全国に流通ルート、販売時に純国産肥料

3）小学校等教育機関との連携（子供を対象）

小学校等の教育機関、園芸に関する授業、異業種連携の機会

3. 解決に共通して新たに生じうるリスクと対策

3.1　解決策に共通して新たに生じうるリスク

コンポスト、電気料金の高騰、コンポストの温度管理、水分管理、定期的に攪拌、動力源、化石燃料の価格高騰

3.2　リスクへの対策

汚泥処理の消化工程、メタンガス、バイオマス発電の導入、嫌気性消化、自給自足体制が構築、BCP対策

令和5年度　技術士第二次試験答案用紙

受験番号	1002B00XX	技術部門	上下水道　部門	※
問題番号	Ⅲ－2	選択科目	下水道	
答案使用枚数	1 枚目　3 枚中	専門とする事項		

○受験番号、問題番号、答案使用枚数、技術部門、選択科目及び専門とする事項の欄は必ず記入すること。
○解答欄の記入は、1マスにつき1文字とすること。(英数字及び図表を除く。)

1．課題と内容

1．1　重金属処理の課題（社会環境の観点）

下水汚泥に含まれる重金属の処理方法が課題となる。有害な重金属を多量に含有すると、作物の生育だけではなく、作物が吸収した重金属により作物を食べた人や動物に害を与えることとなる。下水道汚泥の肥料は、原料の性質上有害な重金属が肥料取締法上の許容値を超えて含有する可能性がある。下水汚泥に含まれる重金属を除去する技術の開発が求められる。

1．2　負のイメージ払しょくの課題（情報の観点）

下水道汚泥の肥料として使用する際の、生産者及び消費者が持つ負のイメージの払しょくが課題となる。一般的に、下水道＝汚いモノのイメージが先行している。下水汚泥の肥料の使用を生産者が拒む、下水汚泥の肥料を使用した農作物を消費者が購入を避ける等の問題がある。負のイメージを払しょくするための情報提供の検討が必要となる。

1．3　流通ルート確保の課題（物流の観点）

下水汚泥の肥料を販売するための流通ルートの確保が課題となる。A市では、下水道由来の肥料が流通した実績はない。肥料として使用するためには、下水処理場から肥料を消費者へ定期的に供給できる流通ルートの検討が必要となる。合わせて、下水汚泥の肥料を市販のホームセンター等で販売するための流通ルートの検討も必要となる。

●裏面は使用しないで下さい。　●裏面に記載された解答は無効とします。　24字×25行

令和5年度　技術士第二次試験答案用紙

受験番号	1002B00XX	技術部門	上下水道　部門	※
問題番号	Ⅲ－2	選択科目	下水道	
答案使用枚数	2枚目　3枚中	専門とする事項		

○受験番号、問題番号、答案使用枚数、技術部門、選択科目及び専門とする事項の欄は必ず記入すること。
○解答欄の記入は、1マスにつき1文字とすること。(英数字及び図表を除く。)

2．最も重要と考える課題、その理由、解決策

2．1　最も重要と考える課題とその理由

流通ルート確保の課題を最重要課題と考える。

消費先への流通ルートが無ければ、下水汚泥の肥料の普及は困難である点が理由となる。A市だけでなく、幅広い地域への流通ルートの確保が求められる。

2．2　解決策

1）農協（JA）との連携（農業従事者を対象）

農協は肥料の流通ルートだけでなく、製造に関するノウハウも所有している。農協と連携することにより、下水道事業者は肥料のみを提供し、その先の加工及び流通を農協が対応する。下水道事業者は、最小限の対応で肥料を流通させることが可能となる。

2）肥料メーカーとの連携（一般消費者を対象）

農協は地域が限定されるが、肥料メーカーは日本全国に流通ルートがある。ホームセンターや園芸店等、農業従事者以外の場所にも提供することが可能である。また、販売時に純国産肥料であることをPRすることで、消費者への理解を深める効果もある。

3）小学校等教育機関との連携（子供を対象）

小学校等の教育機関では、園芸に関する授業が存在する。そこに、下水汚泥の肥料を提供する。これにより、下水道事業と教育機関との異業種連携の機会が発生する。合わせて、肥料を通じて下水道に対する教育を行うことで、理解を深める効果もある。

●裏面は使用しないで下さい。　●裏面に記載された解答は無効とします。　24字×25行

令和５年度　技術士第二次試験答案用紙

受験番号	1002B00XX	技術部門	上下水道　部門
問題番号	Ⅲ－2	選択科目	下水道
答案使用枚数	3 枚目　3 枚中	専門とする事項	

○受験番号、問題番号、答案使用枚数、技術部門、選択科目及び専門とする事項の欄は必ず記入すること。
○解答欄の記入は、1マスにつき1文字とすること。(英数字及び図表を除く。)

3．解決策に共通して新たに生じうるリスクと対策

3．1　解決策に共通して新たに生じうるリスク

汚泥の肥料化を行うための、コンポストに必要な電気料金の高騰が新たなリスクとなる。

下水汚泥を肥料化するためには、コンポストの温度管理（60度以上連続7日）及び、水分管理（40～60%）が要求される。また、均一なコンポストにするため、定期的に攪拌を行う必要がある。これらの動力源として主に電気が使用される。一方、化石燃料の価格高騰に伴い、電気料金は上昇傾向にある。コンポストに必要な電気料金の高騰が新たなリスクとなる。

3．2　リスクへの対策

汚泥処理の消化工程で発生するメタンガスを利用した、バイオマス発電の導入が解決策となる。

嫌気性消化で発生するメタンガスは温室効果ガスの一種であり、同一量の二酸化炭素に比べ約28倍の温室効果がある。そのまま大気中に放出することはできない。しかし、メタンは天然ガスの主成分であり、回収して燃料として使用することができる。メタンガスを利用したバイオマス発電を導入することで、電気の外部購入量が減少し、電気料金の削減に繋がる。また、施設内の電気を全てバイオマス発電で賄うことにより、電気の自給自足体制が構築できるため、BCP対策としても有効である。一方で、バイオマス発電設備の維持管理業務が新たに発生することになる。

以上

●裏面は使用しないで下さい。　●裏面に記載された解答は無効とします。　24字×25行

Ⅲ－２　日本の水道は、人口減少に伴う給水収益の減少や水道事業者の技術者不足に加え、高度経済成長期において集中的に整備してきた水道施設の老朽化の増大が顕著となっている。また、耐震化の遅れや多数の水道事業者が小規模であり経営基盤が脆弱である。これらの課題を解決し、将来にわたり、安全な水の安定供給を維持していくためには、水道事業の基盤強化を図ることが急務となっている。

上記の状況と改正水道法による国の基盤強化の基本的な方針を踏まえ、水道分野の技術者として、以下の問いに答えよ。

(1) 水道事業の持続性を確保するために、技術者としての立場で多面的な観点から検討すべき課題を3つ抽出し、それぞれの観点を明記したうえで、課題の内容を示せ。

(2) 前問（1）で抽出した課題から最も重要と考える課題を1つ挙げ、その課題に対する複数の解決策を示せ。

(3) 前問（2）で示したすべての解決策を実行しても新たに生じうるリスクと解決策について、専門技術を踏まえた考えを示せ。

（2023年度　上水道及び工業用水道）

令和5年度　技術士第二次試験答案用紙

受験番号	1001B00XX	技術部門	上下水道　部門
問題番号	Ⅲ－2	選択科目	上水道及び工業用水道
答案使用枚数	1 枚目　3 枚中	専門とする事項	

○受験番号、問題番号、答案使用枚数、技術部門、選択科目及び専門とする事項の欄は必ず記入すること。
○解答欄の記入は、1マスにつき1文字とすること。(英数字及び図表を除く。)

1．水道事業の持続性を確保するための課題

　安全な水の安定供給を維持するためには、水道事業の基盤強化を図ることが急務であり、以下の課題に取り組む必要がある。

　1．1　水道施設の老朽化（施設管理の観点）

　高度経済成長期に整備された多くの水道施設のストックを保有しているが、老朽化の進行により、維持管理・改築需要の増大が見込まれている。

　埋設管路は、耐用年数を超えた割合が年々上昇しており、更新時期がきても更新されず、管路に起因する道路陥没等の事故も発生しており課題となっている。

　1．2　水道事業者の技術者不足（人的資源の観点）

　水道事業の職員は、これまでの徹底した組織人員の削減に加え、団塊の世代職員の大量の退職により、深刻な人員不足に直面している。また、職員一人当たりが受け持つ利用者の数は年々増加する一方で、経験豊富な職員の空洞化が生じている。このような状況により、抜本的な人材確保・育成が課題となっている。

　1．3　給水収益の減少（経済性の観点）

　水道施設を更新していくには多大な費用と時間を要する。このような更新事業を進めるためには、適正な資金の確保が必要となる。しかし、人口減少に伴う給水量減少のような外部環境の変化にあっては、必要な収入を確保することは困難な状況となっており、経営の健全化を図ることが課題である。

●裏面は使用しないで下さい。　●裏面に記載された解答は無効とします。　24字×25行

令和5年度 技術士第二次試験答案用紙

受験番号	1001B00XX	技術部門	上下水道 部門	※
問題番号	Ⅲ－2	選択科目	上水道及び工業用水道	
答案使用枚数	2 枚目 3 枚中	専門とする事項		

○受験番号、問題番号、答案使用枚数、技術部門、選択科目及び専門とする事項の欄は必ず記入すること。
○解答欄の記入は、1マスにつき1文字とすること。(英数字及び図表を除く。)

2．最も重要と考える課題と解決策

人口減少に伴う水需要の減少は、財源不足によって水道施設更新が計画通りできなくなるため、最も重要な課題と考えた。

2．1 アセットマネジメント

将来にわたって事業を安定的に経営するため、長期的視点に立った計画的なアセットマネジメントを行う必要がある。アセットマネジメントの取り組みとして、施設の更新需要を適切に把握し、財源確保をしつつ上水道施設の更新費用の平準化と施設の適正化を計画的に行う必要がある。

2．2 広域連携の推進

人的体制や財政基礎がぜい弱な中小の上水道事業者においては、単独で事業の基盤強化を図り、将来にわたり持続可能な事業を運営していくことが困難になりつつある。職員確保や経営面、効率的な施設の運用面でのスケールメリットの創出につながる広域連携の推進が重要である。

2．3 施設規模の縮小・統廃合

人口の減少や水需要の減少から、既存の施設規模より施設を縮小（ダウンサイジング）することで、施設維持管理費を削減することができる。また、地理的条件の厳しい浄水場を給水所化することにより、施設を統合することで、施設の更新費用を削減することも検討する。

●裏面は使用しないで下さい。 ●裏面に記載された解答は無効とします。 24字×25行

令和５年度　技術士第二次試験答案用紙

受験番号	1001B00XX	技術部門	上下水道　部門
問題番号	Ⅲ－２	選択科目	上水道及び工業用水道
答案使用枚数	３枚目　３枚中	専門とする事項	

○受験番号、問題番号、答案使用枚数、技術部門、選択科目及び専門とする事項の欄は必ず記入すること。
○解答欄の記入は、１マスにつき１文字とすること。（英数字及び図表を除く。）

3．新たに生じうるリスクとそれへの対策

前述の解決策を実行しても新たに生じうるリスクとして、関係者や住民との調整や合意形成などに時間がかかることが挙げられる。

3．1　情報の共有化とコミュニケーションの推進

事業に関係する情報について、量と質を向上させ、積極的にオープンにし、関係者や住民と共有する。また、情報を一方向に提供するのではなく、双方向のやりとりの中で関係者や住民の意見を反映し、コミュニケーションを推進することにより、信頼関係を構築する。

3．2　論点の明確化と臨機の対応

事業の基本的考え方、実施上の課題、隘路の打開策等を明示し、意見交換を行いながら、共に考え、創り、育てていく姿勢で取り組む必要がある。また、水道事業には長期間を要するものも多いことから、社会条件の変化等に迅速かつ的確に対応していくことが必要である。

3．3　プロセスにおける評価の明確化

企画段階、事業採択時、事業実施中、事業完成後等各段階における評価を充実させ、広く情報提供していくことが必要である。水道事業の評価項目は、水質、水圧、水道施設及び水道管の状態、水道料金、水道事業の効率性、水道事業の社会的影響となっており、各段階における評価の明確化が必要である。

以上

●裏面は使用しないで下さい。　●裏面に記載された解答は無効とします。　24字×25行

(7) 各ビジョンでの課題

最後に各選択科目での課題として、参考となる各ビジョンでの課題をみてみましょう。

各ビジョンには次のものがあります。

新水道ビジョン　　2013年3月
新下水道ビジョン　2014年7月
新下水道ビジョン加速戦略　2017年8月

1) 新水道ビジョン

①水道を取り巻く大きな変化に求められる課題

・拡張を前提とした施策から給水人口・給水量の減少を前提とした施策への転換の必要性
・従来の概念を抜本的に見直した震災対策・危機管理対策の必要性

②枚挙にいとまがない課題

・給水人口・給水量、料金収入の減少
・水道施設の更新需要の増大
・水道水源の水質リスクの増大
・職員数の減少によるサービスレベルの影響
・東日本大震災を踏まえた危機管理対策

③水道の現状評価と課題

ⓐ水道サービスの持続性は確保されているか

・料金収入の不足・減少による施設更新等の遅れ
・人員削減・団塊世代の大量退職による職員の不足
・人員不足に伴う、技術の空洞化、災害時対応力の低下
・長期的視点に立った人材確保・育成
・適正な事業規模を勘案した施設計画・財政計画・人材計画
・広域化等の対策の実施

ⓑ安全な水の供給は保証されているか

・大規模な取水障害や断水を引き起こす可能性のある水源汚染リスクの存在

・水道未普及地域の存在
・水安全計画策定の進捗の遅れ
・登録検査機関における水質検査の信頼性の低下
・小規模貯水槽水道や飲用井戸における衛生的な水の確保の必要性
・給水装置工事業者の資質の確保

ⓒ危機管理への対応は徹底されているか

・水道事業の耐震化の進捗の遅れ
・広域的な災害時において資機材等の調達を可能とする体制の整備
・緊急時における生活用水確保のための衛生水準確保の在り方の検討
・水道事業体の職員が減少している状況で、広域的な水道施設の被災を想定した応援ネットワーク化の推進
・住民とのコミュニケーションの推進による被災時の対応力の強化
・多様な災害等事象に対処する危機管理能力

④将来の事業環境

ⓐ外部環境の変化

・人口及び給水量の減少に伴う料金収入の減少
・給水量の減少による保有施設の過大化
・水道水源の水質の変化
・少雨化や降水量の変動による利水安全度の低下
・ゲリラ豪雨による浄水処理障害の多発

ⓑ内部環境の変化

・高度経済成長期に布設された管路等の経年劣化の進行
・料金収入の減少による財政状況の悪化
・団塊世代職員の大量退職、現役職員の合理化による技術継承の途絶

⑤想定される困難な課題

・給水人口減少による料金収入の減少
・水道施設の更新需要の増大
・職員数の減少によるサービスレベルへの影響
・東日本大震災を踏まえた危機管理対策
・水道水源の水質の変化への対応

2）新下水道ビジョン

①『「循環のみち下水道」の持続』に向けた中期計画

ⓐ人・モノ・カネの持続可能な一体管理（アセットマネジメント）の確立

・下水道施設の改築更新需要が拡大する一方で、維持管理が十分に行われていない、施設状況が把握できていないのが現状

・使用料収入で汚水処理費を賄えていない状況がある一方で、人口減少による使用料収入の減少など経営管理への影響が懸念

・下水道職員は減少傾向で高年齢化も進行。中小市町村では職員が極めて少ないなど、脆弱な管理体制

ⓑ非常時のクライシスマネジメントの確立

・巨大地震の発生が懸念されている中、「減災」の考え方を徹底した取り組みが不可欠となっている

・耐震化、BCP策定ともに遅れているのみならず、新たに耐津波対策にも取り込むことが必要である

ⓒ国民理解の促進とプレゼンス向上

・インターネットの普及により情報が社会に溢れ、情報が素どおりされやすい状態にあるとともに、市場、生活者の情報に対する意識が成熟し、商品やサービスの差別化が困難な状況である

・下水道に対する生活者の意識として、「あって当たり前のもの」となり、意識されず「他人ゴト」になりつつある

ⓓ下水道産業の活性化・多様化

・各事業主体における下水道事業の情報が不足しており、民間企業として需要等が把握しにくい

・民間企業として、新たな事業展開、新技術の導入が困難

②『「循環のみち下水道」の進化』に向けた中期計画

ⓐ健全な水環境の創出

・東京湾等の閉鎖性水域では、高度処理の遅れなどにより赤潮等が発生し、生態系への悪影響も生じている

・観光資源等として水辺への期待は大きく、オリンピック等においても

多くの訪日外国人が日本の水辺を訪れる可能性

・高度処理への理解は一定程度得られているものの、消費エネルギー等について課題が存在

・一方、栄養塩不足により「豊かな海」が求められている水域も存在

・水質事故による利水障害やノロウイルスの流行等が散発的に発生

ⓑ水・資源・エネルギーの集約・自立・供給拠点化

・下水道は、水、下水汚泥中の有機物、希少資源であるリン、再生可能エネルギー源である下水熱など多くの水・資源・エネルギーポテンシャルを有するが、その利用は未だ低水準

・原因は、初期投資に要するコストが大きいことと、規模が小さくスケールメリットが働かない処理場が多くあるため

・一方で、下水熱の地域冷暖房利用等の処理場外での利用や、地域のバイオマスを下水処理場で活用する取組も実施

・再生水の利用は、単一の目的を有する利用がほとんどで、また災害時対応は一部の処理場でのみ実施

ⓒ汚水処理の最適化

・汚水処理人口普及率は92.9％（令和4年度末）に達したが、未だに約880万人が汚水処理施設を使用できない状況にある

・人口減少や高齢化が進展し、投資余力が減少する中で、ストックの改築・更新の増大等を踏まえれば、今後未普及対策への投資拡大はますます厳しくなるため、地域の実情に応じた早期概成方策の検討が必要である

・下水道は電力の大口需要家。省エネルギー対策により維持管理コスト縮減が図られるが、対策状況は処理場ごとに差が大きい

・下水道からの温室効果ガス排出量は、地方公共団体の事業の中で大きなウェイトを占め、削減量の目標は未達成である

ⓓ雨水管理のスマート化

・局地的集中豪雨等の増加により被害が発生。ハード施設の計画を上回る降雨に対して浸水被害の最小化に向けた取り組みは不十分

・渇水リスクは高まっているが、下水道における雨水利用は、一部都市

のみで実施

・汚濁負荷削減対策としての合流式下水道越流対策は着実に進捗。一方、分流式下水道の雨天時越流水の問題が存在

ⓔ世界の水と衛生、環境問題解決への貢献

・国連ミレニアム開発目標のうち、「基礎的な衛生施設を継続的に利用できない人口割合の半減」について、達成困難な見通し。また、途上国では、生活排水処理率が依然として低く、大きな社会問題、経済的損失が生じている

・日本は、水と衛生分野における世界第一位の援助国であるが、下水道分野における日本企業の受注実績は限定的

・インフラシステムの海外展開における国の方針として、相手国とのつながり、技術・システム・人材の競争力が不十分なことを大きな課題として、地域的には、ASEANを重要国としている

ⓕ国際競争力のある技術の開発と普及展開

・技術開発には、国や、地方公共団体及び研究機関（民間企業を含む）等、多くのプレーヤーが関与

・産官学が連携を図り、現場の実態、他分野を含め幅広い技術を勘案した上で、開発テーマの選定、開発された技術の普及が十分行われていない

3）新下水道ビジョン加速戦略

新下水道ビジョン加速戦略（H29.8）の概要

背景
・新下水道ビジョン策定（H26.7）から約3年が経過、人口減少等に伴う厳しい経営環境、執行体制の脆弱化、施設の老朽化は引き続き進行
・一方、官民連携や水ビジネスの国際展開など、国内外で新たな動き

趣旨
・新下水道ビジョンの実現加速のため、社会情勢等を踏まえ、選択と集中により国が5年程度で実施すべき8つの重点項目及び基本的な施策をとりまとめ
・本加速戦略については概ね3年後を目途に見直しを行い、さらなるスパイラルアップを推進

8つの重点項目と施策例

◎：直ちに着手する新規施策
○：逐次着手する新規施策
◇：強化・推進すべき継続施策

8つの重点項目の各施策の連携と『実践』、『発信』を通じ、産業を活性化、さらなる施策の拡大、国民生活の安定、向上につなげるスパイラルアップを形成

新たに推進すべき項目

重点項目Ⅰ 官民連携の推進
◇トップセールスの継続的な実施
◎企業が安心して参入することができるよう、リスク分担や地方公共団体の関与のあり方の整理
◎上下水道一体型など他のインフラと連携した官民連携を促進する仕組みの整理

重点項目Ⅱ 下水道の活用による付加価値向上
○ディスポーザーの活用及び下水道へのオムツの受入れ可能性の検討（実証実験等）
◎広域的・効率的な汚泥利用（地域のバイオマスステーション化）への重点的支援
○BISTRO下水道の優良取組み等の発信、メディエーター（仲介役）を介した関係者の連携促進

取組みを加速すべき項目

重点項目Ⅲ 汚水処理システムの最適化
◎広域化目標の設定、国による重点支援
◎複数施設の集中管理のためのICT活用促進
◎四次元流総の策定及び広域化等を促進する新たな流総計画制度の整理
◇複数の市町村による点検調査・工事・維持管理業務の一括発注の推進支援

重点項目Ⅳ マネジメントサイクルの確立
◎データベース化した維持管理情報の活用による修繕・改築の効率化（維持管理を起点としたマネジメントサイクルの標準化）
○蓄積された維持管理情報の分析、ガイドラインや具体的な基準の策定、改定
◇PPP/PFI、広域化・共同化、省エネ技術採用等を通じたコスト縮減の徹底、受益者負担の原則に基づく適切な使用料設定の促進
○下水道の公共的役割、国の責務等を踏まえた財政面での支援のあり方について整理

重点項目Ⅴ 水インフラ輸出の促進
◎日本下水道事業団の国際業務の拡充検討
◎現地ニーズを踏まえた本邦技術の海外実証の実施、現地基準等への組入れ
◎都市開発、浄化槽等とのパッケージ化によるマーケットの拡大

重点項目Ⅵ 防災・減災の推進
◎SNSや防犯カメラ等による浸水情報等の収集と情報を活用した水位周知の仕組みの導入支援
○コンパクトシティの推進等、まちづくりと連携した効率的な浸水対策の実施支援
◇施設の耐震化・耐津波化の推進支援
◇下水道BCP（業務継続計画）の見直しの促進

官民連携、ストックマネジメント、水インフラ輸出等、各施策のさらなる拡大

新下水道ビジョンの実現加速
国民生活の安定、向上へ

関連施策の総力による
下水道のスパイラルアップ

国民理解による各施策の円滑な推進

重点項目Ⅷ 国民への発信
◇全国統一的なコンセプトによる広報企画や下水道の新しい見せ方などの戦略的広報の実施
○学校の先生等、キーパーソンを通じた下水道の価値の発信
◎広報効果の評価手法を検討し広報活動のレベルアップへ活用

より生産性の高い産業へと転換

重点項目Ⅶ ニーズに適合した下水道産業の育成
○民間企業の事業参画判断に資する情報の提供
○民間企業が適切な利益を得ることができるPPP/PFIスキームの検討及び提案
○B-DASH等の活用による、ICTやロボット技術等労働生産性向上に資する技術開発の促進

下水道事業の持続性確保
海外案件の受注拡大
民間投資の誘発

関連市場の維持・拡大

下水道産業を活性化

5. 重要キーワード

5.1 上水道及び工業用水道

水道施設の耐震

水道施設の地震対策の基本的考え方

①平常時はもとより地震等災害発生時においても一定の給水を確保する。

②水道を構成する個々の水道施設の構造面での耐震化を図り、水道施設に生じた損傷や機能障害に対して、速やかに復旧できるものとする。

③水道施設全体として給水を確保できるような施設を整備し、地震発生後の応急給水、応急復旧計画をあらかじめ策定する。

耐震設計

レベル1地震動：施設供用期間中に発生する可能性の高いもの

レベル2地震動：想定される地震動のうち、最大規模の強さを有するもの

水道施設の重要度を3種類に区分する。

①ランクA1

②ランクA2

③ランクB

耐震性能1：地震により機能を損なわない

耐震性能2：地震による損傷が軽微であり、機能に重大な影響を及ぼさない

耐震性能3：地震による損傷が軽微であり、地震後に修復を必要とするが、機能に重大な影響を及ぼさない

施設重要度別の保持すべき耐震性能（レベル1地震動）

重要度の区分	耐震性能1	耐震性能2	耐震性能3
ランク A1の水道施設	○	—	—
ランク A2の水道施設	○	—	—
ランク Bの水道施設	—	○	△

△：ランクBの水道施設のうち、構造的な損傷が一部あるが、断面修復によって機能回復が図れる施設に適用

施設重要度別の保持すべき耐震性能（レベル2地震動）

重要度の区分	耐震性能 1	耐震性能 2	耐震性能 3
ランク A1 の水道施設	—	○	—
ランク A2 の水道施設	—	—	○
ランク B の水道施設	—	—	※

※：ここでは保持すべき耐震性能は規定しないが、厚生省令では、「断水やその他の給水への影響ができるだけ少なくなるとともに、速やかな復旧ができるよう配慮されていること」と規定している。

出典：『水道施設耐震工法指針・解説』

●水道の耐震化計画の策定手順と留意事項

水道の耐震化計画を策定するに当たっては、都市計画や地域防災計画などの他の計画との整合を図りつつ、水道事業運営の観点のみならずまちづくりや市民の安全確保などの観点も含めて政策的な方針をたて、それを技術的に実現する目標・計画を策定する。

耐震化計画は次の5段階により策定する。

①水道施設の被害想定（耐震性診断等にもとづく）

②耐震化の目標設定

③個別の耐震化手法（メニュー）

④耐震化計画案の作成（複数案の作成）

⑤耐震化計画の策定

留意事項として、中山間地域、海岸地域などの小規模水道においては、給水区域の地形等の自然条件、道路交通状況等の社会条件、人員の確保や財政基盤といった事業運営条件などにおいて、都市部における水道とは異なる点が多い。そのため、小規模水道の耐震化計画の策定に当たっては、このような固有の状況に応じた耐震化手法の選定が必要である。

給水方式

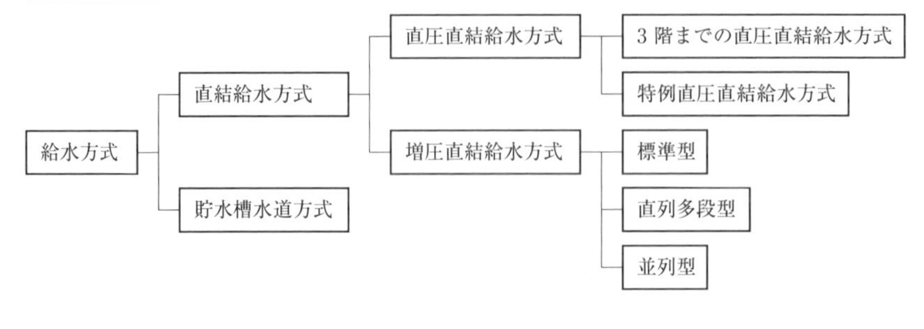

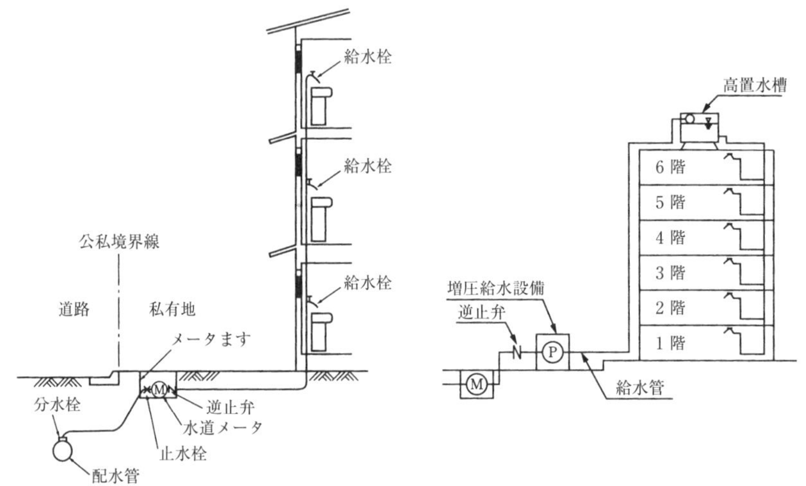

3階までの直圧直結給水方式　　貯水槽水道方式

出典：『水道施設設計指針』

●直結給水方式

長所

・蛇口まで水道水を直接給水

・貯水槽の点検・清掃が不要

・貯水槽のスペースが不要なため、敷地を有効活用できる

・配水管の圧力を利用するため、エネルギーを有効に活用できる

留意点

・事故や災害時等に、貯留機能がないため断水することがある

●貯水槽水道方式

長所

・事故や災害時等に、貯水槽内に残っている水は使用できる

留意点

・貯水槽の定期的な点検や清掃などの維持管理が適正に行われていることが必要

・貯水槽で一旦水を受けるため、水道管の圧力が解放されてしまい、エネルギーを有効に活用できない

金属管の腐食

腐食は、下図のように電食と自然腐食に大別される。

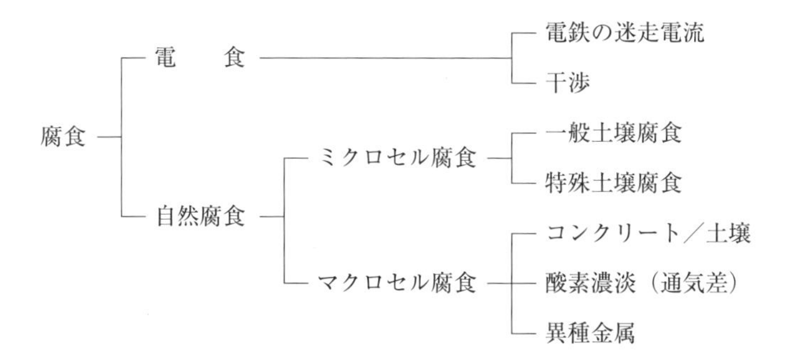

電鉄の迷走電流	直流電気鉄道と平行・交差している場所で起こる腐食
干渉	直流電気鉄道の近傍で、他の地下埋設物が排流設備を設置している場所で起こる腐食
一般土壌腐食	海浜地帯・埋め立て地域など多量の塩分を含む場所や腐植土、粘土質の土壌地帯等比較的腐食性の高い場所で起こる腐食
特殊土壌腐食	海成粘土で硫酸塩還元バクテリアの活動で腐食性が非常に高い場所で起こる腐食
コンクリート／土壌	コンクリートと土壌の pH の差による金属間の電位差によって生じる腐食。特に、管が鉄筋コンクリート部を貫通して布設され鉄筋と接触する場合はより腐食速度が早くなる
酸素濃淡（通気差）	通気のよい（若しくは湿度が低い）土壌と通気の悪い（若しくは湿度が高い）土壌とに接して管が埋設された場合に起こる腐食
異種金属	電位差がある金属（ステンレスと鋼など）が接続された場合に起こる腐食

出典：『水道施設設計指針』

電食とは、直流電気鉄道の漏れ電流及び電気防食設備の防食電流によって生じる腐食をいう。

自然腐食は、腐食電池の形成状況により、ミクロセル腐食とマクロセル腐食に区分される。ミクロセル腐食は、金属管の表面上の微視（ミクロ）的な局部電池作用によって生じる。マクロセル腐食は、構造物において部分的な環境の差や材質の差から金属管表面の一部分が陽極部となり、他の部分が陰極部となって、両者が巨大（マクロ）な腐食電池を構成することによって生じる。

水道事業ガイドライン

水道事業ガイドラインとは、水道事業における施設の整備状況や経営状況等を総合的に評価するもので、全国の水道事業体共通の指標である。このガイドラインは、厚生労働省の水道ビジョンに示された目標と合致させ、平成17年に（公社）日本水道協会によって規格化されたものである。水道サービスを将来にわたって維持していくうえで必要な137項目の業務指標が示されており、それぞれの指標は、次の6つの目標に分類されている。

1) 安心：すべての人が安心しておいしく飲める水道水を提供するための指標
2) 安定：いつでもどこでも安定的に生活用水を確保するための指標
3) 持続：いつでも安心できる水を安定して提供するための指標
4) 環境：環境保全への取組状況を表す指標
5) 管理：適正な業務運営や維持管理が行われているかを表す指標
6) 国際：国際交流や国際貢献への取組状況を表す指標

河川表流水の取水施設

取水堰：河川水を堰上げし、計画取水位を確保することにより、安定した取水を可能にするための施設であり、堰本体・取水口・沈砂池等が一体となって機能する。

取水塔：河川の水深が一定以上の所に設置すれば年間の水位変化が大きくとも安定した取水が可能である。取水口を上下数段に設けて選択取水できる。

取水門：取水口施設でスクリーン、ゲートまたは角落とし、砂溜などと一体となり機能する。

取水管きょ：取水口部を複断面河川の低水護岸に設けて表流水を取水し、管きょ部を経て提内地に導水する施設。

浄水汚泥の減量化

浄水場の処理施設から排出される水道汚泥の減量化としては、次のような方法がある。

1）凝集剤の減量：凝集剤の使用量が不要か少なくてすむ膜ろ過法を採用することである。

2）汚泥脱水を無薬注とすることである。したがって高圧フィルタープレス等を採用する。

3）汚泥の乾燥を行い、水分を飛ばして容積を小さくする。

4）汚泥の有効利用により、汚泥としての排出量を減らす。

イ）農業利用：客土材、土壌改良材、野菜類の育苗土壌、鉢植用土壌に利用する。

ロ）土壌造成資材：他の土や安定剤と混合することによりグランド造成や埋立、盛土材料として利用する。

ハ）セメント原料利用：セメント製造原料の一つである天然の粘土原料の代替としてスラッジを利用する。

ニ）埋戻し材利用：スラッジに石灰、セメントを混合し、適当な粒径になるよう造粒して再生砂を製造し、水道管布設時の埋戻し材として利用する。

浄水汚泥の有効利用

①農業利用

再資源化という点では最も可能性の高い分野であり、客土材、土壌改良材、野菜類の育苗土壌、鉢植え用土壌あるいは花・果実栽培用土などとして多くの実績がある。

②土地造成資材利用

脱水ケーキの形状、締固め性状、含水率等を考慮したうえで、粉砕した状態あるいは他の土や安定剤と混合することにより造成や埋立、盛土材料として利用する。

③セメント原料利用

セメントの製造原料の一つである天然の粘土原料の代替としてスラッジを利用する。スラッジは、原料粘土の化学成分に近いことが望ましいが、ある程度組成範囲をはずれても他原料と組み合わせて調合使用することができる。

④埋戻し材利用

スラッジに石灰、セメントを混合し、適当な粒径になるように造粒して再生砂を製造し、水道管布設時の埋戻し材として利用する。

スラッジの有効利用を計画する場合、スラッジの量・質、有効利用用途、需要先と量、製造方法、流通方法、経済性が問題となり、事前に十分検討する必要がある。

出典：『水道施設設計指針』

配水管のクリーニング

クリーニングは、管内を移動する機材を用いて水圧、動力、人力等によって行うが、管径、延長、異形管、給水管の分岐等の管路状態及び通水開始までの所要時間を含めた検討を行い、管路条件に適合した工法を選択する。

一般に用いられる工法としては、スクレーパ工法、ジェット工法及びポリピッグ工法等がある。

● スクレーパ工法

フレキシブルな軸の周りに弾力に富んだスクレーパを、放射状に数段取り付けた構造の機材を用いて行う方法であり、ピアノ線などを用いたけん引式と水圧を利用して推進させる水圧式とがある。

管径300 mm以上→けん引式が適している

管径250 mm以下、水圧0.2 MPa以上確保できる場合→水圧式が有利

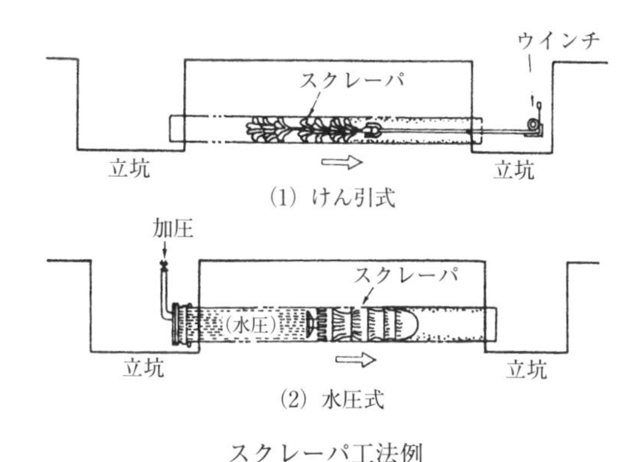

スクレーパ工法例

出典：『水道施設設計指針』

施工延長

100 m前後→けん引式

水圧式は、100 m以上の場合でも可能

●ジェット工法

特殊高圧ポンプにより、水を9.807～14.715 MPaに加圧して、特殊ノズルにより、管内面の斜め後方に噴射されるジェット流の反動を利用して前進させ錆こぶを除去する工法で、主に管径400 mmまでのエポキシ樹脂塗料ライニング工法に用いられる。

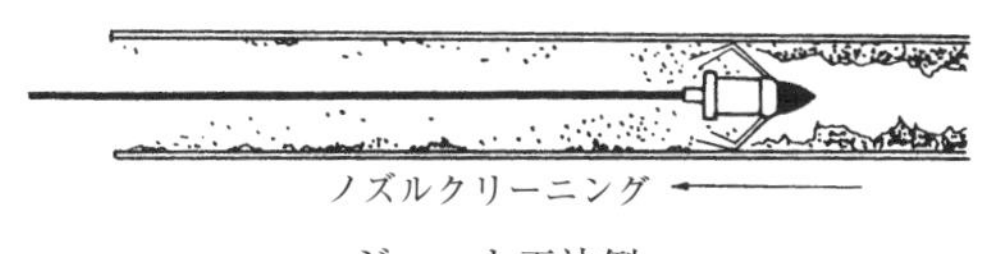

ジェット工法例

出典：『水道施設設計指針』

既設管路更生工法

●合成樹脂管挿入工法

新管が挿入できる程度にクリーニングした既設管の内部に、やや管径の小さい合成樹脂管を挿入して、管内面と合成樹脂管との隙間にセメントミルクなどを圧入して重層構造とする工法で、管路の補強が図られ、また、管内面は平滑であるため耐摩耗性がよく流速係数も大きい。

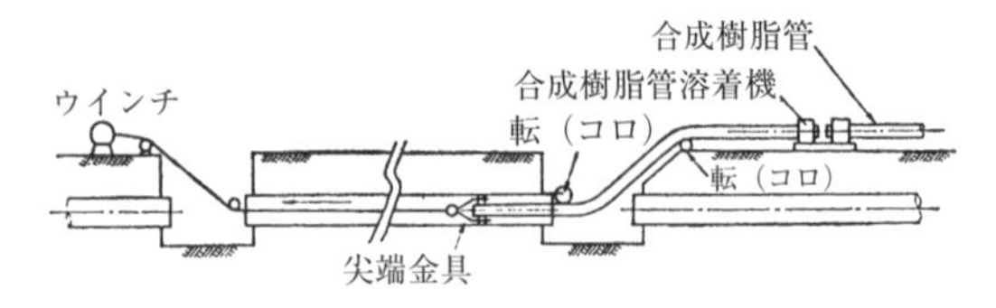

合成樹脂管挿入工法例

出典：『水道施設設計指針』

● 被覆材管内装着工法

クリーニングして乾燥させた管内に接着剤を塗布した薄肉状の管を引き込み、空気圧などで管内面に圧着させてから加熱してライニング層を形成させる工法で、管路の動きに対する追随性が良く、曲線部の施工が可能である。

この工法には、被覆材を管内で反転挿入し圧着する方法と管内に引き込み後、加圧し膨張させる方法とがある。

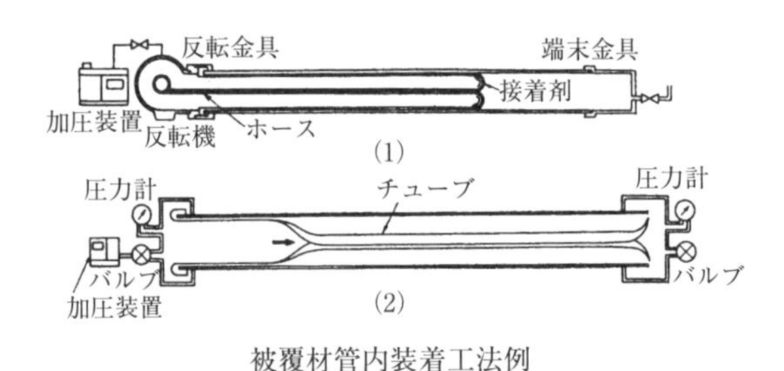

被覆材管内装着工法例

出典：『水道施設設計指針』

● エポキシ樹脂塗料ライニング工法

クリーニングが終わった管内面を完全に乾燥させてから、エポキシ樹脂塗料を高速遠心吹付けなどにより塗装するもので、曲線部及び分岐管の施工にはピンホール、ふくれ等のないように均一に行い、塗膜は0.5 mm以上を確保する。

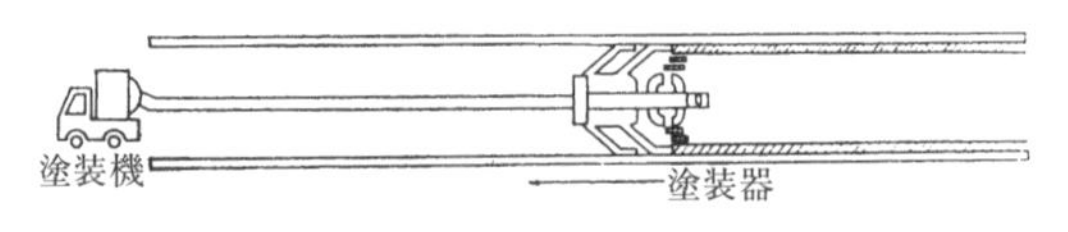

エポキシ樹脂塗料ライニング工法例

● モルタルライニング工法

クリーニングが終わった管の内面にモルタルを遠心力で吹き付けると同時に、コテで表面を5～10 mmの均一な厚さに仕上げる工法で、モルタルの硬化には時間を十分かけて湿潤養生する。

既設管内布設工法

● 既設管内挿入工法

既設管を鞘管として使用し、新管を布設するもので、簡単なクリーニングをした既設管内に新管を挿入し、既設管内面と新管外面との隙間にモルタルなどを注入して重層構造とする工法である。

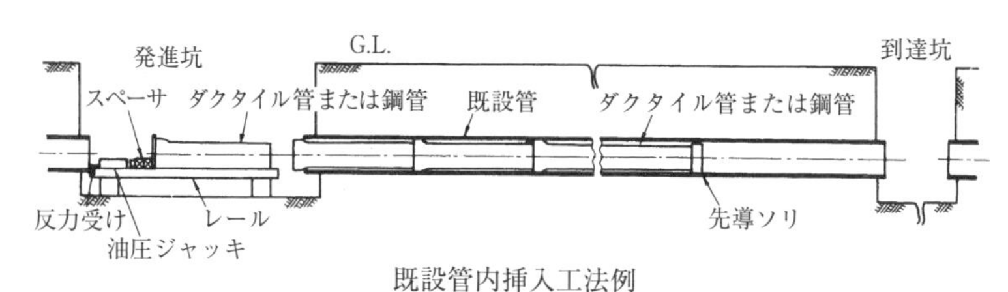

既設管内挿入工法例

出典：『水道施設設計指針』

● 既設管内巻込工法

既設管内挿入工法と同様にクリーニングした管内に縮径した巻込み鋼管を引き込み、管内で拡管・溶接し、既設管と新管の間にモルタルなどを注入し、重層構造とする工法である。

管を巻き込んで引込作業後拡管を行うので、更新管路は既設管に近い管径を確保することができ、曲がりに対しても対応しやすい。

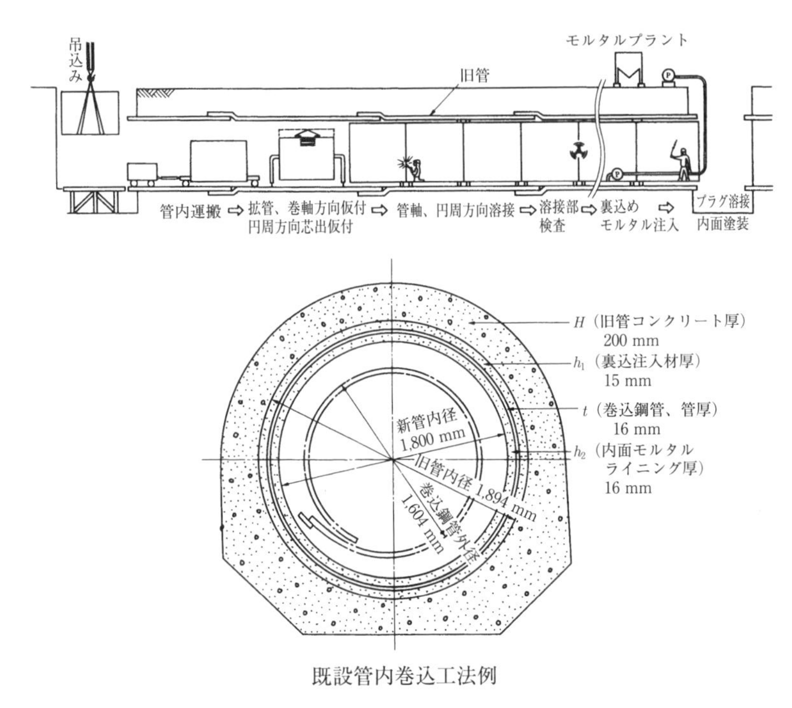

既設管内巻込工法例

出典：『水道施設設計指針』

● 既設管破砕推進工法

破砕機構を有する先頭管で既設管を破砕しながら、既設管と同等またはそれ以上大きい新管（ダクタイル鋳鉄管または鋼管）を推進する工法である。

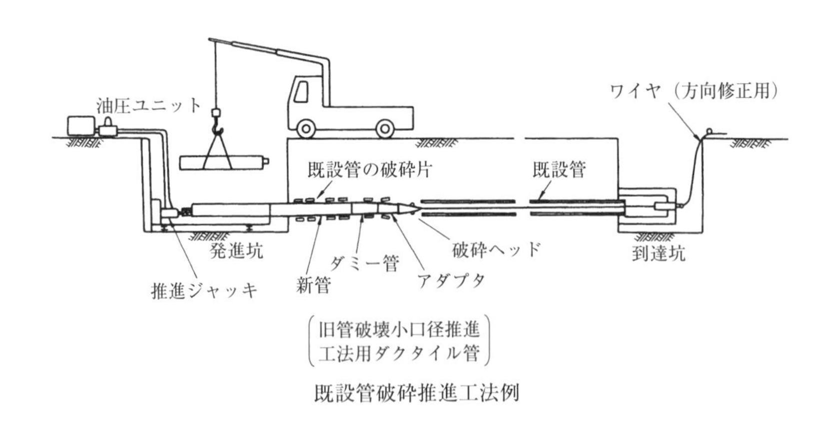

既設管破砕推進工法例

上水道の基本計画

基本計画は、各水道事業や各水道用水供給事業等が置かれた自然的・社会的、地域的な諸条件のもとで、水道施設の拡張、改良・更新など、今後取り組む事業内容の根幹に関する長期的・総合的な計画であり、基本方針、基本事項、整備内容からなる。

基本計画を策定するにあたっては、次の事項に配慮する。

①水量的な安定性の確保

②水質的な安全性の確保

③適正な水圧の確保

④地震対策

⑤施設の改良・更新

⑥環境対策

⑦その他

計画年次

基本計画において対象となる期間であり、計画策定時より15～20年間を標準とする。

計画給水区域

計画年次までに配水管を布設し、給水しようとする区域であり、広域的な配慮のもとに決定する。

計画給水人口

計画給水区域内人口に計画給水普及率を乗じて決定する。

計画給水普及率は、過去の実績や今後の水道施設計画などを総合的に検討のうえ決定する。

計画給水量

原則として用途別使用水量を基に決定する。水道用水供給事業においては、受水側水道事業全体を一体とした推定によるか、または受水側水道事業の計画水量の総和による。

有収率

浄水場で生産された水のうち、収益になった水量。

有効率

浄水場で生産された水のうち、有効に利用された水量。

料金収入とならない水量（メーター不感水量、消火用水など）含む。

負荷率

一日最大給水量に対する一日平均給水量の割合を表すもので、次式により算出する。

$$\frac{\text{一日平均給水量}}{\text{一日最大給水量}} \times 100(\%)$$

一日最大給水量

年間の一日給水量のうち最大のものを一日最大給水量（m^3／日）といい、これを給水人口で除したものを一人一日最大給水量（m^3／人／日）という。

一日平均給水量

年間総給水量を年日数で除したものを一日平均給水量（m^3／日）といい、これを給水人口で除したものを一人一日平均給水量（m^3／人／日）という。

給水管の管種

給水管としては、ダクタイル鋳鉄管、鋼管、ステンレス鋼管、硬質塩化ビニル管、ポリエチレン管、銅管等があり、構造材質基準の性能基準に適合するものでなければならない。給水管は耐久性、強度に優れかつ水質に影響を及ぼさないものを使用する。特に給水管の接合部は、弱点となりやすいため、継手は簡単で確実な構造、機能とする。

浅井戸、深井戸

浅井戸は、不圧地下水または伏流水を取水する浅い井戸で、一般に鉄筋コンクリート製の井筒を地下に設置し、その底面（井底）または側面から井筒内へ集水し、その水を水中モータポンプなどで揚水する施設である。浅井戸は、地表から水質への影響を受けやすいので、できるだけ深くした方がよいが、8～20 mのものが多い。

深井戸は、被圧帯水層から取水する井戸のことで、ケーシング、スクリーン及びケーシング内に釣り下げた揚水管と水中モータポンプからなり、狭い用地で比較的多量の良質な水を得ることが可能である。採水層に設置したスクリーンから直接ポンプで揚水し、深さは30 m以上のものが多く、600 m以上に及ぶものもある。

浅井戸が主として帯水層の面的広がりを考慮しなければならないのに対し、深井戸は帯水層の立体的な広がり、すなわち帯水層の厚さがある程度なければならない。

出典：『水道施設設計指針』

管路診断（目的、診断方法）

21世紀を迎えた現在、拡張期に整備された多くの水道施設が老朽化してきている。将来にわたって水道の機能を維持し保持していくためには、これらの施設を計画的に更新していかなければならない。

機能低下の項目	計測手法
水質劣化	水質試験、生物試験
漏水	音聴調査、計量調査、相関調査、レーダ調査、水圧調査
管内面劣化	目視・テレビカメラ撮影、膜厚測定、塗膜インピーダンス試験、引張付着物試験、碁盤目試験
通水断面不足	放射線計測（γ線、X線）、掘上げ管充水重量測定
残存管厚変化	管厚測定（ノギス、キャリバー）、超音波測定、γ線
外面劣化	目視、腐食深さ（デプスゲージ）、塗膜損傷調査、土壌調査

特に水道管路施設においては、水道施設資産の約7割を占めているにもかか

わらず、地中に埋設されているため、漏水事故が発生したら対応するといった受動的な対応が多かった。

老朽管路の更新の遅れに伴い、腐食による漏水や破損事故の多発、赤水等の水質障害発生の増加が危惧されていることからも、適切な診断・評価に基づいて予防保全措置としての管路更新への取組みが急務である。

管路診断確認事項

送・配水管路は経年劣化などによりその機能や能力が低下し、更新が必要となる。管路更新を効率的かつ効果的に行うためには、管路診断を行い、その結果をもとに更新計画を策定することが不可欠である。以下に確認すべき事項を示す。

①管体情報：布設年度、管種、管厚、口径等

②埋設環境情報：土被り、舗装仕様、占用種類、交通量等

③管路水理・水質情報：水量、水圧、水質、流向等

④事故情報：発生年月日、原因、発生個所、内容等

⑤苦情情報：発生年月日、原因、発生個所、苦情内容等

⑥社会的情報：給水戸数、使用水量、市街化状況等

管路診断手法

管路診断には直接法と間接法に分類される。

1）間接診断

間接診断は、日常の維持管理業務によって得られる苦情、事故とその修理記録、水量、水圧、水質に関する記録等をもとに管の機能低下とその要因を解析し、将来の変化を予測する方法である。間接診断には次のようなものがある。

①事故率による診断：診断区間の漏水や破損事故すべての事故件数を管路延長と使用年数で除した値で診断する。

②使用年数による定性的診断：鋳鉄管の使用年数などによる老朽度ランクで診断

③苦情率による診断：診断区間の出水不良、赤水、水圧不足等の苦情件数

を管路延長と年数で除した値で診断する。

④漏水量による診断

⑤地震時の被害率による診断：診断区間の管路の被害件数を管路延長で除した値で診断する。

⑥総合・物理的評価による診断：事故率、使用年数、地震時の被害等これまで得られた知見から総合・物理的に評価・診断する。

2）直接診断

直接診断は、管路を直接調査して機能を測定・評価する方法で、最も信頼性の高い手法である。間接診断だけでは管路機能の劣化状況が判断できない場合は、次の項目について診断する。

①管内面（錆、塗装、モルタルライニング）

②管外面（塗装、腐食）

③継手（ボルト・ナット、漏水の有無、胴付け寸法）

④管体（残存管厚）

⑤通水断面積

⑥周辺土壌及び地下水の水質

⑦管内水（水圧、水質）

腐食性土壌

管の布設に先立って、土壌、地下水の水質についての腐食性を調査することが望ましい。

アメリカのC.I.P.R.A（Cast Iron Pipe Research Association）では、鋳鉄管を埋設する場合の、土壌の腐食性の評価基準（土壌の比抵抗、pH値、酸化還元電位、水分、硫化物）を作り、評価した合計が10点以上になれば、特別な防食法を採用すべきだと勧告している。この評価基準は、アメリカ国家規格（ANSI/AWWA C105/A21.5−82）にも取り入れられており、この基準を適用して土壌の腐食性を評価することは、妥当な方法である。

出典：『水道施設設計指針』

配水幹線の相互連絡施設

水道相互連絡管は、災害や事故、渇水等で通常の給水ができなくなったとき、行政区域が異なる水道水を給水しあうために設置される。

2回線受電、ループ受電

他需要家と、配電線をループ状に構築することにより、常時2回線受電する方式。片側回線が故障しても、もう片側からの電源供給が継続する限り、無停電を継続することが可能。他需要家へのループ電流が、自身の施設へ流れ込むことになるので、遮断器容量が大きくなり、コスト増となる。

二重化方式

コンピュータを二重化し、片系が故障してもシステム全体からみれば運転に支障を起こさない方式である。

フェイルセーフ

故障で危険側障害とならないように運転を停止させるシステムであり、安全認識のためのセンサが故障したときは機械を安全側（停止）にするというのが代表例となる。

危険分散

危険分散とは、危険を分散してリスクを軽減するということである。

取水源を複数としたり、河川と地下水から取水を行うことも危険分散の一例である。

機能分散

機能分散とは、ある機械のみに作業が集中していると、故障による影響が大きくなるので、機能を分散し、一台あたりの処理範囲を小さく限定する方式である。

バックアップ機能

バックアップ機能とは、水道システムの一部に障害が発生した場合に、他のシステムを利用することにより迅速に元のシステム状態に戻す機能をいう。バックアップ機能の一例として、浄水場からの配水系統を互いに連絡して送水としての機能を補完し、水道システムとして安定化を図る方法がある。

配水池

配水池は、浄水場からの送水を受け、当該配水区域の需要に応じた配水を行うための浄水貯留池で、配水量の時間変動を調整する機能とともに、非常時にも一定の時間、所定の水量、水圧を維持できる機能を持つことが必要である。

配水池の有効容量は、給水区域の計画一日最大給水量の12時間分を標準とし、水道施設の安定性等を考慮して増量することが望ましい。

消火用水量については、一般的に12時間標準容量に含まれているが、小規模水道では消火用水量の一般配水量に対する比率も大きいので、計画給水人口が50,000人以下のものは、原則として消火用水量を別途加算して配水池の容量を決定する。

配水池の有効水深は、3～6 m程度を標準とする。

貯水槽水道（受水槽）

貯水槽水道は、貯水槽の有効容量によって分類されており、大きなものは水道法による衛生管理の義務付けがある。

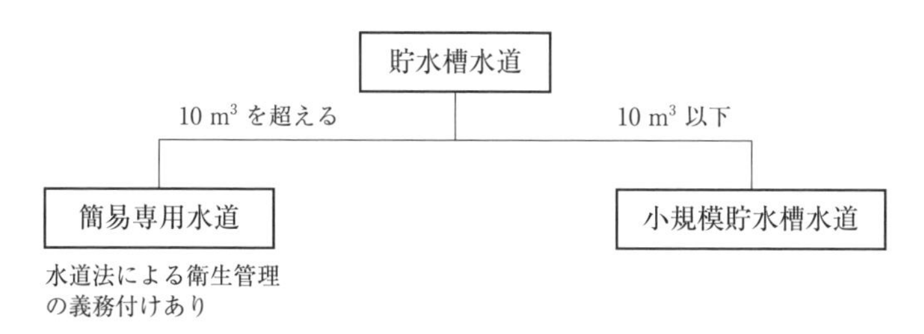

簡易専用水道設置者の義務

1. 厚生労働大臣の登録を受けた検査機関による検査の受検（年1回）
2. 衛生的な管理

(1) 貯水槽の清掃（年1回）

(2) 施設の点検（義務付けの規定はあるが、頻度は決められていない）

3. 汚染事故等が起きたときの対応

(1) 最寄りの保健所及び水道局に連絡

(2) 飲用しないように周知し、給水を停止

(3) 事故原因の除去、給水の再開等については、保健所の指示に従う

原水調整池

浄水処理をする前の水を貯留し、渇水による取水制限時等の場合に、できるだけ断水や原水の影響を緩和するために設置する施設。

浄水調整池

送水量の調整や異常時の対応を目的として浄水場から送られた水を一時的にためる施設。

深井戸のさく井工法

深井戸の掘削工法は、大別してオープンホール工法とケーストホール（プルバック工法）に分類される。

オープンホール工法とは、掘削孔の崩壊を防ぐため孔内を泥水で満たし、泥壁を造りながら所定の深度まで裸孔のまま掘進し、掘削完了と同時にスクリーンを取り付けたケーシングを降下する工法である。

ケーストホール工法とは、掘削孔の崩壊を防ぐため仮設のケーシングを地層に挿入しながら掘進し、原則として泥水を使用せず、清水のみで掘進する工法である。

出典：『水道施設設計指針』

紫外線処理

紫外線（UV）はX線と可視光線の間の波長域の電磁波である。紫外線の波長領域は100～380 nmであり、殺菌に最も適している波長は250～270 nmである。

細胞中に含まれる遺伝物質であるDNA（デオキシリボ核酸）やRNA（リボ

核酸）は、波長260 nm付近の紫外線でDNAやRNAの遺伝子上に鎖状に並んでいる塩基が結合（二量体化）してしまうので、遺伝子障害が生じるために複製機能を失い、微生物は不活化されて増殖できなくなる。この結果殺菌・消毒効果が生じる。水道ではクリプトスポリジウムの不活化に効果がある。

紫外線処理装置は次の各項を考慮して定める。

1）紫外線（253.7 nm付近）の照射量は常時10 MJ/m^2以上を確保する。

2）処理対象とする水の水質は濁度2度以下、色度5度以下、紫外線透過率が75%以上であること。

3）常時確認可能な紫外線強度計を設置すること。

4）計画浄水量を基準に将来の水量増加も加味した水量で計画すること。

5）原水の常時測定可能な濁度計を設置すること。

6）紫外線照射槽を二つ以上の複数基に分けて設置し、一つの設備が故障しても、最低限の処理水が得られる設計とする。

（参照：厚生労働省省令第54号、平成19年3月30日公布）

水道水における残留塩素

水道水は、病原生物に汚染されず衛生的で安全でなくてはならない。沈澱（常用漢字は「沈殿」）とろ過では、水中の病原生物を完全に除去することは不可能であり、配水系統における衛生上の安全を保つために、水道水は常時、確実に消毒されたものとすることが必要である。このため浄水施設には必ず消毒施設を設けなければならない。

水道法施行規則第17条第3項には、「給水栓における水が、遊離残留塩素を0.1 mg/ℓ（結合残留塩素の場合は、0.4 mg/ℓ）以上保持するように塩素消毒をすること。ただし、供給する水が病原生物に著しく汚染されるおそれがある場合又は病原生物に汚染されたことを疑わせるような生物若しくは物質を多量に含むおそれがある場合の給水栓における水の遊離残留塩素は、0.2 mg/ℓ（結合残留塩素の場合は、1.5 mg/ℓ）以上とする。」と記されているので、塩素剤以外の使用は認められていない。

塩素剤としては、液化塩素（Cl_2）、次亜塩素酸ナトリウム（NaClO）、次亜塩素酸カルシウム（高度さらし粉）が使われているが、かつては液化塩素が多く使われていたが、最近は取扱容易で安全性が高い次亜塩素酸ナトリウムが多く使われている。

沈澱池（表面積負荷と種類）

沈澱池は、懸濁物質やフロックの大部分を重力沈降作用によって沈澱除去し、後続のろ過池にかかる負担を軽減するために設ける。沈澱池における除去機能を考える場合一番重要なことが、表面積負荷Vはフロックの沈降速度Uよりも、小さくとることである。沈澱池の流入水量をQ、沈澱池の沈降面積をAとすると、$V = Q/A$であり、単位はmm/min（あるいはm/h）で表す。

フロックの沈降速度は1リットルメスシリンダーに凝集反応液を入れ、少し撹拌して、フロックを生成させた後、静止させてフロックの沈降界面を見ることにより測定できる。

沈澱池には多くの浄水場で使われている細長いコンクリート製の横流式沈澱池と高速凝集沈澱池がある。また、横流式沈澱池にはプラスチック製の傾斜板を設置し、沈澱面積を増やすことにより、処理量を多くする方式もある。凝集後の横流式沈澱池の設計指標は次のとおりである。

イ）表面積負荷は、15～30 mm/minとする。

ロ）池内の水平流速は0.4 m/min以下とする。

高速凝集沈澱池はすでにできているフロックの面に新しい濁質と凝集剤を供給して、フロックを形成させ、凝集沈澱の効率を向上させることを目的としたものである。高速凝集沈澱池は機構上スラリー循環型、スラッジブランケット型、及び両者の複合型に大別することができる。設計上の指標は次のとおりである。

イ）原水の濁度が10度以上。

ロ）最高濁度は1,000度以下。

ハ）濁度、水温の変動が少ない。

ニ）表面積負荷は40～60 mm/minを標準とする。

ホ）滞留時間は1.5～2.0時間とする。

次に沈澱池の構造を示す。

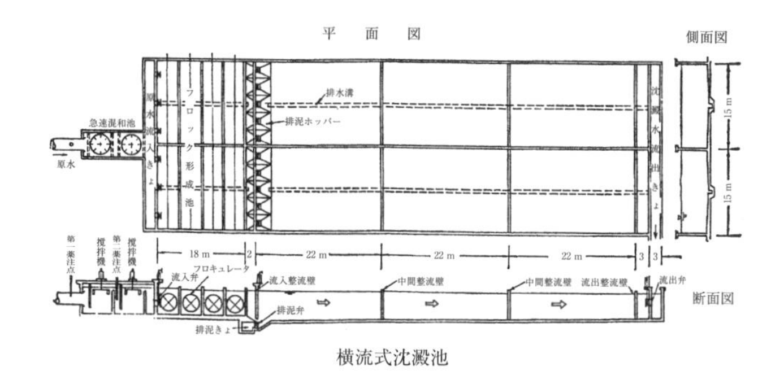

横流式沈澱池

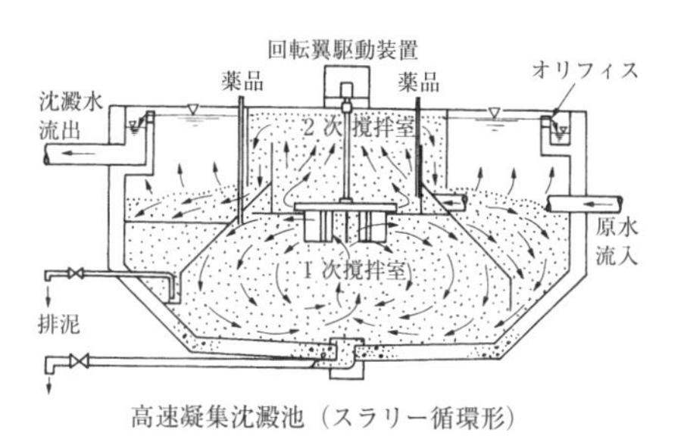

高速凝集沈澱池（スラリー循環形）

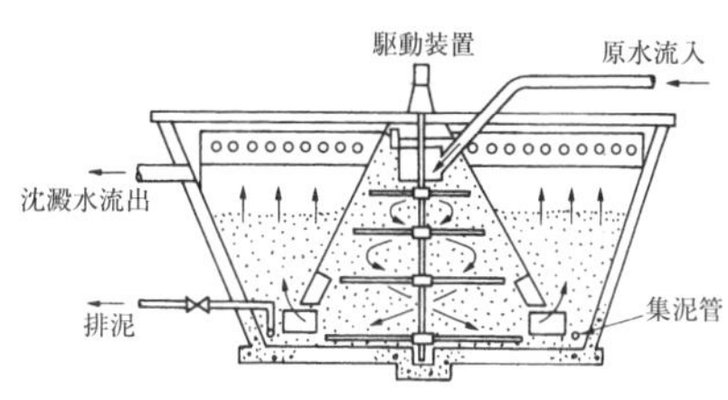

高速凝集沈澱池（スラッジ・ブランケット形）

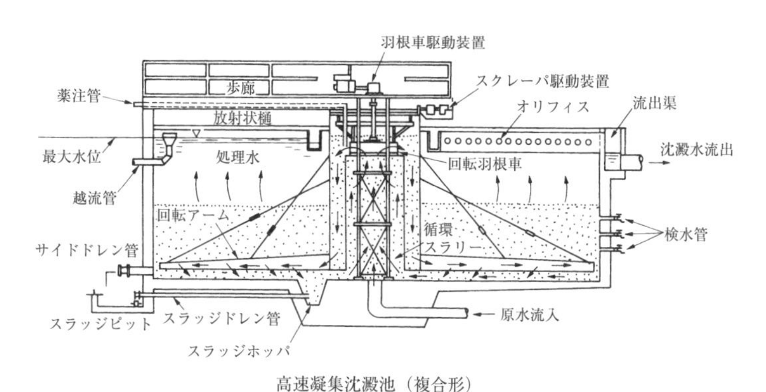

高速凝集沈澱池（複合形）

出典：『水道施設設計指針』

オゾン処理

オゾン処理は、塩素よりも強いオゾンの酸化力を利用し、異臭味及び色度の除去、消毒副生成物の低減を目的として行われる。オゾンは有機物と反応して副生成物を生成するので、オゾン処理後活性炭処理を行わなければならない。

オゾン処理設備は沈澱池あるいは急速ろ過池の後に設置する。

イ）異臭味の除去：オゾン注入率0.5～2.0 mg/ℓで、オゾン接触時間は10分前後である。

ロ）フミン酸等のトリハロメタン前駆物質及びトリハロメタンの低減：難分解性の有機物をオゾン処理で易分解性有機物に変換させ生物活性炭で易分解性有機物を分解処理した後、塩素消毒を行えば、トリハロメタンの生成量は少なくなる。また。これによりフミン酸等の有機物による色度成分も除去される。注入料は1～3 mg/ℓ程度である。

消毒副生成物

水道水製造では、病原性細菌等の消毒・殺菌に塩素を使用している。しかし、水道水原水に含まれているフミン質は塩素と反応し、トリハロメタンやハロ酢酸など発ガン性が高い有害有機物を生成する。

トリハロメタンには次のようなものがある。

クロロホルム、ジブロモクロロメタン、ブロモジクロロメタン、ブロモホルム

ハロ酢酸には次のようなものがある。

クロロ酢酸、ジクロロ酢酸、トリクロロ酢酸

また、水中のアミンと塩素、オゾンの消毒剤が反応してホルムアルデヒドを生成する。これらを水道水の消毒副生成物と呼ぶ。

大腸菌の検出とクリプトスポリジウム

クリプトスポリジウムは人間や哺乳動物（ウシ、ブタ、イヌ、ネコ等）の消化管内で増殖し、感染症をもたらす。これらの感染した動物の糞便に混じってクリプトスポリジウムのオーシストが環境中に排出され、オーシストを経口摂取することにより感染症による被害が拡大する。水源がクリプトスポリジウムにより汚染された水道においては、浄水場でクリプトスポリジウムを十分に除去できなければ、水道水を経由して感染症による被害が拡大するおそれがある。

表流水、伏流水、湧水または浅井戸を水源としており、水源の近傍上流域または周辺にし尿や下水、家畜の糞尿等を処理する施設等の排出源がある場合に

は、指標菌の検査を行う必要がある。大腸菌（*E. coli*）、糞便性大腸菌群、糞便性連鎖球菌及び嫌気性芽胞菌は、水道原水の糞便による汚染の指標として有効であることから、これら指標菌を検査し、そのうち1項目でも検出されれば、クリプトスポリジウムによる汚染のおそれがあると判断すること。

浄水処理対策は次のとおりである。

i）ろ過池出口の水の濁度を常時把握し、0.1度以下に維持すること。

ii）急速ろ過法を用いる場合にあっては、原水が低濁度であっても、必ず凝集剤を用いて処理すること。

iii）凝集剤の注入量、ろ過池出口濁度等、浄水施設の運転管理に関する記録を残すこと。

iv）ろ過再開後一定時間捨て水を行うこと。

v）ろ過開始時のろ過速度の漸増。

これらの操作により、実質ろ過継続時間の減少、捨て水の増加などにより、通常運転よりも浄水の供給が減少するおそれがある。したがって予備池なども運転し、水道供給量の確保に努める必要がある。

急速ろ過池、緩速ろ過池

1）急速ろ過池

急速ろ過池は、原水中の懸濁物質を薬品によって凝集沈澱させた後、砂層に比較的早い流速で水を通し、主としてろ材への付着とろ層でのふるい分けによって濁質を除去する。たとえ、原水が低濁度であっても急速ろ過池でろ過するのみではクリプトスポリジウムを含めコロイド・懸濁物質の十分な除去は期待できないので、必ず凝集剤を用いて処理する。

急速ろ過池の構造と方式は次のとおりである。

イ）ろ過構成は、単層と多層がある。

ロ）水流方向は下降流と上向流がある。

ハ）ろ材は砂とアンスラサイトがある（多層では下層に砂、上層にアンスラサイトとする）。

ニ）ろ過速度は砂単層で120～150 m/d、多層で240 m/d以下を標準とする。

ホ）重力式と圧力式がある。

へ）洗浄水の供給は洗浄ポンプによる方法と他のろ過池から供給する形式がある。

ト）流入水の種類からは、凝集・沈澱処理した水をろ過する通常の方式と、少量の凝集剤を加えた水を処理する直接ろ過方式がある。圧力式ろ過装置の例を下図に示す。

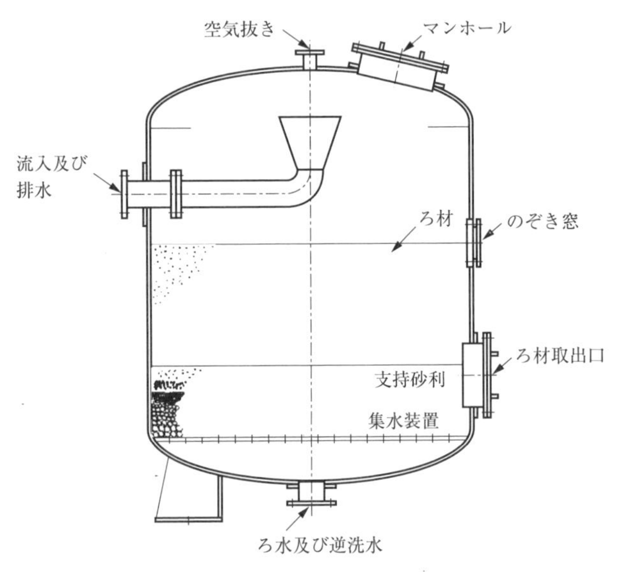

圧力式ろ過装置の例（鋼製タンク形）

2）緩速ろ過池

緩速ろ過池は、砂層に増殖した微生物群によって、水中の浮遊物質や溶解物質を捕捉、酸化分解する作用に依存した浄水方法である。ある限度内ならアンモニア性窒素、臭気、鉄、マンガン、合成洗剤、フェノール等も除くことができる。緩速ろ過池における懸濁物の阻止は、砂層の表層部に集中するので、必要な通水量が保てなくなったら、ろ過を停止し、表層10 mm程度の砂を削り取ってろ過表面を更新する。緩速ろ過池の特徴は薬品処理等を必要とせず、浄化機能が安定して得られることである。一方留意点は、広大な面積を必要とすることと、汚砂取りに労力を要することである。原水水質については濁度の高い水や、プランクトン藻類の多い水は表層の損失水頭を短時間で高め、ろ過持続時間を短縮させるので適さない。ろ過池流入水の濁度は概ね10度以下とする。

緩速ろ過池の構造、形状は以下のとおりとする。

イ）深さは、下部集水装置の高さに、砂利層厚、砂層厚、砂面上の水深と余裕高を加えて、2.5～3.5 mを標準とする。

ロ）形状は長方形を標準とする。

ハ）寒冷地の場合、または、空中を飛来する汚染物により水が汚染されるおそれがある場合は、ろ過池に覆蓋を設ける。

ニ）ろ過速度は4～5 m/dを標準とする。

ホ）池数は、予備池を含めて2池以上とし、予備池は10池に1池の割合とする。

ヘ）砂層の厚さは70～90 cmとする。砂の有効径は0.3～0.45 mm、均等係数は2.0以下であること。

次に緩速ろ過池の概略図を示す。

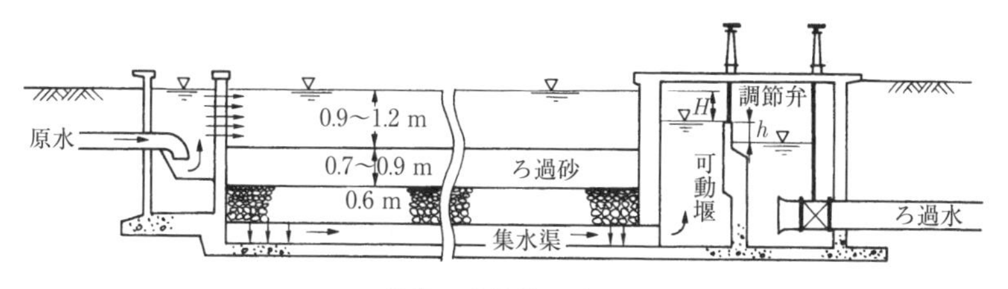

緩速ろ過池構造略図

出典：『水道施設設計指針』

急速ろ過のメカニズム

急速ろ過における抑留機構は、ろ材の目（100 μm）よりもはるかに小さい細菌や微フロック（1～10 μm）がろ材の隙間に留まるのは、これらの微フロックがろ材の間隙水路内を移動し、さらにろ材表面に付着する2段階からなっている。ろ材表面に接触した微フロックは付着凝集し、水中から除かれる。後続の粒子は先行付着している粒子の上にさらに付着凝集して、砂層中の抑留量を増大していく。砂表面の抑留フロック粒子の厚さが増大してくると、だんだん間隙が狭くなり、間隙流速が増大して、ついには付着したフロックが水流のせんだん力で剥離する。したがって、運転においては、常にろ過抵抗を監視し、一定のろ過抵抗に達したら逆洗を行い砂層を洗浄する。

急速ろ過池の流量調節の必要性、流量制御形と自然平衡形

流量調節装置はろ過池の流入流量・流出流量の平衡、必要な砂面上水位の確保、ろ過速度の急激な変化の回避のため必要である。特にろ過開始時にはろ過抵抗が少なく急激な速度上昇を発生させ、濁質漏洩が生じ問題となることがある。

流量制御形は計量装置と流量制御装置からなり、計量装置としては電磁流量計、オリフィス流量計、流量制御装置としてはバタフライ弁が使用されている。ろ過初期にはバタフライ弁で大きな損失水頭を発生させ、ろ過流量を抑制する。ろ過の進行に伴って、ろ層の閉塞が進み、ろ層内損失水頭が増加するので、その分バルブを徐々に開いて、一定のろ過速度を保つことができる。

特長：砂面から流入渠水位までの高低差を比較小さくできる。

高損失水頭時の負圧発生に伴い水質悪化を招く可能性があるので、注意が必要である。

自然平衡形はろ過池流出側に砂面より高い位置に堰を設け、ろ過池自体の砂面上水深が徐々に高まることによって、ろ層の閉塞に伴う通水量の減少を防止し、一定のろ過流量を得る方式である。

特長：流出側に流量調節装置を設けず定速ろ過が可能なこと。

砂層内に負圧が発生する危険が少ない。

ろ過池の槽深が大きくなるのが短所である。

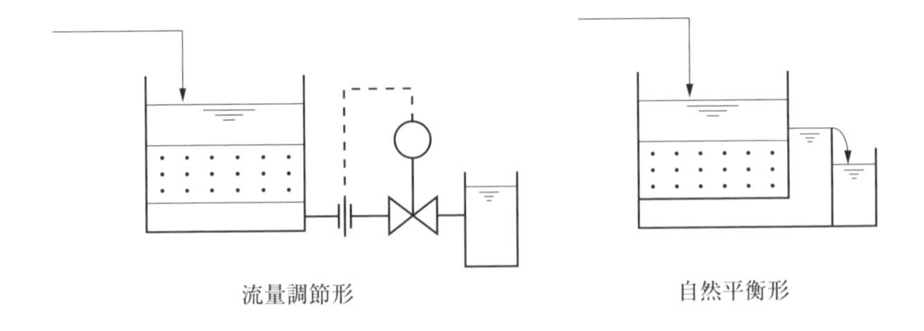

流量調節形　　　　自然平衡形

急速ろ過水の濁度上昇

(1) 業務手順

①過去のデータを調べ、濁度の上昇の傾向を調べる（原水、処理水）。

②原水水質の変化を調べる、色度成分や有機物が増えているか。

③設備的なものを調べる。逆洗膨張率の不足、逆洗の偏流（ろ過層の一部逆転等）。

(2) 調査事項の説明

①原水の汚濁が進行し、急速ろ過の流入水濁度が上昇傾向にあれば、目詰まりが早くなり、処理水からの濁質の漏れも早くなる。

②原水に色度成分や有機物が増えると、濁質とアルミ成分でできたフロックは弱いものとなり、砂層での濁質分の捕捉する力が弱くなり、早い時点で濁度上昇を起こす。

③砂ろ過の逆洗膨張率は20～25%であるが、何らかの理由で膨張率が下がると、砂の洗浄が弱くなり、洗浄不十分で、ろ過水の濁度上昇が早くなる。

④砂層と砂利層の間で、一部層の逆転が起こるとその部分だけ逆洗水が多く流れ、逆洗が均一でなくなり、逆洗が不十分な砂の部分ができる。したがって、逆洗不十分であったり、逆転層のところを流入水が早く通過し、砂層に濁質フロックが捕捉されずに通過してしまい、早い時点で濁度上昇を起こす。

排水処理施設

浄水施設では原水の浄化に伴い、原水中の懸濁濁質や添加した凝集薬品がフロックとなり、沈澱池汚泥や砂ろ過池逆洗水となって排出される。これらの排水は濃縮、脱水され、脱水ケーキ、あるいは乾燥され乾燥土として産廃として場外に排出される。一方の濃縮槽上澄み水は直接下水道へ放流される。下水道が整備されていない地域では、上澄み水の再度凝集沈澱処理等の排水処理を行い、放流基準以下にして、河川へ放流する。また、膜ろ過施設では小規模のものが多く、逆洗水等はそのまま河川に放流している場合が多い。

PSI

PAC等のアルミを含む凝集剤は、アルミがアルツハイマー病の原因物質と言われ、なるべく、使用を避けたほうがよいとの社会状況で、鉄とシリカからなる凝集剤は安全性の面からも重視されている。

PSIとは重合ケイ酸と鉄からなる、ポリシリカ鉄凝集剤である。

成分は鉄2～6%。シリカ1.1～2.2% 分子量50万の黄褐色透明液体で、PAC等のアルミ凝集剤に比べ、低温、低濁度でも有効、藻類への凝集効果もある。トリハロメタン前駆物質である有機色度成分除去効果、スラッジの濃縮性、脱水性もよい。

トリハロメタン

トリハロメタンは、メタンの3つの水素原子がハロゲンで置換されたものを指すが、ここで総トリハロメタンとは、クロロホルム、ブロモジクロロメタン、ジブロモクロロメタン及びブロモホルムの4物質の総称として用いている。浄水過程で、水中のフミン質等の有機物質と消毒剤の塩素が反応して生成される。発がん性があり、基準値は0.1 mg/ℓである。

鉛

水道水中の鉛は主に鉛水道管からの溶出による。平成15年から、水道水質基準では0.01 mg/ℓとなっている。鉛は腎臓への悪影響があると言われているが、日本では鉛水道管の取り換えも進み、ほとんど基準値を超すことはない。

臭素酸

$NaBrO_3$はオゾン処理時に不純物の臭素が酸化され臭素酸になる。これは発がん物質であり、水道水質基準0.01 mg/ℓを超さなければ問題は無い。

塩素酸

$NaClO_3$塩素酸の主要懸念は赤血球細胞への酸化ダメージである。現在の水道水水質基準では0.6 mg/ℓとなっており、次亜塩素酸ナトリウムは高温で長期保存した場合、塩素濃度が低くなるのに反して塩素酸濃度が増加するが、現状では基準値を超すことはほとんど無い。しかし、二酸化塩素（ClO_2）が水道に使われた場合は注意すべきである。

キャリーオーバー

フロックが沈澱池で沈みきらずに流出する現象をキャリーオーバーという。

原因は2つに大別される。第一は、フロックの沈降速度が沈澱池の表面積負荷率に比べて小さすぎるために沈澱できない場合で、フロックが十分な大きさまで成長していないか、生成したフロックがふわふわして密度が小さく、沈降速度が小さいかの原因である。第2の場合は、フロックの性状が良いのに、ある条件下でキャリーオーバーが発生する場合である。

これは沈澱池内の水流や流入水温の変化等の外部条件によって乱され、キャリーオーバーが生ずる場合である。

イ）横流式沈澱池

1）池内に短絡流が起こると、キャリーオーバーする。したがって、池の入口側と出口側に整流壁を設け、短絡流が生じないようにする。

2）フロックが小さく沈降速度が小さい場合等は、傾斜板を入れて見かけの表面積を増やし、表面積負荷を小さくする。

ロ）高速凝集沈澱池

1）流出トラフが一部傾いたり、沈澱池全体に均等に設置していないと、部分的に短絡流を起こし、大量のフロックのキャリーオーバーを起こす。

2）高速凝集沈澱池のスラリーブランケット部に強い直射日光が当たると、太陽光線がフロックに衝突して放射熱に変わり、フロックに含まれる水の温度を上昇させ、フロック中の水の密度が小さくなることによって、フロック全体の密度が急激に低下し、太陽光があたった部分のスラリーブランケットが入道雲のように湧き上がり、キャリーオーバーが発生する。

3）高速凝集沈澱池では原水濁度が5度以下と低くなると、生成フロックの量が、キャリーオーバーするフロックよりも少なくなり、スラリーブランケット濃度が徐々に低下し、ついにブランケットを維持することができなくなり、ほとんど凝集沈澱作用が無くなる。方法としては細かい土のような濁質を補給するか、凝集剤を多く入れ、なんとかスラリーブランケットを維持する。

配水ブロック設定に必要な基本事項と留意事項

配水区域をある限られたエリアで区分し、配水のコントロールを行うことをブロックシステムと呼び、その手法を進めることをブロック化という。

配水区のブロック化とは、配水区域を平面及び標高で分割し、配水本管で構成される配水ブロックと、これをさらに細分化し、配水支管で構成される配水支管網ブロックからなる。

配水区のブロック化を行うと次のメリットがある。

・水圧の均等化

・災害や管路事故時の被害の局所化

・常時の配水管理と維持管理の向上

ブロック化の計画や実施に当たっては、ブロック境界での滞留水及び残留塩素低減、ブロック設定時の赤水発生、管網整備や監視機器の設置に係る費用など検討すべき課題や問題点があることに留意する。

浄水場を更新する際の効率化と危機管理

アセットマネジメント手法の導入により、施設の状況を的確に把握し、施設の適切な維持管理による延命化を図り、更新時期の平準化、費用の最小化を図る。また、広域化や施設の集約化、人口の増減に応じた施設規模の見直しを行い、官民連携による新技術の開発やVEなどによる建設・維持管理コストの縮減を図る。

また、危機管理のハード面の対策として、構造面での耐震化を図り、ある系統が被災しても一定の給水機能を保つことができるように、施設や管路の二重化や系統間の連絡などのシステムとして冗長性や柔軟性に配慮する必要がある。ソフト面では、地震による被害をもとに、応急対策の計画と組み合わせた俯瞰的な地震対策を構築する必要がある。

ストークスの式

一般に単一粒子の水中での沈降速度は大きさおよび密度が影響する。ストークスの式で表される。

$$u = \frac{1}{18} \times g \times \frac{\rho_1 - \rho_2}{\mu} \times d^2$$

ここで、u：粒子の沈降速度［cm/sec］、ρ_1：粒子の密度［g/cm^3］、
ρ_2：水の密度［g/cm^3］、μ：水の粘度［g/cm・sec］、
d：粒子の直径［cm］、g：重力の加速度＝980 cm/sec^2

この式から沈降速度は粒子と水の密度の差に比例し、直径の二乗に比例して大きくなることがわかる。

横流式沈澱池での粒子の除去率と沈降速度

沈澱池での表面積負荷率 V_0は次式で示される。

$$V_0 = Q/A \quad [\mathrm{m/h}]$$

Q：流入水量［m^3/h］、A：沈降面積［m^2］

横流式沈澱池では沈降速度 V［m/h］が V_0と等しい場合は、沈澱池入口上端から流入した粒子は沈澱池出口下端で沈降し、完全に沈澱分離される。粒子の沈降速度 Vが V_0よりも小さい場合の除去率は V/V_0となる。

pH調整剤・凝集促進剤の目的

pH調整剤としてはアルカリ剤として苛性ソーダ$NaOH$、消石灰$Ca(OH)_2$、ソーダ灰Na_2CO_3などがある。酸剤としては硫酸、塩酸、液化炭酸などである。

アルカリ剤は湖水や河川降雨時など原水アルカリ度の低い場合、アルミ塩や鉄塩による凝集の調整剤として使用する。酸剤は藻類が繁殖した湖沼水を原水としている場合はアルカリ度が高くなっているので、アルカリ度を低下して凝集剤の薬注量を下げる目的で使用する。

凝集促進剤としてはカオリン、活性シリカ、アルギン酸ソーダ、苛性化でんぷんなどである。カオリンは原水中の濁質分が少ないとき、凝集フロックを重くして沈みやすくする目的で使用する。活性シリカ、アルギン酸ソーダ、苛性化でんぷんなどはアルミ塩や鉄塩で生成したフロックが小さく沈みにくいときに使用し、フロックを大きく重くして沈ませる目的で使用する。

前塩素、中間塩素、後塩素処理の説明と長所・短所

前塩素処理と中間塩素処理は水質汚濁が進んだ原水の処理に使う。

前塩素処理：着水井や混和池に塩素剤を注入する。原水中にアンモニア性窒素や鉄マンガン、大腸菌が多い場合に行う。

長所：アンモニア、鉄、マンガンが除去される。

短所：トリハロメタン前駆物質やかび臭物質を放出するラン藻類は前塩素で破壊され、細胞が分散し、トリハロメタンやかび臭がろ過水に漏出する。

中間塩素処理：凝集沈澱池とろ過池の間で塩素剤を注入する。

長所：ラン藻類を凝集沈澱で沈めた後に塩素剤を注入するため、トリハロメタン、かび臭生成の低減ができる。

短所：アンモニア性窒素の除去には向かない。

後塩素処理：原水の汚濁が進んでない通常の場合は消毒の目的でろ過後に塩素剤を注入する。

長所：塩素の注入量が消毒のためだけで少なくて済む。

短所：汚濁が進んでいる原水の場合は適用しにくい。

有機膜と無機膜の特徴

浄水処理では精密ろ過及び限外ろ過が行われ、膜としては有機膜と無機膜が使用されている。

有機膜の特徴：有機膜は酢酸セルロース、ポリイミド、ポリスルホン酸などから作られ、寸法の自由度があり、軽く取り扱いが容易で、安価である。衝撃には強いが、取り扱える温度範囲が狭く、強酸、強アルカリなど薬品には弱い。寿命は3～5年。

無機膜の特徴：寸法的自由度は無い。耐熱性や耐薬品性がある、強い薬品で洗浄が可能で寿命は15年から20年。物理的強度もあるが、衝撃に弱い。

活性炭処理（粉末・粒状）

活性炭処理は凝集沈澱・砂ろ過という浄水処理で除去できない悪臭物質、陰イオン界面活性剤、フェノール類、トリハロメタン、有機塩素化合物や農薬な

どの微量有機物質等有機物質の除去に使用される。

粉末活性炭：原水に臭気物質などの有機物が混入したときに必要な分だけ注入すれば良く、短期の場合には経済的である。しかし長期にわたる場合は投入の人工が嵩み、使用量も長期間分増えるので、コストが高くなる。また、黒い粉末が飛散したり、付着したりして汚れやすい。

粒状活性炭：長期的に有機物が混入する場合は活性炭槽を設置し、連続的に処理する。使用済みの活性炭は再生し、新炭同様に使用できる。オゾン装置と組み合わせ、臭気物質やトリハロメタン前駆物質をほぼ完全に除去できる。

粒状活性炭設備

粒状活性炭吸着設備は、吸着池に粒状活性炭を充填し、これに処理対象水を流入させ、処理対象物質を吸着して除去するものである。

1) 粒状活性炭処理方法

粒状活性炭処理方法には、吸着効果を主体とした方法と、活性炭の吸着作用に加えて活性炭槽内の微生物による有機物の分解作用を利用することによって、活性炭の吸着機能をより長く持続させる生物活性炭吸着方式がある。後者の場合は、生物活動を妨げないよう、前段で塩素処理を行わない。

吸着効果を主体とした方式では、除去対象物質の分子量や疎水性、また活性炭の細孔分布によって吸着能や寿命が異なる。

生物活性炭処理では、粒状活性炭層内に微生物が繁殖し、易分解性有機物が吸着のみならず生物化学的作用によって、二酸化炭素にまで分解されることがある。このような生物化学的作用には、活性炭層内に溶存酸素が十分存在し、微生物の繁殖に必要な有機物が供給されていることが条件である。また、この処理性は水温による影響を受ける。

生物活性炭処理の前段にオゾン処理を行うと、難分解性有機物を易分解性有機物に転換すると同時に、オゾン処理後の処理水は溶存酸素が飽和状態になるから、粒状活性炭層内における生物化学的作用が促進されることとなる。また、吸着された有機物は、生物化学的に分解され、自己再生機能により粒状活性炭の吸着能が長時間維持される。

2）浄水における設計条件

イ）型式はコンクリート製重力式固定相が多い。小規模では鋼板製加圧式固定相ものが多い。

ロ）空間速度（SV）は5～10（1/h）が一般的である。

ハ）線速度（LV）は重力式で10～15 m/h、加圧式で15～20 m/hである。

ニ）炭層の厚さ（H）は1.5～3.0 mが多い。

ホ）粒径は固定相では0.4～2.4 mm、流動層式では0.3～0.9 mm程度である。

生物活性炭処理

浄水処理で汚濁の進んだ河川水を原水とする場合、生物活性炭処理が有効である。

生物活性炭処理は、活性炭表面の生物膜内で生じる有機物分解と、活性炭細孔内で進行する吸着による処理方法である。生物活性炭処理の前段でオゾン処理を行うことにより、生物難分解性有機物を生物易分解性に変性し、同時に微生物の活動に必要な溶存酸素濃度を高めることができる

生物活性炭処理の各種フローを次図に示す。

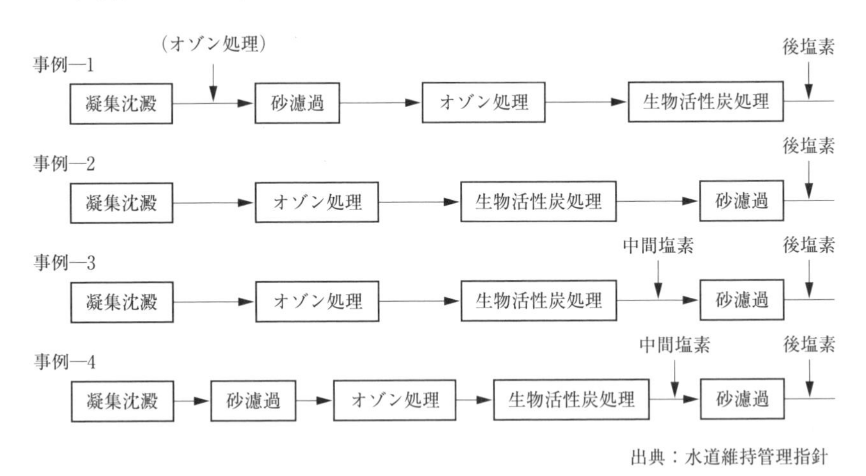

生物活性炭処理の各種フロー

1）効果

①トリハロメタン前駆物質等の色度成分や陰イオン界面活性剤等の水溶性有機物を除去できる。

②ジェオスミンや2−MIB等の臭気物を除去できる。

③活性炭に微生物が繁殖するためアンモニア態窒素が90～100％除去できる。

④事例—1では、鉄、マンガンが多い原水でも、砂ろ過の前にオゾンを注入し、鉄、マンガンを酸化し、砂ろ過で除去することができる。

2）リスク

①原水中に臭化物イオンが存在する場合には発がん性のある臭素酸が生成されるリスクがある。

②オゾンは人体の健康に害があり、排オゾンの処理が必要である。

③事例—1で、オゾンを過剰に注入するとマンガンが7価となり、溶解性になるので、不溶性の4価にとどめるよう、注入率に注意する。

3）リスク対策

①臭素酸は活性炭である程度低減できるが、十分でないため、水質検査等の継続的な監視を実施する。

②発生した排オゾン処理には活性炭や触媒による分解処理を実施する。

③事例—1で、マンガンを含む原水には過剰にオゾンを注入しない。1 mg/ℓ程度にとどめる。

ポンプ場の騒音・振動対策

ポンプ場は、ポンプの駆動装置の音や、躯体・配管に伝わる振動によって騒音が発生する。特に住宅地内に配置された場合など、夜間の騒音は法定値を厳守するとともに、将来、周囲の環境の変化により公害とならないように十分検討する必要がある。

騒音・振動対策の代表的なものは以下の4つの方法がある。

i）遮音

遮音性能を評価する尺度として、透過損失（dB）が定義されており、透過損失が大きい壁体の遮音性能は優れている。つまり、重量の大きな壁体ほど遮音性能が高い。

ii）吸音

・グラスウール吸音材（室内の反響を抑えることによる対策）

・消音室の設置（室内の騒音を開口部から出さないように、吸排気口から消音室を通す）

・板振動、膜振動による吸音（空気層を介して音響エネルギーを減衰させる）

・共鳴による吸音

iii）距離減衰

建屋を敷地境界から離す。

iv）絶縁による防音

・独立基礎（床とポンプ基礎を縁切りし、ポンプの振動を躯体に伝えない方法

・防振ゴム（配管の躯体貫通部に防振ゴムを挟む）

・パイプサイレンサー

これらの対策は、それぞれ独立したものではなく、複合的に組み合わせることにより効果を発揮するので、現状をよく把握して対策を講じることが大切である。

送・配水ポンプ

ポンプ設備の計画にあたっては、安定給水を目指し、土木、建築、機械、電気等を含め、総合的観点から検討する。

送水ポンプの容量は配水量に比べ時間的変動が少ないので、計画１日最大送水量の24時間平均水量とし、できる限り高い効率で運転できるものとする。

配水ポンプの容量は計画時間最大水量とするが、時間変動以外に季節、天候、曜日によって変動し、夏季時間最大配水量と冬季時間最少配水量も考慮する。これらを勘案し、効率が最大となるような台数制御をする。

水道で使用するポンプはほとんどが渦巻きポンプであるが、他に斜流ポンプ、軸流ポンプがある。水道用としては小型渦巻きポンプ（口径40～200 mm）、両吸込渦巻きポンプ（口径200～500 mm）がある。

制御方式としては送水量、配水量の最大効率を得るように台数運転やバルブ制御、モーターの回転数制御などにより、流量調節を行う。

ジェオスミン

ジェオスミンは藍藻や放線菌から作られそれが死滅したとき放出され、5 ppt の濃度でもかび臭を感じる。処理は2−MIB同様である（2−MIBの項参照）。

ジェオスミンの化学構造は下記のとおり。

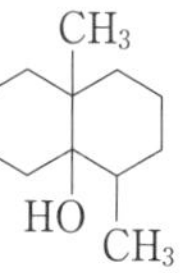

CH_3

HO CH_3

水源の水質保全対策

ダム・湖沼の富栄養化対策（206ページ）を参照。

表流水水源の水質事故対策

水道の水安全計画（表流水、地下水）（207ページ）参照。

液状化現象と送配水管の対策

液状化現象とは、地下水位が比較的浅く砂を多く含む地盤に大きな地震が起こると、その揺れで土の体積は小さくなろうとして、砂粒子の間隙に加わる圧力が高くなり、その圧力が砂粒子のかみ合う力を超えると、間隙水は逃げ場を求めて、土砂を伴って地上に吹き出し、そのぶんだけ地盤は沈下する。液状化が発生すると、軽量構造物は浮上し、重量構造物は傾いたり、沈下する。

埋戻し土による液状化対策としては、ⅰ）埋戻し土の締め固め、ⅱ）砕石等による埋戻し、ⅲ）埋戻し土の固化等の対策がある。

また、送配水管の液状化対策としては、ⅰ）杭、ⅱ）支持層へのアンカー、ⅲ）遮断壁、ⅳ）重量化、ⅴ）土の移動防止、ⅵ）可とう継手等の対策がある。

コンクリート構造物の躯体劣化調査

コンクリート構造物の健全度調査は、不具合の発生している箇所の特定が重要であり、以下の方法がある。

ｉ）外観目視調査：目視により、ひび割れ箇所（クラックスケールにてクラック幅を測る）、コールドジョイント、ジャンカ、はく離、錆汁等の発生位置範囲を特定する。

ⅱ）打診調査：不具合箇所の表面をテストハンマーで打撃し、打音の差異を聞き取り不具合程度を把握する。

ⅲ）コンクリートコアサンプルリング調査：コンクリートの圧縮強度や中性化の進行状況の測定を行う。

ⅳ）非破壊検査：エックス線、超音波、弾性波、赤外線等により、コンクリート内部の空隙やひび割れ深さなどの調査を行う。

設計・維持管理段階における水道の省エネルギー対策

設計・維持管理段階における水道の省エネルギー対策として、次のことが考えられる。

・需要に変動が生じても送配水圧力を一定にすることができる回転数制御装置付ポンプ等のエネルギー効率の高い機器の導入や需要量に応じた機械及び装置の選定
・取水後や送水前に、高低差などを利用した水力発電の実施
・浄水場等の電源として、太陽電池や燃料電池等の新エネルギーの導入
・地形を利用した自然流下による給水
・複数の水源や浄水場を有する場合に、需要変動に応じエネルギー効率の高い方から使用
・夜間の送水圧力の低減等

水安全計画

水安全計画（Water Safety Plan：WSP）とは、世界保健機関（WHO）が提唱した新しい水質管理手法のことで、食品分野の衛生管理手法である「危害分析・重要管理点（HACCP）」の考え方に基づき、水源から給水栓までのリスク

評価とリスク管理を実施するものをいう。

HACCP（ハサップ）：従来から行われてきた最終製品（食品）の検査に重点を置く衛生管理手法とは異なり、製造において重要となる工程で管理することによって、食品の安全性を高めるというもの。

リスク評価：水安全計画では、水質汚染などの水道水の安全性を脅かす要因を「危害」といい、水源から給水栓までのあらゆる過程におけるすべての危害を特定し、その種類、発生個所、発生頻度及び影響の大きさを評価する。

リスク管理：リスク評価で特定した危害について、その重大さに応じ、危害の影響を未然に防止するための対応方法を設定する。また、危害の発生による水質の変動や、管理対応措置の効果を監視する方法について設定する。さらに、危害が発生した場合に迅速かつ的確な対応を図るため、対応をあらかじめマニュアルとして整備する。実際に危害が発生した場合には、マニュアルに基づき徹底した管理が可能となり、水道水質への影響を防止する又は最低限なものにする。

小水力発電

ダムのように河川の水を貯めることなく、小河川、農業用水路、水道施設など、現在無駄に捨てられているエネルギーを利用して行う小規模な水力発電をいう。日本の法律では、1,000 kW以下と1,000 kWを超える水力が明確に区分されており、1,000 kW以下の水力発電は、新エネルギー法の施行令改正（2008年4月施行）により、「新エネルギー」に認定されている。

水道事業の広域化

水道の広域化は、主として効率的な水需要の均衡を図る目的で行われてきた。近年は、経営基盤や技術基盤の強化という観点から、地域の実情に応じた事業統合や共同経営だけではなく、管理の一体化等の多様な形態による広域化が提唱され推進されている。

水道の広域化により期待される効果は、水需要の不均衡の解消や施設整備水準の平準化などに加え、経営及び技術両面での恒久的な事業運営に向けた運営基盤の強化に重点が置かれている。

新たな概念の広域化を含めた、水道広域化の各形態は次図のとおりである。

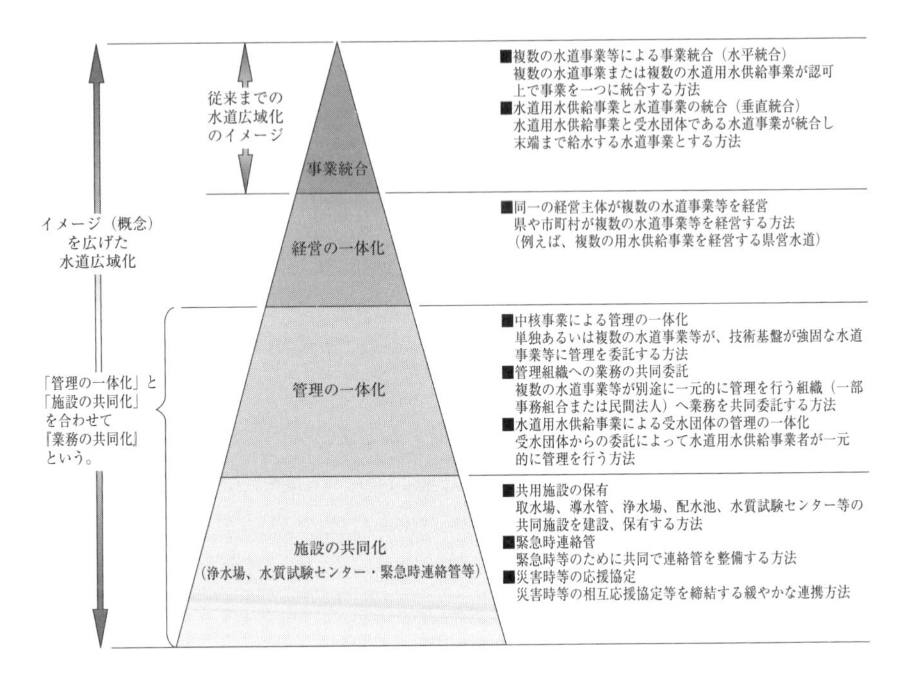

新たな水道広域化のイメージ（水道ビジョンより）

多層ろ過池

多層ろ過池とは、密度及び粒形の異なる複数のろ材を用いて、水流方向に粗粒から細粒の構成となる逆粒度ろ層を構成し、砂単層のろ過池に比べて、ろ層全体を有効に使うことでろ過機能をより合理的、効果的に発揮させることを目的としたろ過池。

多層ろ過池は、砂単層のろ過池と比較して、次のような特徴を持つ。

①内部ろ過の傾向が強いため、ろ層単位体積当たりの濁質抑留量が大きく、ろ過効率が高い

②濁質抑留量に対する損失水頭が低く、ろ過持続時間が長い

③ろ過速度を大きくできる

④ろ過水量に対する逆流洗浄水量の比率が小さい

⑤高速ろ過によりろ過面積を小さくできる

⑥藻類、特にシネドラ、メロシラ、ミクロキスチス等の凝集沈澱で除去しに

くいものに対してもろ過閉塞を起こしにくい

震災対策用貯水施設

常時は水道管路の一部として機能し、地震等の非常時には消火用および飲料用として貯留水を利用できる水槽をいう。

バイオアッセイ

バイオアッセイとは、生物を用いて、毒物等の生物学的応答から「生物への作用量を評価」する方法である。通常対象生物の50％が死亡する毒物濃度をLD50で表す。水質監視に使用すると水質に異常がないかを目視で確認でき、取水停止など緊急対策をとることができる。

水質監視の方法として浄水場では水道水源の原水を試験室に設けたガラス水槽にかけ流して、金魚や水源水域に生息している魚などを飼育し、健全であるかの確認を行うことで原水の安全性を確認することができる。原水に異物が混入された場合には、魚が異常な行動をしたり、死亡したりして、原水異常を早急に発見できる。また、浄水処理工程で同様に汚染されるおそれがある場合には、残留塩素を中和した浄水を水槽に導き、魚類の監視を行う。

現在はガラス水槽にセンサを設置し、魚の活動量を数値で表し、水中に異物が混入し、魚の活動量が、ある数値以上になったら、警報を発し、浄水場が原水流入を停止したり、処理水送水を停止したりする処置がとれるようになっている。また、警報と同時にサンプリングを行い、後から水質分析ができるようになっている。

浄水用凝集剤

水道の原水中に含まれる濁質には粘土質や有機質等、マイナスに荷電して、水中で反発して浮遊する微細な粒子が多くある。そこで、凝集剤として鉄塩やアルミ塩を添加し、プラスの電荷を持った金属水和物を作り、粒子のマイナス電荷を中和して、粒子が電気的反発を無くし、粒子同士が接着して塊（これをフロックと呼ぶ。）になるようにする。

また、微細な粒子が集まってできたフロックをさらに大きなフロックにして沈みやすくするため、活性シリカ、アルギン酸ソーダ、苛性化デンプンなどの高分子凝集剤を使う。

配水管の排水設備

目的：管の布設時における夾雑物の排出、管内に発生した濁水などの排水及び工事や事故等の非常時の管内水排水のために設置する。

設計の留意点：

①排水設備は配水本管路の底部から排水ができる水路（河川、用水路、下水管きょ）付近に設置する。

②配水管路の吐出口は、水路などからの汚水の逆流を防ぐため、水路の高水位より高い位置に設置する。

③放流水面が管底より高い場合には、管内水を完全に排水するために、排水管路の途中に排水桝（ます）を設けてポンプ排水をする。

④排水管分岐箇所の近くにバルブを設置し、効率的に排水できるようにする。

送配水管の破裂・漏水事故

送・配水管に使用される管はダクタイル鋳鉄管、ライニング鋼管、硬質塩化ビニル管、ステンレス鋼管等である。

①想定される事故原因の抽出

一般に送排水管は地中に埋設されている。したがって原因は地震災害を除いては管の腐食が原因となる。また、他の掘削工事によるもらい事故がある。

水管橋の場合には管が地上に露出しているので、車の衝突による破損や凍結事故がある。

②それらの予防対策

管の腐食には電食と自然腐食がある。電食には流電陽極法とか継手の絶縁化などがある。自然腐食には土壌、地下水の腐食性を調べ、塩ビライニング鋼管等を使用する。

水管橋では送水管に車が激突しないような設備や凍結防止断熱材や凍結防止用ヒーターの使用等を考慮すべきである。

できれば管網配管とし、事故が起こった場所以外では通常どおり、水使用が可能としておくこと。

道路掘削時には既設図面により、埋設管の確認をしておく。既設図面が無い場合には地中レーダー、場合によっては掘削をして埋設管の確認を行う。

③事故が発生した際の対応

事故場所を確定し、場所前後の弁を閉鎖し、掘削、破損した管の取り換え工事を行う。

工事により、給水停止地区には給水車を派遣し、付近住民に水を十分供給する。

水需要量の減少対策

日本の人口は平成22年の1億2千800万人をピークとして、減少傾向にあり、給水人口も減少し、水需要量も減少する。また、水道施設の老朽化対策、耐震対策等、安全、持続、強靭な水道サービスの持続が必要である。

ハード面の対策：人口が減少しても、継続的に、災害があっても中断しない、おいしい水の供給は必要である。したがって、現在の水道普及率97.5%の設備の維持補修に加え、将来的にはコンパクトで維持管理しやすく、建設コストの安い水道設備の研究開発と設置が必要である。また送配水管も腐食に強く、耐震性の管路設備への転換も必要である。

ソフト面の対策：給水人口減少による料金収入の減少は避けられない。また、団塊の世代の大量退職による技術者の不足もあり、水道の運営に支障をきたすおそれがあり、若い技術者の養成も必要である。このようなことから、長期的視点に立って財政規模に応じた適正な事業規模を勘案した施設計画、財政計画、人材計画、多くの市町村を結んだ広域計画等が必要である。

水道事業が環境に与える負荷要因

水道施設の建設ではなく、水道事業の運営にあたって、発生する環境に与える負荷要因には次のようなものがある。

(1) 取水・浄水場を主とするところ

①ポンプ、機械類の運転には大量の電気を使用する。また、凝集剤、酸、アルカリ、消毒殺菌のための塩素または塩素剤、オゾン、場合によっては活性炭等の薬品類を使用する。また沈澱汚泥は濃縮脱水し、乾燥して搬出する。そのためには石油等の燃料も使用する。これらの石油の使用、薬品の製造、購買電気の使用にかかわる石油、ガス等の燃料を間接的に使用しているわけで、大量の炭酸ガスを発生し、温暖化ガスの発生の負荷要因になっている。

②ポンプ、機械の運転で発生する騒音も環境に与える負荷要因となる。

③沈澱汚泥も脱水、乾燥して廃棄すれば、環境に対する負荷となるが、近年はセメント原料や、農業・園芸の客土として有効利用されている。

(2) ダム等の水源

ダムでは森林等の保全を行わないと、山崩れ等の土砂の崩壊や、富栄養化によるダム・湖水でのアオコの発生による景観悪化、異臭味の発生など環境に与える負荷要因になる。

傾斜板式沈澱池

1) 導入する目的

傾斜板式沈澱池は沈澱池内に傾斜板等の沈降装置を挿入して、一種の多層式沈澱池を構成し、フロックの除去率を高めるものである。水深Hの沈澱池に、傾斜板の垂直方向の間隔がhの傾斜板を挿入した場合の沈澱効率はH/h倍に増大する。

2) 設計時の留意点

①沈澱池の形式（横流式、上昇流式）によって、沈降装置の形状、配置を決定する。

②傾斜板式沈澱池では水流が沈降装置外を通ると、沈澱効率が著しく低下するので、短絡流が生じないよう阻流板等を設ける。

③傾斜板の角度はスラッジが支障なく滑り落ちる60度とする。

④横流式沈澱池の場合、沈降装置下端と池底の間隔は1.5 m以上とする。

⑤横流式沈澱池の場合、装置の端と流入壁及び流出壁の間隔はそれぞれ1.5 m以上とする。

⑥上向流式沈澱池の場合、傾斜板の段数は1段とする。

⑦傾斜板等の沈降装置は、地震等によって破損することが無いように、適切な処置を講じる。

⑧藻類の繁茂による障害に対し前塩素や清掃など適切な対策を取ること。

消毒以外での塩素処理法

1）消毒以外で塩素を用いる目的

①生物の処理：藻類、小型動物、鉄バクテリア等を死滅させ、浄水施設内での繁殖を防止する。

②鉄マンガンの処理：鉄マンガンが溶存し、塩素消毒により濁度、色度を増すような場合は、塩素により不溶解性の酸化物として除去する。

③アンモニア性窒素、有機物の処理

アンモニア性窒素、亜硝酸性窒素、硫化水素、フェノール類、その他の有機物等を酸化する。

④異臭味の処理

硫化水素臭、下水臭、藻臭等の異臭を除去する。

2）塩素注入点の違いによる浄水処理方法と特徴

凝集処理以前に塩素を注入する前塩素処理と沈澱池とろ過池との間に注入する中間塩素処理がある。

①前塩素処理の特徴

塩素消毒により、細菌類等を死滅させ、凝集沈澱、ろ過の工程で微生物や藻類の発生を防ぎ、後の処理工程が円滑に進むために行う。

②中間塩素処理の特徴

沈澱池とろ過池の中間で塩素を注入する方式。原水中のトリハロメタン前駆物質や塩素によってカビ臭物質を出す藍藻類を沈澱池で大部分除去し、ろ過池に入る前で塩素を注入し、トリハロメタン及びカビ臭生成の低減を図るものである。

高濁度時の運転管理

1) 浄水場の原水濁度が上昇を始めるまで

(1) 運転管理上必要となる処置

気象情報を収集し、原水の濁度状況を把握する。また、降雨時には原水取水地点よりも上流の濁度状況を把握すれば、原水濁度を予測できるため、次のような対処を行う。

①上流において水質測定を行い、無線または電話等で測定結果を浄水場へ連絡する。例えば、上流に無人の濁度計、pH計等を設置し、無線で知らせるようにしておく。

②上流にある浄水場へ、水質測定結果および薬注状況を電話で問い合わせる。

③凝集剤の適正注入率への変更準備及びアルカリ剤の注入準備を行う。

(2) 留意点

豪雨時には一般に原水は高濁度になると同時に急激にアルカリ度が低下する。

①凝集剤、アルカリ剤の注入量の増加が予想できるため、薬品在庫量を確認する。

②過去の豪雨時の濁度とアルカリ度の変化のパターンを確認すること。

③今後の豪雨時の予想に役立てるため、濁度とアルカリ度の変化状況を把握すること。

2) 浄水場の原水濁度が上昇を始めてから

(1) 運転管理上必要となる処置

高濁度原水が流入すると、凝集剤の注入率の変更が必要となる。同時に原水のアルカリ度が減少するので、アルカリ剤の注入により、適正な凝集状況を維持する必要がある。したがって、適宜、ジャーテストを行い、凝集剤、アルカリ剤の注入率を確認し、適切な凝集剤、アルカリ剤の注入量の変更を行う。

(2) 留意点

①混和池から沈澱池まで系統的に巡視し、フロックの形成状況、フロックの沈降状態、沈澱池処理水水質などを監視し、原水水質に応じた適

切な処理を実施する。

②処理目標値を満たしていない場合は、処理水量、薬注入量、凝集池の運転方法を検討し、適切な処理を行うこと等である。

3) 原水濁度が浄水場での処理の上限を超えたとき

(1) 運転管理上必要となる処置

浄水場の施設能力や配水池容量に余裕がある場合には、一時的に取水を停止または低減し、濁度がある程度低下してから、取水を平常に戻すピークカットによる対応を行う。また、沈澱汚泥の発生が大量になるため、沈澱池の排泥作業や排水処理が滞ると、水処理に重大な影響を及ぼすことがあるため、沈澱汚泥処理や排水処理設備の延長運転などの運転強化を実施する。

(2) 留意点

配水池の水位を常時監視し、低水位とならないようにすること。

管路更新計画

①管路更新には多額の費用と長期にわたる工事期間が必要となるため、管路更新計画を策定し、計画的かつ継続的に管路を更新していくことが重要である。

②需要者に対し送・配水管の現状や管路の更新によりもたらされる効果について説明し、理解と協力を得ること。

③水道基幹施設や災害時における応急水拠点、医療機関等の給水確保などの投資効果の高い管路更新を重点的に取り組むこと。

④給水人口が減少している場合や停滞水対策の面から口径ダウンの可否についても検討が必要である。

⑤診断結果をベースとし、これに水運用上の重要度、他企業埋設物との関連、道路占用・道路使用許可上の諸条件を考慮し、更新優先度を定量化して更新計画を策定する。

安全でおいしい水供給の困難要因

安全でおいしい水とは病原菌や汚染物質等の入っていない、異臭味等の無い、飲んでおいしい水である。その供給を困難にする要因は、

1）水源の場合：

①水道水源の富栄養化によるカビ臭や藻臭の発生。②水道水源域における汚水処理施設の未整備。③水源林の荒廃により、水源の涵養機能、土砂流出防止機能や水の浄化機能が損なわれたことによる貯水池や河川の水質悪化等である。

2）浄水場の場合：

①水質悪化による多量の凝集剤注入による、溶解成分の増加。②塩素消毒によるトリハロメタンやクロラミン等の塩素副生物の生成。③塩素注入量による塩素臭の増加。④クリプトスポリジウム対策の不備等である。

3）送配水システムの場合：

①送配水管の老朽化による水道水中への異物混入。②10 m^3以下の受水槽タンクを持つ小規模貯水槽水道における適正な清掃や残留塩素管理の未実施による水質の劣化等である。

安全でおいしい水供給の困難要因解決法

1）水源の場合

問題は水源涵養機能の喪失であり、対策は水道水源林の保護回復である。効果として、①森林は降雨を土壌に一時蓄え、長時間にわたって少しずつ流出させること。②雨が土の中に浸透するため、地表を流れる雨水が少なくなり、地表の土砂浸食を防ぐ。③雨水に含まれるチリや有害物（SO_x、NO_x等）が土の中を移動する間にろ過、吸着され、きれいな水となって河川に流れ込む。

2）浄水場の場合

問題は、消毒副生成物の増加であり、対策はオゾン・活性炭処理の高度浄水処理の導入である。通常の浄水場では十分に除去できないトリハロメタン、アンモニア性窒素、色度等の除去が可能である。オゾンで有機物の生分解性を増大させ、生物活性炭処理で色度、トリハロメタン、異臭味を

除去できる。

3) 送配水システムの場合

問題は受水槽での水質悪化であり、対策は直結式給水の推進である。直結式給水の効果としては、①受水槽の衛生上の問題の解決。②受水槽設置スペースの有効利用。③衛生管理費や維持管理費の低減化。④省エネルギーの推進等である。

水道の地震対策

1) 予防（耐震化）対策

地震発生時の応急対策（ソフト対策）のための事前準備対策および水道施設の耐震化（ハード対策）等の地震発生に備えた対策。

2) 応急対策

地震発生後の初動体制、応急体制の確立を行い応急給水や応急復旧等の対策。

3) 初動体制

地震発生後、動員・配備した職員等により震災初期の活動（情報収集、連絡、被害調査、緊急措置、応急給水等）を行う組織体制。

4) 応急体制

応援水道事業体等を配備し、応急給水、応急復旧等を本格的に実施する組織体制を確保する。

5) 応急給水

震災による断水が発生した場合の緊急な水需要に応じるための臨時の給水や断水状況を把握した上で応急給水計画を策定し、給水車両や緊急貯水槽、仮設給水栓等を用いて実施する。

6) 応急復旧

通水回復に向けて実施する被災水道施設の修繕（復旧）。

被害状況の把握や緊急措置、応急復旧計画の策定を行い、上流側の施設や幹線管路、優先管路等から順次、実施する。

応急復旧の後、仮配管等の仮設施設を本格的復旧し、地下漏水の調査や修理等の恒久復旧を実施する。

鉄、マンガン同時処理法

鉄とマンガンを高い濃度で同時に含む原水を対象とした浄水処理は一般には地下水を原水とした場合に、鉄、マンガンが含まれるため、濁質成分は少ない。鉄、マンガンは2価イオンの形で溶解している。

1) 塩素酸化法

原水に塩素を注入し、鉄を3価イオンに酸化し、沈澱または砂ろ過で除去する。

マンガンはさらに塩素を注入し、マンガン砂でろ過する。塩素剤としては次亜塩素酸ナトリウムが多く使われている。

鉄1 mgに塩素は0.635 mg、マンガン1 mgに塩素1.29 mgが理論上必要である。

①特徴：砂ろ過を使うので設備が簡単、コンパクトである。

②留意点：原水にアンモニアや有機物が含まれている場合、それらの酸化に塩素が消費されるため、過剰の塩素が必要である。残留塩素が残る程度に注入する。

2) 空気酸化法

エアレーション槽に空気を吹き込み、不溶性の水酸化第2鉄［$Fe(OH)_3$］とし、沈澱または砂ろ過で除去する。エアレーション槽には粒形6～7 mmのセラミック片を充填し、下方から空気を吹き込み、酸化とろ過を兼ねる方法もある。

マンガンは塩素酸化法で塩素注入・マンガン砂ろ過で除去する。

①特徴：鉄の酸化に空気を使用するため、塩素が不要となる。

②留意点：鉄を空気酸化するためにはpHを8.5以上に上げる必要がある。また原水に溶性ケイ酸が30 mg/ℓ以上含む場合には鉄はケイ酸と結合し、コロイド状になり、沈澱・ろ過による処理が困難になり、塩素による酸化が必要となる。

次亜塩素酸ナトリウムの貯蔵、運転管理

1) 貯蔵管理

市販の水道用次亜塩素酸ナトリウムは通常、主成分である有効塩素が

12％以上、pH 12以上の淡緑黄色の透明な液体である。

常温でも不安定な液体で、温度上昇すると分解も進む。有効塩素の分解が進むと、有毒な塩素酸濃度が増える。

次図に温度による有効塩素濃度と塩素酸濃度の経日変化を示す。

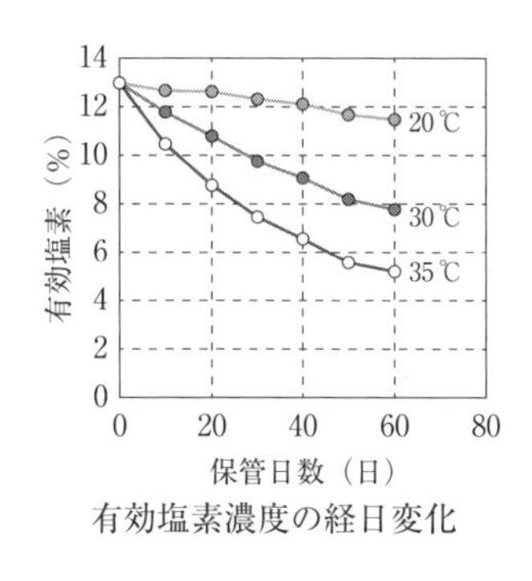

有効塩素濃度の経日変化

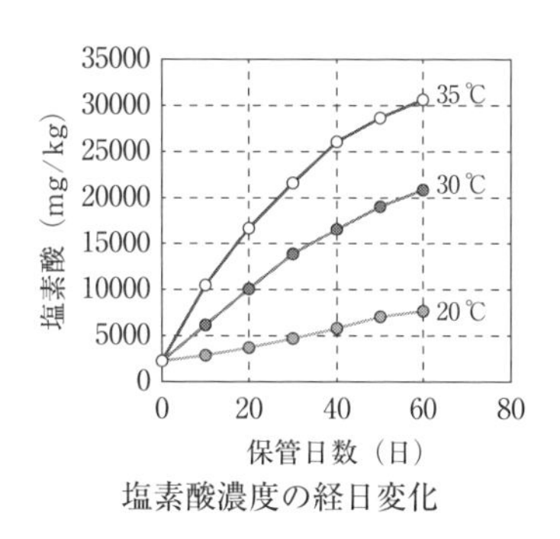

塩素酸濃度の経日変化

長期間の保管はなるべく避け、タンクを屋外に置くときは日差し除けを付ける。室内保管では冷房する等をして温度上昇を防ぐ。貯槽には硬質塩化ビニル製、ポリエチレン製のものを使用する。

漏洩したときのために防液堤を設置しておく。

（参考：次亜塩素酸ナトリウム取扱い等の手引　平成20年3月
日本水道協会　水道用薬品等基準に関する調査委員会）

2）注入設備

薬注には定量ポンプが使用される場合が多い。しかしダイヤフラムポンプではテフロン等の耐食性のものを使用する必要がある。

配管は耐食性の硬質塩ビ、ポリエチレン、テフロン製のものを使う。配管途中で分解し発泡することがあるので、ガス抜き弁を設置しておく。

希釈して使うときは地下水はカルシウム等が多く、薬注管内にスケールを発生する可能性が高いので、水道水を使用する。

その他の留意点

①ポンプ及びタンクは、メンテナンスがしやすいように十分なスペースを取っておくこと。

②定期的にバルブ・ストレーナ等のゴミ詰まりやスラッジ分を取り除くこと。

③定期的に薬液タンクを洗浄する。

④配管中に洗浄水ラインを設ける。
⑤作業時には必ず保護具（保護メガネ、保護手袋など）を装着すること。

配水管の管径

配水管の管径は、次の各項を基として決定する。
①管路の動水圧は、平常時においては、その区域に必要な最小動水圧になるよう、かつ、水圧の分布ができるだけ均等になるように決定する。
②管径の算定にあたっては、配水池、配水塔及び高架タンクの水位はいずれも低水位を取る。
③管径は計画配水量を考慮し、計画最小動圧（0.15 MPa）を下回らない管径を求める。なお、計画配水量は、原則として配水区域の計画時間最大配水量とする。
④原則として配水管は、相互に網目状に連絡し、いわゆる管網を形成するように計画し、管網としての流量計算を行って、それぞれの管路の管径を求める。
⑤火災時における流量計算では、計画給水人口100,000人を超える場合には、計画時間最大配水量に十分余裕があり、平常時と同様に計算する。計画給水人口100,000人以下の場合には各管路の分担する流量は計画1日給水量と消火用水量との合計とするのが望ましい。
以上のような計算を行って管径を決める。

キャビテーション

1）キャビテーション発生の仕組み

液体の流れの中で圧力がごく短時間だけ飽和蒸気圧より低くなったとき、液体が沸騰したり溶存気体の遊離によって小さな気泡が多数生じる。気泡の周囲の圧力が飽和蒸気圧より高くなり、周囲の液体は泡の中心に向かって殺到して、気泡が消滅する瞬間に中心で衝突するため、微小ながら強い圧力波が発生し、騒音・振動を発生させる。また、発生点周囲の配管やインペラを壊食させる。

2）ポンプでの対策

ポンプでは吸い込み側の圧力が低くなれば、負圧となり、ポンプ内で泡が発生し、キャビテーションを起こす。

対策としては利用できる有効吸込水頭は、ポンプが必要とする必要有効吸込水頭より大きくする。

①吸い込み揚程を低くする。または供給槽から押し込む方法をとり、吸い込み側が正圧となるようにする。

②給水管の管径を大きくし、吸い込み側で負圧とならないようにする。

3) バルブでの対策

流体がバルブを通過するとき、最大流速時、その圧力が飽和蒸気圧より下がり、その後、再び飽和蒸気圧以上に流体圧力が回復する過程で流体中に生じる一連の気泡の発生と消滅による現象である。

①対策としては、熱処理したり、硬度の高い材料にして、弁本体の硬度を上げること。

②弁の構造形状を負圧が生じにくいものとする。

水道事業におけるアセットマネジメント（資産管理）

（参照：厚労省：水道事業のアセットマネジメントに関する手引き）

1) 定義等

水道におけるアセットマネジメント（資産管理）とは、持続可能な水道事業を実現するために、中長期的な視点に立ち、水道施設のライフサイクル全体にわたって効率的かつ効果的な水道施設の管理運営を体系化された実践活動を指す。

2) 効果

アセットマネジメント（資産管理）の実践により次に示すような効果が期待される。

①基礎データの整備や技術的な知見に基づく点検・診断等により、現有施設の健全性等の適切な評価や将来における水道施設全体の更新需要を掴むとともに、重要度・優先度を踏まえた更新投資の平準化が可能となる。

②中長期的な視点を持って、更新需要や財政収支の見通しを立てて、財源の裏付けを有した計画的な更新投資を行うことができる。

③計画的な更新投資により、老朽化に伴う突発的な断水事故や地震発生時の被害が軽減されるとともに、水道施設全体のライフサイクルコストが減少につながる。

④水道施設の健全性や更新事業の必要性・重要性について、水道利用者や議会等に対して説明責任を果たすことができ、信頼性の高い水道事業運営が達成できる。

UF膜、MF膜のファウリング及び劣化

ファウリングとは膜ろ過を継続していると、微粒子や懸濁物質、水中に溶解している、フミン質のような天然の有機物がろ過面に堆積して膜ろ過の抵抗となる。あるいは多孔質膜の穴の中に入り穴をつめる現象である。他にも微量に溶解している多糖類やたんぱく質がファウリングの原因となる。

膜の劣化は長期間使用による、ろ過時の水温、膜に対する物理的負荷状態、物理洗浄時の繰り返し応力、薬洗の頻度、使用薬品に対する耐性等により起こる。

膜を長く使用しているとファウリングにより、フィルタとしての性能が低下する。そこで、逆洗やエアスクラビングなどの物理洗浄を行いフィルタ性能の維持を図る。また、物理洗浄では性能回復ができなくなった場合は、酸やアルカリによる薬品洗浄によって性能回復を行う。薬品洗浄までの時間が極端に短くなる、あるいは薬品洗浄によっても性能回復ができなくなるまで劣化した場合、膜交換を実施する。

給水管の凍結防止対策

イ）ハード面

寒冷地における給水管の設置には、凍結深度（地表から地中温度が0℃までの深さ）以下となるようにし、凍結深度以下に設置できない場合や、地上配管となる場合、また屋内配管で室内の暖房が無く、凍結の恐れがある場合は保温材の被覆などで対処する。

ロ）ソフト面の処置

水道事業体は寒波襲来に備えて、給水区域の凍結する可能性のある管を

あらかじめ、点検し、保温処置や水抜き等の処置をすること。

各家庭に寒波が来る前に屋外給水栓等の水抜き等の処置を広報する。特に屋外受水槽を設置しているビル等では電気ヒーター保温で配管を保護する処置を徹底する。等がある。

水道事業の定義

水道事業とは給水人口101人以上の飲料水を供給する事業である。

給水人口が100人以下は水道事業と言わない。

給水人口101～5,000人の場合の水道事業は簡易水道と呼ぶ。

給水人口が101人以上でも団地や社宅に限られる場合は専用水道と呼ばれ、水道事業にはならない。

給水人口5,001人以上の水道事業は上水道事業と呼ぶ。

水道事業における民間的経営手法の導入

背景

第1に、これからの人口減少と効率的な水道使用による、水道使用量の減少が見込まれ、水道収入の減少が見込まれる。また設備、管略の老朽化が進み、維持補修費の増大が見込まれる。財政上の問題。

第2に、水道事業に就労者の高年齢化と退職による、技術継承が難しくなっている。人的資源の問題。

第3に、地方の人口減少、過疎化による市町村単体での水道事業経営が困難となり、事業体の合併等による集約、設備の統合などが必要となり、マネジメント上の問題がある。

これらの問題を背景として、事業の効率化のために民間的経営手法が必要となる。

民間的手法の導入としては次のような方法がある。

①個別委託（従来型業務委託）

民間事業者のノウハウ等の活用が効果的な業務についての委託。

施設設計、水質検査、施設保守点検、メーター検針、窓口・受付業務など。

②個別委託（包括委託）

従来の業務委託よりも広範囲にわたる複数の業務を一括して委託。

③第三者委託

浄水場の運転管理業務等の水道の管理に関する技術的な業務について、水道法上の責任を含め委託。

④DBO

施設の設計・建設・運転管理などを包括的に委託。

⑤PFI

公共施設の設計、建設、維持管理、修繕等の業務全般を一体的に行うものを対象とし、民間事業者の資金とノウハウを活用して包括的に実施する方式。

⑥公共施設等運営権方式（コンセッション方式）

水道施設の所有権を公共が有したまま、民間事業者に当該施設の運営を委ねる方式。

水道事業の課題と理想像

水道事業を持続する上での課題

①人口減少による料金収入の減少

②設備、配管の老朽化、耐震化に対する資金不足

③団塊世代の一斉退職による熟練した人材の不足

④給水人口の減少から、従業員数の減少、地方の人材不足に伴う技術の空洞化、災害時対応力の低下

⑤大規模な取水障害や断水を引き起こす可能性のある水源汚染リスクの存在

⑥ゲリラ豪雨や極端な少雨による取水困難の可能性

水道の理想像

時代や環境の変化に対し的確に対応しつつ、水質基準に適合した水が、必要な量、いつでも、どこでも、誰でも、合理的な対価をもって、持続的に受け取ることが可能な水道。

①安全：すべての国民が、いつでも、どこでも、おいしく飲める水道。

②強靭：自然災害等による被災を最小限にとどめ、被災した場合であっても、迅速に復旧できる水道。

③持続：給水人口や給水量が減少した状況においても健全かつ事業運営が可能な水道。

理想への取組み

①水道事業の連携による広域化により、浄水場の合理化、設備・配管等への老朽化耐震対策の合理的投資が可能になる。広域化により必要な人材も確保される。水源も多様化され水不足の解消につながる。

②民間経営の導入：水道事業の一部（設備の運転管理）または大部分を民間に開放し、経営コストの低減を図る。

③水系の他事業者との連携：上流の浄水場や工場との連携で上流での集中豪雨による高濁度水の発生や薬品の漏洩等の情報により、取水の一次停止や薬品注入量の変更などの準備が可能となる。

地下水における水質障害・汚染

①トリクロロエチレンやテトラクロロエチレンなどの有機溶剤（VOC）による汚染

原因：電気部品製造工場やクリーニング工場の溶剤の漏洩による土壌汚染による。

対策：飲料水として使用しない。除去するには噴霧により発散させる。

②6価クロムやヒ素等の重金属汚染

原因：工場における重金属を含む排水の地下浸透や鉱滓の廃棄による。

対策：重金属は土壌に吸着されたりして土中に留まりやすいので、汚染された土壌の廃棄入れ替えが必要である。

③硝酸、亜硝酸性窒素による汚染

原因：農地における肥料の過剰投与、畜産排泄物の不適切な処理、生活排水の地下浸透などで起こる。

対策：畜産や人間の排泄物にはアンモニア性窒素分が含まれており、それが地中の微生物により、硝酸性や亜硝酸性の窒素に酸化される。すなわちこれらの窒素分を含むものは人畜により汚染されている可能性が大であり、そのような地下水は飲料に使わない。

横流式沈澱池の処理の仕組みと運転

①横流式沈澱池は混和池、フロック形成池、凝集沈澱池（横流式）からなり、ほとんどがコンクリート構造物である。

混和池ではPACなどの凝集剤を加え急速に撹拌し、流入水中の懸濁粒子を捉えて微フロックを形成する。フロック混和池ではゆっくりと撹拌しフロックを成長させる。横流式沈澱池では入り口から出口に至るまでに成長したフロックを沈降させ、清澄な上澄み水を越流堰から流出させる。沈んだフロックはスラッジとなり、チェーンフライトで集めて沈澱池の外へ排出する。

②運転上の留意点

イ）運転中はフロックの沈降状況、スラッジの浮上などに注意し、その結果を凝集や薬品注入に反映し、良好な処理水が得られるようにする。

ロ）沈澱池内の流速は設計最大流量を越えないように留意し、沈澱効率を上げるように努める。

ハ）沈澱池に藻類が発生し、後段の処理工程に悪影響を及ぼす恐れが生じた場合には塩素剤などを注入して除去する。

配水管における残留塩素の変化要因

①変化要因

イ）残留塩素は季節により変化する。夏は減少幅が大きく、冬は少ない。

ロ）微量の有機物があると塩素が反応し、残留塩素が少なくなる。したがって浄水過程でオゾンや活性炭処理で有機物を減少させる処理も必要となる。

ハ）配水管の経年変化によりライニングが剥がれると、地の鉄配管と反応し、酸化し赤水を発生させ、塩素濃度は低くなる。早急に配管を取り換えるか更生工事により管内部ライニングを行う。

ニ）配水管の継手部分がずれたりして地下水が浸入した場合は病原菌や土が侵入する可能性があり、水が濁る。残留塩素も減少する。当該部分の補修が必要である。

②方策

イ）管路が行き止まりになっている場所や管網上停滞が避けられない場所においては定期的に排水を行う。

ロ）管内に停滞が起こらないよう循環ルートなどを確保する。

ハ）中間の配水池等で適宜塩素剤を注入して補給する。

水道施設の再構築計画

①安全の確保

良好な水源の確保

ダム・湖：水源涵養林を含む適正な保全管理

河川表流水：流域的な視点で他の水道事業者や行政機関と連携し、取排水系統の再構築や広域的な監視等による水源保全

②強靭の確保

浄水場、管路、配水池の耐震化

災害に備えた危機管理体制の確立（災害時の給水拠点、給水車の準備）

③持続の確保

水の供給基盤の確保：水道事業者のみならず、プラントメーカー、工事業者、検査機関、民間運営会社等の関係者が持続的に存在し、水道の健全な供給基盤の確保

財政基盤の強化を目指した料金体系の見直し

専門性を持った職員の確保、人材育成

水源林

森林では、落ち葉などが積もり、スポンジのようなやわらかい土が作られ、降った雨は、この土にたくわえられる。このように、水をたくわえておくことができる森林を「水源林」という。日本の陸地の67％が森林であり、その45％（1,152万ha）が水源かん養保安林に指定されている。水源地の周辺にある、水源かん養上重要な水源林は、保水や洪水緩和、自然の自浄作用による水質浄化、レクリエーションの場の提供など、木材生産に限らない多様な機能を持つ。

樹木への降雨は、幹を伝って地面に浸透して地下水となり、その地下水はやがて湧水となって川に流れ出る。樹木がある場合、地下水となる割合は降雨の約35％だが、そうでない場合には10％程度でしかない。このように森林には、雨水を地中に貯め、ゆっくりと時間をかけて流出させる働きがあり、洪水や渇水をやわらげるため、「緑のダム」とも呼ばれる。

また、網の目のように土の中に広がる木の根は、土や石をしっかりと捕まえているので土砂崩れを防ぐ。そして、森林から流出する水では、下流の河川や湖沼の富栄養化の原因となる窒素やリンの含有量はわずかである一方、ミネラルが溶け込んだ水となる。このため森林は「天然の浄水場」とも呼ばれる。

ダム・湖沼の富栄養化対策

富栄養化現象は、ダム湖内に流入する栄養塩類が増加し、ダム湖などの滞留時間が自然河川に比較して長く、温度、日照などの他の条件がそろえば、藻類の異常繁殖等によって、アオコ発生などの現象が生じるものである。

その対策としては次のような方法がある。

1）流域における負荷の発生源での対策

流域における下水道網を完備すること、下水道においては脱窒、脱リンを行い、富栄養分がダムに流入することを防ぐ。

2）ダム湖への流入河川における対策

ダムへ流入する河川のうち、特に家畜飼育等の影響で富栄養分の多い河川は、バイパスでダムを迂回して、ダムに流入しないようにする。

3）ダム湖内における対策

春季から秋季にかけて水温躍層が形成されるダム湖では、下層の水がほとんど動かなくなるため、底層の溶存酸素が不足し、嫌気状態になることが知られている。それにより、底層に固定されていたリン等の栄養塩類が水中に溶出し、植物プランクトンの増殖に寄与する場合がある。

特に水深の浅い湖沼等で影響が大きいため、底層のDOを改善する目的で深層曝気装置を設置する。

水道の水安全計画（表流水、地下水）

1）大河川表流水を水源とする場合のリスク（下表参照）は、降水時の高濁度、カビ臭の発生、生活排水汚染、工場排水の影響、トリハロメタン前駆物質、クリプトスポリジウムの発生、このほか、油類や化学薬品の事故による混入などがある。したがって、これらの事故が発生したときに備えた施設と臨時処置などを計画しておかなければならない。

水安全計画要因	施設と対処法
降水時の高濁度	高濁度に応じた凝集剤薬注量の増加ができること。高濁度で沈澱池の汚泥が急激に増加するので、汚泥かき寄せが十分できる、また、汚泥引き抜きが十分できる設計とすること。
カビ臭の発生	上流のダム等で藻類が発生すると、カビ臭の原因の 2-MIB やジェオスミンが河川水に混入する。これらは活性炭、もしくはオゾン＋活性炭で除去する。
生活排水汚染 工場排水処理水の混入	有機物汚染の指標である BOD 成分が混入する。できれば浄水場の取水口は下水処理場や工場排水処理水の放流口よりも上流に設置したい。しかし、すでに下流に設置してある浄水場も多い。この場合沈澱槽と砂ろ過槽の間にオゾン＋活性炭の設備を設置するのが良い。
トリハロメタン前駆物質	トリハロメタン前駆物質は塩素と反応して、トリハロメタンになる。したがって、通常の前塩素は使えない。これもオゾン＋活性炭で除去できる。塩素注入はこの後中間塩素として行う。
クリプトスポリジウム	糞尿に入っており、下水処理水に混入する。オーシストとなり、塩素では死なない。砂ろ過の後に紫外線殺菌装置を組み込むことによって、処置できる。
油類	取水設備の周りにオイルフェンスを設置する。
化学薬品	事故により河川に流れ込むものと考え、一時的に取水を停止するなど、常に周辺の事業所との連絡体制を整えておく。

これらを考慮した理想の浄水フローは次のようになる。

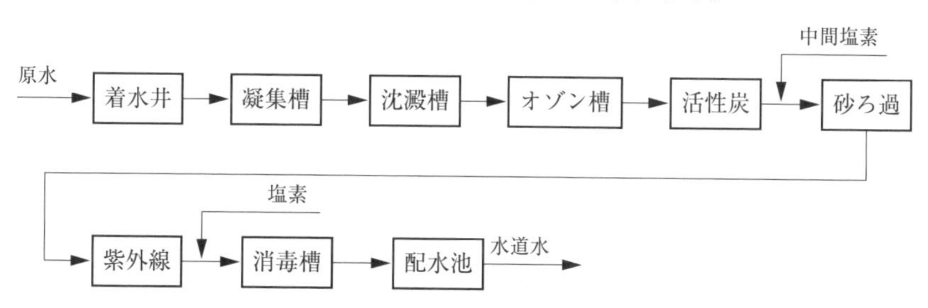

2）通常地下水は清澄で、極めて良好な飲料水となる。しかし、地下水を水源とする場合のリスクもある。鉄・マンガン、砒素や地表からの家畜糞尿の影響を受けた場合の硝酸性窒素の混入、トリクロロエチレン等の塩素系

揮発性有機物や遊離炭酸等である。これらの対処する方法を示す。

水安全計画要因	施設と対処法
砒素	原水に凝集剤を加え、砂ろ過槽に通して、凝集ろ過を行う。 水酸化セリウムにより吸着する。
鉄・マンガン	砂ろ過槽にマンガン砂を充填し、原水に塩素を加え、ろ過する。
硝酸性窒素	水質基準は 10 mg/ℓ であり、これより数値が大きい場合は除去する。方式はイオン交換処理、生物処理がある。
塩素系揮発性有機物	エアレーションし、有機物を揮散させる。方法としては空気吹き込み方式と、充填塔方式がある。また、粒状活性炭に吸着させる方式もある。
遊離炭酸	侵食性遊離炭酸は水道施設を腐食する。エアレーション又はアルカリで中和する。

従属栄養細菌

水道施設の健全性の指標で、１ mℓ の検水で形成される集落数が2,000以下(暫定) を基準とする。従属栄養細菌は生育に有機物を必要とする細菌のことで、水道水の清浄度の指標であり、集落数が少ないほど水道水が清浄な状態であることを示すものである。

水道水におけるウイルス汚染

ノロウイルスは人間の腸内に存在するウイルスであるが、水道水におけるウイルス汚染の原因となっている場合がある。これらの水系を汚染するウイルスは下水処理場から排出される。対策の一番は浄水場の取水点を下水処理場放流口よりも上流に設置し、下水処理水が浄水場に流入させないことである。このことは水循環の立場からも重要である。

また、小規模浄水場では膜処理を行うところが増えているが、UF膜を使用すれば、ウイルスはろ過除去される。

2−MIB

水道水の異臭味成分である。水質基準によれば2−MIB（2−メチルイソボルネオール）の基準値は0.00001 mg/ℓ である。

河川取水口において2−MIB濃度が急激に高くなった場合の対処法としては

次のような方法がある。

1）粉末活性炭の添加：短期間であれば、20 mg/ℓ 程度添加し、30～60分接触後凝集し沈澱槽で沈めるので、添加場所としては着水井が適当である。

2）できれば浄水場に活性炭吸着槽を設置し、常時、活性炭処理をしていれば、臭気物質が発生しても、問題なく処置できる。

3）また浄水場にオゾン＋生物活性炭処理設備があれば、臭気物質のみならずトリハロメタン前駆物質などの有機物の除去にも有効である。

4）これらの処置が不可能で、他の浄水場から水道水の配水が可能なような配水管のループ化が可能であれば、一時的に取水口を閉めて、取水停止する方法もある。

結合塩素

水道水は、病原生物に汚染されず衛生的に安全でなくてはならない。配水系統においても常時、確実に消毒されたものとすることが必要であり、水道管端末の給水栓の残留塩素濃度は水道法により、遊離塩素で0.1 mg/ℓ 以上、結合塩素で、0.4 mg/ℓ 以上と規定されている。

塩素消毒における、副生成物としては水中にアンモニア化合物があると、モノクロラミン（NH_2Cl）、ジクロラミン（$NHCl_2$）、トリクロラミン（NCl_3）を生成する。このうちモノクロラミンとジクロラミンを結合塩素と呼ぶ。

また、水中にフミン質があると、トリハロメタンを生成する。フミン質がある場合は凝集沈澱でフミン質をできるだけ沈めた後、中間塩素を行い、トリハロメタン発生を防ぐ。

結合塩素が存在するとカルキ臭が強くなるので、その場合は塩素注入量を増やし、ブレークポイント法により、クロラミンを分解させる。

配水過程における水質劣化の要因、影響、対策

浄水場から家庭までの水道水の配水過程における水質劣化は次のとおりである。

水質劣化は主として残留塩素の消耗によって起きる。

1）供給水に塩素を消耗する有機物が含まれていた場合：病原菌の混入する可能性がある。浄水場で塩素注入量を増やすか、オゾン、活性炭処理設備

を設置する。

2) 配水管が鋳鉄管の場合長期使用によりライニングが一部剥げ金属が露出して塩素と反応した場合：この場合鉄が水に混じるため、赤水が発生する。早急に配管を取り換えるか、更生工事により管内部ライニングを行う。

3) 配水管の継手部分がずれたりして、地下水等が侵入した場合：病原菌や土の侵入する可能性があり、水が濁る。当該部分の補修が必要である。

残留塩素の濃度低減化方策

水道において塩素は病原性生物等から人を守るために注入する。残留塩素濃度は通常は遊離残留塩素0.1 mg/ℓ（結合塩素0.4 mg/ℓ）と規定されている。供給する水が病原生物に著しく汚染されるおそれがある場合、または病原生物に汚染されたことを疑わせるような生物もしくは物質を多量に含むおそれのある場合の給水栓における水の遊離残留塩素は0.2 mg/ℓ（結合残留塩素の場合は、1.5 mg/ℓ）以上とする。と規定されている。したがって、病原性生物の影響がなければ、残留塩素濃度は遊離残留塩素0.1 mg/ℓ（結合塩素0.4 mg/ℓ）まで低下させることができる。そのためには病原性生物を死滅させたり、有機性物質を分解させる。その方法としては、浄水処理で1) オゾン注入、2) オゾン＋生物活性炭、などがある。

環境影響評価法：対象とする事業と評価手続き

日本における環境影響評価（環境アセスメント）の手続きについて定めた法律である。

環境影響評価法の対象となる事業は、道路・ダム・河川・鉄道・空港など13種類の事業で、事業規模が大きく、より環境に大きな影響を及ぼすおそれがある「第一種事業」はすべて対象となる。また、「第一種事業」に準じる規模の事業は「第二種事業」に分類され、手続きの有無は個別に判断される（スクリーニング）。

評価の手順を以下に示す。

1) 想定している事業が環境アセスメントを行うべき事業であるか判断する。

2) 環境アセスメントの方法を決定し、環境影響評価方法書を作成する。環境アセスメントを行う手順や項目、検討方法を記載したものを公表し、住民や地方公共団体の意見を取り入れて、実施方法を決定する（スコーピング）。

3）実際に評価を実施する。

4）評価結果を踏まえて、環境影響評価準備書を作成する。

5）環境影響評価書を作成する。

6）事業に着手した段階でフォローアップとしての調査を行う。

工場、事業所からの排水で発生する水質事故での原因物質の特徴と対応方策

・水質事故の例

1）ホルムアルデヒドの混入

工場からヘキサメチレンテトラミンが漏洩し、利根川下流に拡がり、浄水場で加えた消毒用塩素により、加水分解を起こし、ホルムアルデヒドを生成し、水道水質基準0.08 mg/ℓを超えた。浄水場は直ちに取水停止をした。原因物質が流れ去った後、取水を開始した。この間は汚染が無い他の浄水場の水を供給した。

2）化学工場においてタンクローリーからタンクにフェノールを移送中に溢出したものが流出し（200 ℓ）、降雨により河川に流入し、浄水場が取水停止し、約9,000世帯が断水した。

3）半導体素材工場において、貯蔵タンク点検中にアンモニアがこぼれ、洗浄水とともに河川に流出し、魚6,000尾が死んだ。浄水場の取水停止。

水質基準、水質管理目標設定項目、要検討項目の関係

・水質基準については、いうまでもなく、水道法第4条に基づき設定される基準であり、水道事業者等はこの基準に適合した水の供給が義務付けられることとなる。また、定期的にその供給する水の水質について検査が義務付けられることとなる。重金属・化学物質については浄水から評価値の10％を超えて検出されるもの等を選定、健康関連31項目、生活上支障関連20項目について水道事業者等に検査義務がある。

・水質管理目標設定項目とは、水質基準とする必要はないとされ、または毒

性評価等の関係上水質基準とすることは見送られたものの、一般環境中で検出されている項目、使用量が多く今後水道水中でも検出される可能性がある項目など、水道水質管理上留意すべきとして関係者の注意を喚起するためのカテゴリーである。健康関連13項目＋生活上支障関連13項目。

・要検討項目は毒性評価が定まらない、浄水中の存在量が不明等の理由から水質基準及び水質管理目標設定項目のいずれにも分類できない項目。本項目に分類された47項目については、次の見直しの機会には適切な判断ができるよう、必要な情報・知見の収集に努めていくべきである。

公共用水域の水質汚濁に係る環境基準

環境基本法（1993年）に基づくもので、前身の公害対策基本法（1967年）に基づき、人の健康保護と生活環境保全のために維持することが望ましいとして定められた。

この環境基準では、人の健康の保護に関する環境基準（健康項目）と、生活環境の保全に関する環境基準（生活環境項目）が別々に定められている。

健康項目では27項目にわたり基準値及び測定方法が決められている。

生活環境項目では、利用目的に応じて設けられたいくつかの水域類型ごとに基準値を定めるにとどめ、都道府県知事が具体的な個々の水域の類型を決定する仕組みを取っている。(類型あてはめ)

浄水処理対応困難物質

1）経過

平成24年5月に利根川水系で発生したホルムアルデヒドによる大規模断水を伴う水道水質事故の原因物質は、ヘキサメチレンテトラミンであった。この物質は、水道法による水質基準項目、水質汚濁に係る環境基準項目、水質汚濁防止法に基づく有害物質にも該当していない。浄水処理により水質基準項目の有害物質であるホルムアルデヒドを生成する物質であった。

このような事故の再発を防止するためには、浄水処理により副生成物として人の健康の保護に関する項目に該当する物質を高い比率で生成するような物質を「浄水処理対応困難物質」として、特定する必要があり、「浄水処理対応困難物質」として、以下の14物質が特定された。

浄水処理対応困難物質

物　質	生成する水質基準等物質	備　考
ヘキサメチレンテトラミン（HMT）	ホルムアルデヒド（塩素処理により生成）	水濁法指定物質、PRTR 第1種
1,1−ジメチルヒドラジン（DMH）		PRTR 第1種
N,N−ジメチルアニリン（DMAN）		PRTR 第1種
トリメチルアミン（TMA）		
テトラメチルエチレンジアミン（TMED）		
N,N−ジメチルエチルアミン（DMEA）		
ジメチルアミノエタノール（DMAE）		
アセトンジカルボン酸	クロロホルム（塩素処理により生成）	
1,3−ジハイドロキシルベンゼン（レゾルシノール）		
1,3,5−トリヒドロキシベンゼン		
アセチルアセトン		
2′−アミノアセトフェノン		
3′−アミノアセトフェノン		
臭化物（臭化カリウム等）	臭素酸（オゾン処理により生成）、ジブロモクロロメタン、ブロモジクロロメタン、ブロモホルム（塩素処理により生成）	

なお、「浄水処理対応困難物質」の副生成物である水質基準物質を検査することにより、水質異常事故の発生は感知できるので、「浄水処理対応困難物質」そのものを新たに定期的な水質検査対象にする必要はない。

2）位置づけ

「浄水処理対応困難物質」を水道水源に排出する可能性のある事業場が、水道水源の上流にある場合、水道事業者は、排出側での未然防止が図られるよう、「浄水処理対応困難物質」が浄水処理では対応が困難であることを排出側事業者に情報提供しなくてはならない。

3）取り扱い

万が一、「浄水処理対応困難物質」が水道水源に流入した場合は、原因者から環境部局や水道事業者に速やかに連絡する体制を構築すべきである。

水安全計画の手法も活用しながら、浄水施設に対するリスクの把握を行う。水質事故発生の影響を緩和し対応能力を強化する策としては次のことが考えられる。

①十分な配水池容量を確保する。

②水源の複数化や予備水源の確保。

③浄水施設を含む水道施設の排水機能を強化する。

④近辺の自治体と水道水の広域給水ができるようにする。

水道水のカビ臭

1）原因

水道水の水源がダム湖や湖の場合、生活排水や畜産排水が流入し、窒素、リンが増え富栄養化し、夏場の水温が上昇したときには水源に藻類が大量に発生する。これらの藻類が分解するとき、カビ臭物質の2−MIB（2メチルイソボルネオール）やジェオスミンを生成する。浄水場では凝集沈澱・砂ろ過で藻類は除去できるがカビ臭物質は水に溶けて除去できない。人が臭いを感じる認知閾値は2−MIB、ジェオスミンで5 ng/ℓであり、水道水にこれらの物質がごく微量含まれているだけで、カビ臭を感じる。

2）対策

①浄水場ではこれらの臭気物質が浄水場に入る場合には、なるべく前の段階、例えば流入井で粉末活性炭を注入し、なるべく長く水と接触させ、活性炭に臭気物質を吸着させて、凝集沈澱、砂ろ過で除去する。しかし、東京都や大阪市などの大規模な浄水場ではトリハロメタンや農薬などの微量有機物の除去を兼ねて臭気物質除去のため恒久施設としてオゾン注入＋生物活性炭槽で処理し、オゾンで有機物分子をより小さな分子に解体したのち粒状活性炭に吸着させ、粒状活性炭に住み着いた微生物でさらに分解させる。

②水源では、富栄養化を防いで、水源の周囲から窒素、リンが流れ込まな

いようにする。そのためには下水道の完備や畜産排水、肥料などが流入しないようにそれらの排水はダム・湖には入れず、迂回して下流の水域に逃す等もする。

給水の摂取制限

1）基本的な考え方

水質事故等により浄水中の有害物質の濃度が一時的に基準値を一定程度超過する水質異常が生じた場合に、水道事業者の判断により、水道利用者に対して水道水の摂取を控えるように広報をしつつ、給水を継続するものである。

2）対象となる物質および濃度・摂取制限期間

対象となる物質は、長期的な健康影響をもとに基準値が設定されているもので、カドミウム等の重金属やトリクロロエチレン等の有機塩素化合物、トリハロメタン等の消毒副生成物が対象で31項目である。対象となる個別の物質濃度及び摂取制限期間は、その原因や復旧に要する時間、当該事業体における処理方式や配水池の容量等の水道システムの対応能力等が様々であるため、一律の基準を設けることは困難であり、各水道事業者等が原因、影響等を踏まえて総合的に判断する。

3）水道利用者に対する周知

水質事故等により、水質に異常が生じていることまたはそのおそれがあること、給水を継続しているが、飲用を避けることを速やかに適切に周知する。

4）摂取制限解除の際の留意点

摂取制限解除には、末端給水栓の水質検査を実施し、水質基準値以内であることを確認するが、あらかじめその採水場所や配水に要する時間等を踏まえて解除の方法を検討しておく必要がある。

酸剤及びアルカリ剤

1）酸剤及びアルカリ剤注入の目的

①酸剤注入の目的：浄水処理に使用する凝集剤は酸性のため、pHが低下

するが、原水pHが高い場合は凝集剤注入後でも高いpHを保ち、適正な凝集域を超える場合があるため、酸剤を原水に注入し、凝集剤の注入を適正にする。

②アルカリ剤注入の目的：原水に凝集剤を注入すると、アルカリ度の消費やpH値の低下が生じ、適正な凝集域以下になるため、アルカリ度やpHを適正な凝集域に保持するためにアルカリ剤を注入する。

2）効果発現の仕組み

凝集をするためには適正なpH値とアルカリ度が必要である。酸剤、アルカリ剤は凝集を適正に行うために注入する。

3）実施に際しての留意点

①酸剤としては塩酸、硫酸、等が使用される。塩酸、硫酸は劇物であるので、取り扱いに注意する。

②アルカリ剤としては苛性ソーダ、消石灰、ソーダ灰等が使用される。苛性ソーダは劇物であり取り扱いに注意する。また、10℃以下になると、氷結するので、20～30％に希釈して使う。消石灰は粉末なので、10～20％の懸濁液で使用する。供給タンクには消石灰が沈澱しないように撹拌機が必要で、注入ポンプも詰まらない型式のものや一軸ポンプ、ダイヤフラムポンプを使用する必要がある。

天日乾燥方式と機械脱水方式

1）特徴

(1) 天日乾燥方式：上澄水排除及びろ過により含水率が低下した後、天日により蒸発脱水させる。脱水汚泥含水率は60％程度である。中小処理場で、排泥頻度が少なく、天候条件が良く、用地が確保できるところでは、維持管理、経済的にも有利である。

(2) 機械脱水方式：機械により脱水するので、設置面積が少なく、大量の汚泥を短時間に処理できる。ただし、設備費要は高く、電気・薬品を使用し、常時監視員がつくため維持管理費も高い。方式としては加圧脱水、遠心分離、真空ろ過等がある。運転中、振動・騒音を発する。

2）計画・設計を進める際の留意点

(1) 天日乾燥方式：①池数は2池以上が望ましい。②形状は作業性を考慮したものとし、有効水深は1 m以下、余裕高は50 cmを標準とする。③側面及び床面は不透水性のものとする。④面積は、降水、湿度、気温等の気象条件及びスラッジの負荷方式に応じて適切なものであること。⑤スラッジの乾燥促進のため、排水設備、作業用ゲート等を設置する。

(2) 機械脱水方式：①浄水の汚泥処理には一般に加圧式を使う。②2台以上設置する。③ろ布洗浄設備を設ける。④脱水ケーキの搬出にはホッパーを設け、ダンプトラックに積載しやすいようにする。

豪雨による断水事故

豪雨による高濁度水により断水事故が起こることがある。

1) 事故原因：豪雨により、河川が増水し、高濁度となる。この時濁質が通常の数十倍になると同時にアルカリ度が急激に低下する場合がある。事故原因としては、

(1) 薬注不足によるもの

高濁水の処理には凝集剤、アルカリ剤の添加量が増える。特にアルカリ剤の不足により凝集不完全により、フロックが生成できない場合が考えられる。

(2) 高濁度水により、濁質が増えたため、沈澱汚泥が急激に増加し、脱水機の能力不足により、濃縮槽での汚泥濃縮が間に合わなくなり、停止する場合もある。

2) 対策

(1) 薬注設備の増強：高濁度水に備えて凝集剤、アルカリ剤のタンクの増設、注入ポンプの増設を行う。

(2) 汚泥濃縮・脱水設備の増強：高濁度水に備えて濃縮槽・脱水機の増設を行う。

(3) 災害時に備えて、近辺の自治体と水道水の広域給水ができるように、配管でつないでおき、応急の給水が取れる体制にしておく。

3) 留意点

(1) 薬注設備の増強に関しては、過剰設備とならないよう、既設設備と新

設設備の交互運転等を行う。

(2) 汚泥濃縮・脱水設備に関しても、通常は使わない設備にならないよう、交互運転等を行い、汚泥配管の詰まり事故等を起こさないように留意する。

(3) 災害時に備えた広域給水に関しては、近隣自治体、県等と日頃から情報交換し、費用分担をし、お互いの事故に備えて、相互配管設備を万全にしておく。

高分子凝集剤の浄水処理、排水処理への使用

浄水処理に有機性高分子凝集剤（主としてポリアクリルアミド）は欧米では以前から使われてきた、日本でも使用できることになっており、水道用に使うポリアクリルアミドは注入による水中のアクリルアミドモノマーの濃度が0.00005 mg/ℓ以下の基準がある。

ポリアクリルアミドは凝集補助剤として非常に有効であるが、日本ではPACの使用で十分な処理効果が得られており、現状では浄水処理に高分子凝集剤の使用例は少ない。有機性高分子凝集剤を使用すればフロックはさらに大きくなり、沈降速度も大きくなり、現状の沈澱池で処理量を２倍程度と大幅に増やすことが可能となる。留意点は水道用基準に合格した有機性高分子凝集剤を使用することである。

一方浄水処理後の汚泥処理工程から出る排水の処理に高分子凝集剤が使用されている。

脱水工程では脱水機に汚泥を供給するときに高分子凝集剤を注入し、固形分の収率を高め、ケーキの脱水性を良くする。留意点は、脱水工程の返送水は排水として処理されるが、一部浄水処理へ混入する可能性も考え、水道用基準に合格した高分子凝集剤を使用すること。

膜ろ過施設（MF膜、UF膜）

浄水処理に使用される膜はMF膜（10～200 nm以上の濁度成分を除去）とUF膜（数～数十nm程度の濁度成分粒子を除去）である。

(1) 技術的特徴

①設備がほとんど機械と配管でできているため、従来法の凝集沈澱・砂ろ過法に比べコンパクトであり、設置面積が小さい。設置工事期間も短い。

②従来法に比べ、薬品注入やフロック形成などに注意が必要でなく、自動運転が容易であり、運転・維持管理の省力化ができる。

③膜には有機膜と無機膜があり、有機膜の寿命は3～5年、無機膜の寿命は10年程度である。

④膜ろ過により懸濁物質、コロイド以外にクリプトスポリジウムや細菌を除去できる。

⑤運転操作圧力は2～3 kg/cm^2と比較的低い。

⑥現在のところ、大容量の処理には使われていない。1日10万 m^3以下の処理場が多い。

(2) 留意点

①原水は比較的清澄な河川水が適しており、夾雑物を除去するためのスクリーン、ストレーナの前処理設備が必要である。

②ろ過性能向上のための凝集剤注入設備、あるいは殺藻、膜への有機物の付着防止、鉄・マンガン等の酸化（不溶化して膜ろ過により除去）のための塩素剤注入設備が必要である。

凝集剤の注入量はマイクロフロック生成のための少量で良い。

③膜ろ過設備の系列数は維持管理や事故等による停止を考慮して2系列以上とする。

④膜はろ過により目詰まりを起こす。処理水による逆洗洗浄、次亜塩素酸ソーダ水などによる薬品洗浄が必要である。また、鉄やマンガンのコロイドが付着する場合があり、その場合は硫酸も使われる。

⑥ろ過方式としては全量ろ過とクロス方式がある。全量ろ過は急速ろ過と同様給水の全量をろ過させる方法であるが、目詰まりしたものの回復が難しいので、クロス方式をとる。

⑦施設全体として損失となる作業用水量は計画1日給水量の10％程度を見込んでおく。

水道施設等の渇水対策

（参照：渇水対策マニュアル策定指針：厚労省）

(1) 事前に調査検討しておく事項

・水道施設等の渇水対策として安定水源の確保、緊急水源の確保、配水管網、配水池容量等である。このうち緊急水源の確保は渇水時における原水の不足を補い、給水への影響をできる限り緩和するために、遊休井戸などの地下水の利用や隣接する水道事業体等からの受水（隣接する水道事業体との間の連絡管があり、同事業体に水需給の余裕がある場合に可能）、工業用水、発電用水、農業用水その他の利水からの一時転用等がある。給水制限を円滑に行うためには資機材、車両等の準備を検討しておく。

(2) 渇水対策マニュアル記載事項

①渇水状況に応じた施設の運転管理計画（水質管理強化計画、緊急水源確保を含む。）

②給水制限により給水が困難な地区、医療機関を事前に把握した応急給水計画（車両の準備等）

③管路のバルブによる給水制限を行うための給水制限計画

将来の水道施設能力の余剰

（参照：新水道ビジョン：厚生労働省）

(1) 将来の課題

①水道利用の減少

日本の人口は2060年には8,600万人まで現在よりも30％も減少する。また水需要動向も減少し、2060年には現在より４割減ると推測されている。給水量の減少は料金収入の減少につながる。

②施設の効率低下

給水量の減少は施設利用率が低下し、事業効率も悪化させる。水道施設のうち、高度成長期に施設された管路の老朽化など、施設の経年劣化が問題視されている。

③職員の減少

団塊世代の大勢の退職による技術職の減少により、技術の伝承が課題となっている。

④資金の確保

水道施設の資産規模は全国で40兆円もあり、これを更新・持続させていくには多大な資金が必要である。料金収入の減少により、水道事業を維持していくには大きな課題である。

(2) 施設の効率低下の対策

長期更新計画を立て、少なくなった財源の中で、次のような対策を行う。

①老朽化した施設の更新は給水量の減少を予測し、規模の縮小を行う。

②施設、配管は順次、耐震性のあるものに更新する。

③浄水施設は少数の職員で運転管理ができるものに変えていく。例えば膜処理の採用。

④小規模集落への給水は、基幹設備から運搬する。あるいは移動式浄水器で対応するなどの合理化が必要である。

⑤基幹的な技術職員は少数になっても確保しておく。

水循環

水循環（みずじゅんかん：water cycle）とは、太陽エネルギーを主因として引き起こされる、地球における継続的な水の循環のこと。固相・液相・気相間で相互に状態を変化させながら、蒸発・降水・地表流・土壌への浸透などを経て、水は地球上を絶えず循環している。

地球上の水の存在割合は海水が97.25%、氷河が2.05%、地下水が0.68%、湖沼などが0.01%、河川が0.0001%である。

日本の水循環系

日本においては令和2年6月に内閣官房政策本部事務局が「新たな水環境基本計画」を定めています。

健全な水環境をもとめ、「水に関する災害への対応、幹的な渇水への対応、水環境と生態系の保全、持続可能な水利用」を提言しています。

・日本では、浄水場からの水及び地下水により、生活用水として年間146億

m^3を利用しており、その9割に相当する量が下水道に流入しています。

・下水道へは、生活排水や雨水、工場排水等が流入し、河川や海洋へ流出しています。

下水再生水の利用状況は下水量の1.5%です。

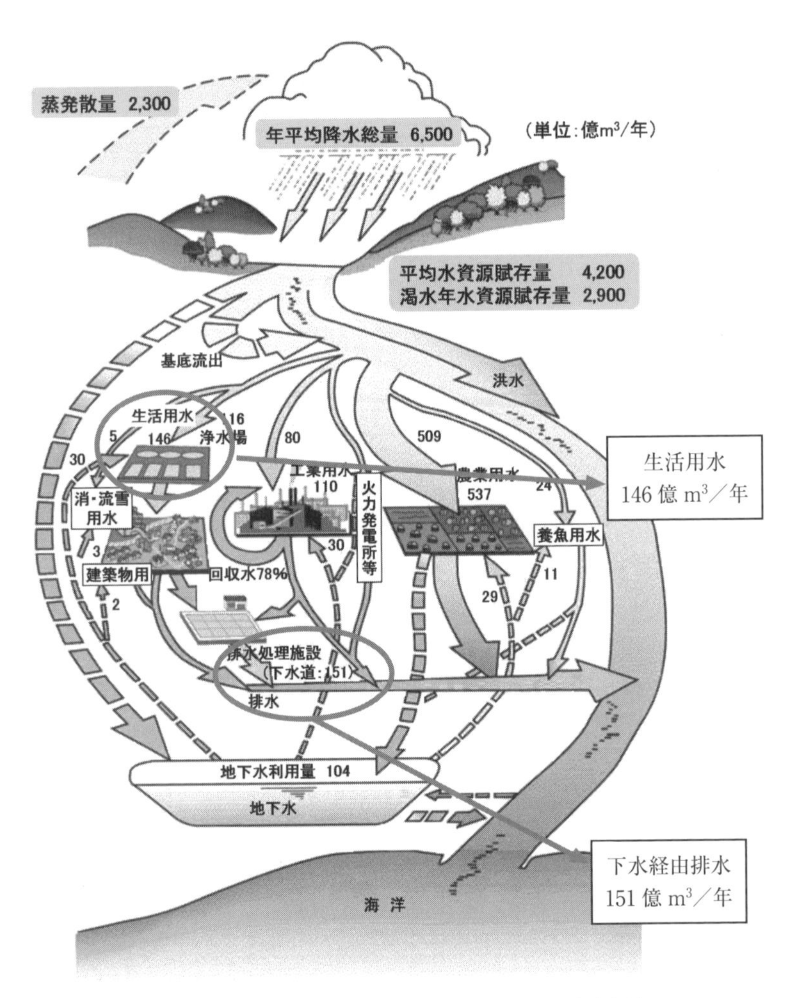

出典：令和2年版　日本の水資源の現況　国土交通省水資源部

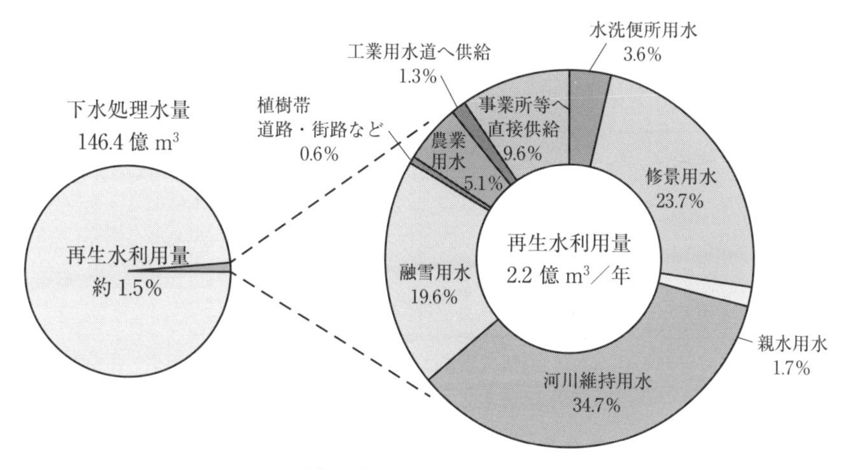

平成30年度用途別再利用状況

また、都市では雨水も貯留し、せせらぎ用水やトイレの揚水等に使用されています。

水道における塩素処理

165ページ「水道水における残留塩素」と168ページ「消毒副生成物」を参照してください。

ポンプ圧送管経路におけるウォーターハンマー防止法

管内を充満して流れている水の速度が急激に変化すると、水圧が激しい変化を生じる。この現象を水撃作用（ウォーターハンマー）という。その防止法は、

①ポンプにフライホイールを付けて、慣性効果を大きくし、ポンプ吐出し圧力の急激な低下を緩和する。

②吐出し管路側にサージタンクを設ける。

サージタンクによって、その下流側の管路は水撃作用から切り離される。上流側の管路の圧力は吸収される。

③緩閉式逆止弁による圧力上昇軽減方法

管内の水の逆流開始直後の逆流に対して、弁体を緩やかに閉じるもので、逆流する水を徐々に閉鎖し、圧力上昇を緩和させる。

水道事業の災害時における給水の影響を最小限にするリスクマネジメント

①調査検討すべき事項

下記の表に示します。

	施設	地震	津波	豪雨
水源	ダム 河川	土砂崩れ、流木による取水困難、高濁水の発生	—	土砂崩れ、流木による取水困難、高濁水の発生
	地下水	濁水発生	—	—
施設	浄水施設	設備、機械の損傷	設備、機械の損傷	高濁水による運転不能
	土木施設	構造物の損壊	構造物の損壊	—
管路	取水管、送水管、配水管	管の破損	管の破損	管の破損
	地域の配水管	管の破損	管の破損	管の破損

②業務を進める手順と、留意、工夫を要する点

表の各項目についてハザードマップから災害の程度を設定し、その対策を講じる。

水源においては、ダム、河川の擁壁や堤防の増強が必要である。ダム上流では水源林を保守し、地震や豪雨による土砂の崩壊を防ぐ。

地震による地下水の濁質増加には砂ろ過機の設置をする。

太い管種については耐震接手を使用し、地域の配水管については耐震性の可撓管を使用し、ループやブロック配水を用意する。また、近隣自治体の浄水場と連携し、原水の融通をできるようにする。

施設では耐震性を高め、機械施設の耐震強度を強め、津波、豪雨でも水につからないようにする。

地下水の濁りには砂ろ過機の設置で対処する。

③関係者との調整方法

災害に備えて、県や近隣の市町村との連絡体制を作る。

災害時の近隣との水の相互利用、災害時の給水体制。

被災地での給水配管の復旧等を市町村と調整しておく。

配水管網の機能と設計目標

①機能

配水支管において、地形、地勢に適合し、かつ適切な広さの複数の配水ブロックを形成し、ブロック内は配水管網を形成する。これにより

イ）監視機器の設置が適正にでき、水運用情報（流量、水圧、流向、水質）の把握が容易になる。

ロ）漏水箇所、漏水量の把握が容易となり、漏水修理に伴う断水区域等を最小限に設定できる。

②設計目標

イ）給水管を分岐する箇所での配水管内の最小動水圧は、0.15 MPa以上の水圧を確保する。

ロ）給水管を分岐する箇所での配水管内の静水圧は0.74 MPaを超えないようにする。

ハ）隣接ブロック間を結ぶ配水支管には、バルブを設置し、水流の遮断と相互融通ができるようにする。

有収率向上対策

日本の水道普及率は99%、有収率は90%程度である。

総配水量には有効配水量と無効配水量がある。有効配水量には有収配水量と無収配水量がある。有収水量には水道料金水量、他事業体への分水量、消防用水量などがある。

有収率向上には無効配水量と無収配水量を減らせば良い。

無効配水量には浄水場から給水管までの間の漏水量、赤水や給水管の漏水のため料金が請求できない減額水量などがある。

無収配水量にはメーター不感水量、管路維持のための洗管水量、その他、収入が伴わないが有効に使われた水量等がある。

すなわち有収率向上のためには漏水量を減らすことが肝要である。その手段は次のとおりである。

イ）管理区間、正確な管路図の整理

ロ）漏水調査機器の開発

ハ）老朽管の耐震管への更新

ニ）常時監視データを用いた漏水管理

水道施設台帳

水道法の改正により令和4年9月30日までに水道事業者は水道施設台帳を整備しなくてはならない。点検を含む施設の維持管理、水道施設の計画的な更新等を図るためである。その内容は、

①管路の調書

管路の属性ごとの延長を示した（管路区分・設置年度・口径・材質・継手形式ごとの管路延長）

②施設調書

管路以外の水道施設に関する諸元を示した調書（名称、設置年度、数量、構造又は形式、能力）

③一般図

水道施設全体像を把握するための配置図（市区町村名とその境界線・給水区域の境界線・主要な水道施設の位置及び名称・主要な管路の位置、縮尺・方位・凡例及び作成の年月日）

④施設平面図

水道施設の設置場所や諸元を把握するための平面図

・管路の基本情報（管路の位置、口径、材質）

・制水弁、空気弁、消火栓、減圧弁及び排水設備の位置及び種類

・管路以外の施設の名称、位置及び敷地の境界線

・その他の地図情報（一般図の記載事項、付近の道路・河川・鉄道等の位置）

上下水道事業におけるDX（デジタルトランスフォーメーション）

「DX（デジタルトランスフォーメーション）」とは、事業体がAI、IoT、ビッグデータなどのデジタル技術を用いて、業務フローの改善や新たなビジネスモデルの創出だけでなく、従来の業務システムからの脱却や事業体風土の変革を実現させることを意味する。

- 上下水道事業は、浄水場や下水処理場の運転監視、管路の維持管理、水道メーターの検針など多くの業務で人に依存しており、今後、経験豊かな職員の大量退職が見込まれる中、事業を安定して継続するためには、業務の一層の効率化・省力化が必要である。
- DXの推進にあたっては、データとデジタル技術の融合が不可欠ですが、上下水道事業では、多くのシステムが、ベンダー（メーカー）の独自仕様で構築されているため、ベンダーが異なるシステム間ではデータの互換性がなく、DXの推進の前提となるデータの利活用に制限が生じている。
- このため、国が定めたデータ流通の共通ルールに基づき、システムを再構築することなどにより、データを柔軟に利活用できる環境を整え、次の3つの観点から計画的に、DXの取組を実行していく必要がある。

① 維持管理の効率化・省力化
　具体的取組
　・広域運転監視システムの整備
　・AIによる浄水場等の自動運転化

② アセットマネジメント（資産管理）の強化
　具体的取組
　・AIによる管路の劣化予測

③ 利用者サービスの向上
　具体的取組
　・スマート水道メーターの導入

スマート水道メーター

スマート水道メーターとは通信機能を内蔵した水道メーターである。

日本の水道事業の課題は、

①　人口減少による水需要の減少

②　職員の大量退職による労働力（検針員）の減少

③　水道施設・水道管の老朽化

④　自然災害による水道への被害　等である。

スマート水道メーターの普及により、次のように課題解決ができる。

①　検針の自動化による省力化

②　漏水箇所の早期特定

③　管路最適化の基礎データとして活用

④　水資源の有効利用等

これにより水道事業の基盤強化が進み、顧客へのサービスが向上する。

5.2 下 水 道

雨水流出水抑制方法

近年都市部の拡大に伴い、市街地における雨水の流出量が増大するとともに、ゲリラ降雨のように短時間に雨水が流出するようになってきている。そのため、雨水排除対策として、雨水を貯留、浸透させる方法がとられている。雨水流出抑制方法は次図のとおりである。

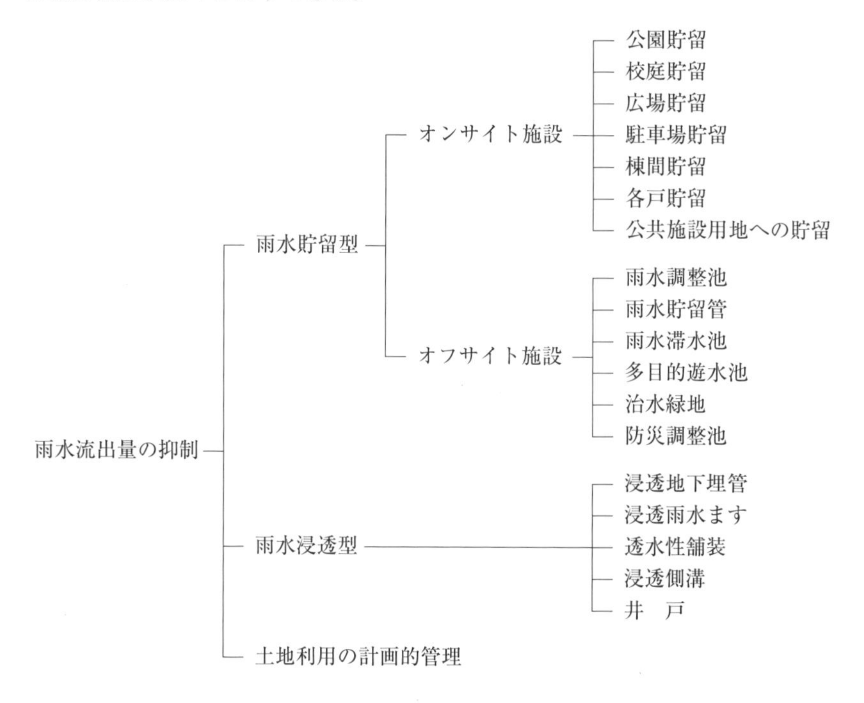

雨水流出水抑制方法

出典：『下水道施設設計指針』

●オンサイト貯留

降雨水の移動を最小限に抑え、雨が降った場所で貯留し、雨水の流出を抑制する浸水対策施設であり、公園や校庭を供することもある。現地貯留とも呼ぶ。

●オフサイト貯留

下水道によって雨水を集水した後で別の場所に設置した池などにこれを貯留し、流出を抑制する施設であり、調整池等はこれにあたる。

●雨水調整池、雨水貯留管

浸水対策を目的として、流出した雨水を集水して別の場所に貯留し、公共用水域への雨水流出を抑制するための浸水対策施設。

●雨水浸透施設

道路や敷地内の雨水を浸透させるために必要な浸透管、浸透ます、その他雨水浸透施設をいう。

コンクリート製品の硫化水素腐食

下水道管路施設における硫化水素による腐食場所

圧送管の出口、伏越し、マンホールの段落ち部、ビルピット排水の流入部、管内貯留を利用し流量調整運転を行うポンプの周辺部。

腐食のメカニズム

①下水が滞留し、嫌気状態になると、下水中の硫酸塩が硫酸塩還元細菌により還元され、硫化水素が生成される。

②換気が十分できないと、これらの硫化水素は気相中に濃縮され、コンクリート壁面の結露中に再溶解し、そこで好気状態で硫黄酸化細菌により酸化され、硫酸が生成される。

③2段階の生物反応が進み、コンクリート表面で硫酸が濃縮され、pHが1～2に低下すると、コンクリートの主成分の水酸化カルシウムが硫酸と反応し二水セッコウ（硫酸カルシウム）が生成される。

④二水セッコウはさらにセメント硬化体中のアルミン酸三カルシウムと反応してエトリンガイトを生成する。エトリンガイトは、生成の際に合水を取込み、大きく膨張する。この膨化によりコンクリートが崩壊する。

更生工法

更生工法は、既設管内に新管または既設管と一体となって所定の外力に抵抗しうる構造の管を構築するもので、基本的に道路の掘削を伴わず施工できることから、次のような利点がある。

①工事に起因する騒音、振動、交通渋滞等が少ない

②道路の掘削規制や他企業埋設物の制約を受けることが少ない

③工期が短く、事業費の節減が図れる

一方、次のような場合は、更生工法の採用に当たり十分な調査検討が必要となる。

①本管と取付管の接続不良（突き出し、離れ）箇所が多い路線

②本管の劣化が著しく原型断面が維持されていない路線

●反転工法・形成工法

含浸用基材に熱硬化性樹脂を含浸させた筒状の更生材を反転または引込方式により既設管きょ内に挿入し、既設管きょ内で空気圧や水圧等で既設管内面に密着した状態のまま樹脂を硬化させることで管を構築する方式である。

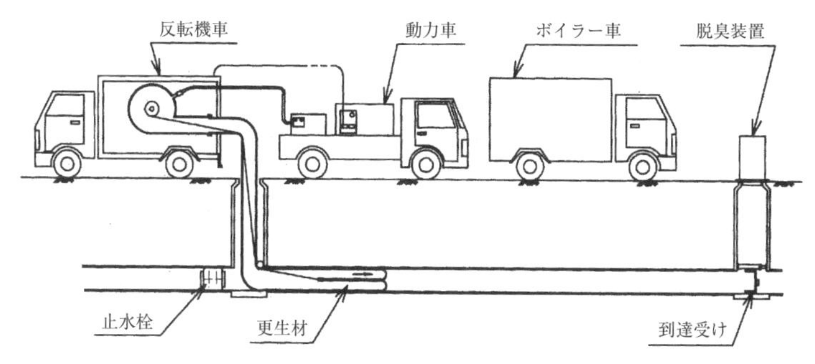

熱硬化タイプ（反転工法）の施工概要（例）

出典：『管きょ更生工法における設計・施工管理ガイドライン』

●形成工法（光硬化タイプ）

含浸用基材に光硬化性樹脂を含浸させた筒状の更生材を引込方式により既設管きょに引き込み、空気圧で拡張・密着した状態のまま、紫外線を照射して樹脂を硬化させ更生管を構築する工法である。

●形成工法（熱形成タイプ）

既設管きょに挿入可能な変形断面形状にさせた熱可塑性樹脂パイプを蒸気で軟化させ引込方式により既設管きょ内に挿入し、加熱状態のまま空気圧で拡張させ、既設管内面に密着した状態のまま冷却養生することで更生管を構築する方式である。

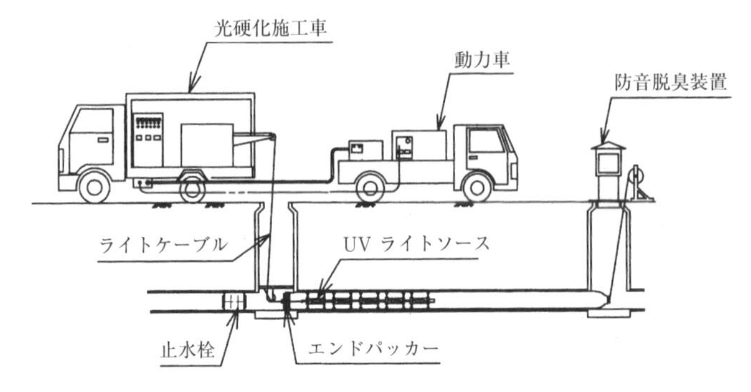

光硬化タイプ（引込方式）の施工概要（例）

出典：『管きょ更生工法における設計・施工管理ガイドライン』

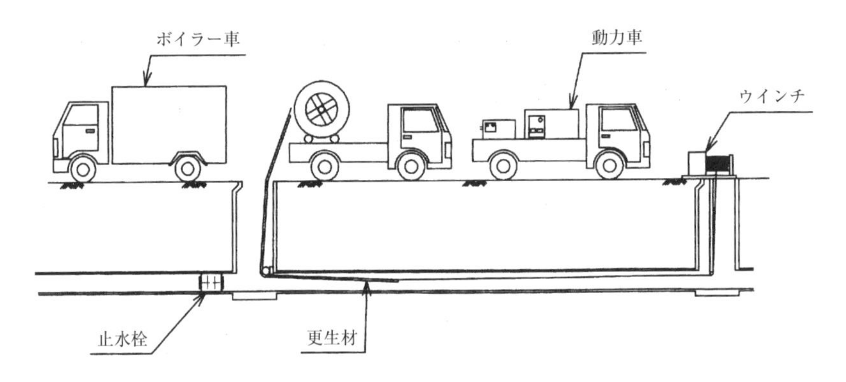

熱形成タイプの施工概要（例）

出典：『管きょ更生工法における設計・施工管理ガイドライン』

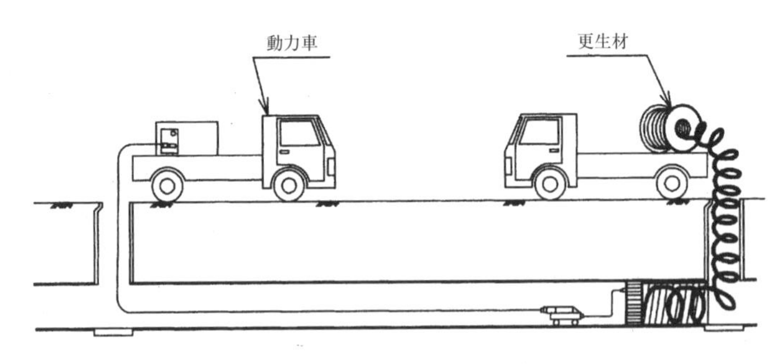

製管工法の施工概要（例）

出典：『管きょ更生工法における設計・施工管理ガイドライン』

●製管工法

製管工法は、既設管きょ内に硬質塩化ビニル管をかん合させながら製管し、既設管きょとの間隙にモルタルを充てんすることで管を構築するものである。流下量が少量であれば下水を流下させながらの施工が可能である。

●さや管工法

さや管工法は、既設管きょより小さな管径で製作された管きょをけん引挿入し、間げきに充てん材を注入することで管を構築するものである。

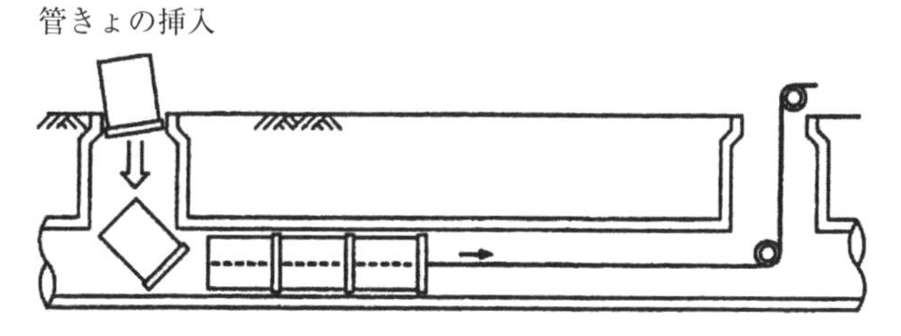

さや（鞘）管工法の概要（例）

出典：『管きょ更生工法における設計・施工管理のガイドライン』

●自立管、複合管

①自立管：更生材単独で自立できる強度を持ち、新設管と同等以上の耐荷能力及び耐久性がある。

②二層構造管：既設管と更生管がともに土圧などの荷重を負担する。

③複合管：既設管とその内側の更生材が一体となって外力に抵抗し、新管と同等以上の耐荷能力及び耐久性がある。

下水汚泥の建設資材利用

下水汚泥の建設資材への利用では、焼却灰、溶融スラグの組成が従来の建設資材の組成と類似していることから建設資材、またはその原料等として有効利用されている。また、脱水汚泥から直接建設資材の原料等として利用される例もある。

・脱水汚泥（セメント原料、融雪材、脱臭材）

・焼却灰（路盤材、土質改良材、埋戻材、コンクリート二次製品、アスファルトフィラー、セメント原料、埋立覆土、軽量骨材、タイル、レンガ、透

水性レンガ）
・溶融スラグ（路盤材、埋戻材、コンクリート骨材、アスファルト舗装骨材）

下水の未利用エネルギー

●ヒートポンプ

下水及び処理水は、気象等による影響が少なく、外気に比べて水温が安定しているなどの特徴を有しているため、その熱を利用したヒートポンプによる冷暖房の実施が可能であり下水道施設の冷暖房や地域冷暖房に活用されている。

●水力発電

下水処理水の導水管きょなどにおける落差を利用し小水力発電を導入することで、下水処理水の安定した水量を活用した定常的な発電が可能になる。この小水力発電で得られるエネルギー量は、流量と有効落差に比例するため、処理水を公共用水域に放流する際の落差が大きい地域での導入が可能となる。

推進工法

推進工法を掘進方式、掘削機構により分類すると、次図のようになる。

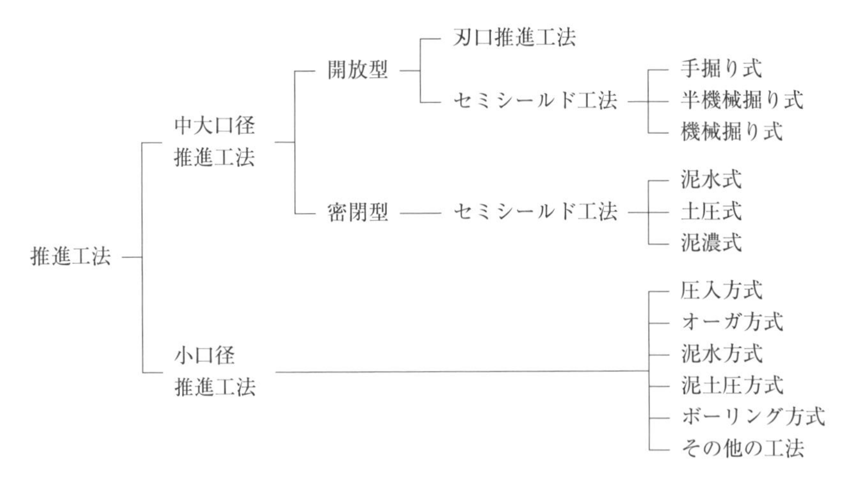

推進工法の分類

出典：『水道施設設計指針』

・刃口推進工法とは、管先端の刃口を先導体として使用し、発進立坑内の管体後部（元押し）または推進管の途中（中押し）に設置したジャッキの推進力により管を地山に推進し、刃口部の土砂を掘削しながら管を布設する工法である。

・セミシールド工法とは、管先端の掘進機を先導体とし、発進立坑内の管体後部に設置したジャッキにより管を推進しながら布設する工法である。

・小口径推進工法とは、先導体として小口径推進管または誘導管を接続し、発進基地から機械操作により、圧密、掘削またはずり出しを行いながら管を布設する工法である。

シールド工法

シールド工法は、シールドを用いて行うトンネル工事である。シールドは、主として円筒形鋼製のスキンプレート及び内蔵するジャッキよりなる。先端切羽部において土を掘削し、シールド内部において一次覆工のセグメントを組み立て、後部のジャッキをセグメントで反力を受けて推進するもので、スキンプレートは崩壊する地山を支え、その保護のもとにトンネルを構築するものである。

シールドを掘削方式により分類すると、次図のようになる。

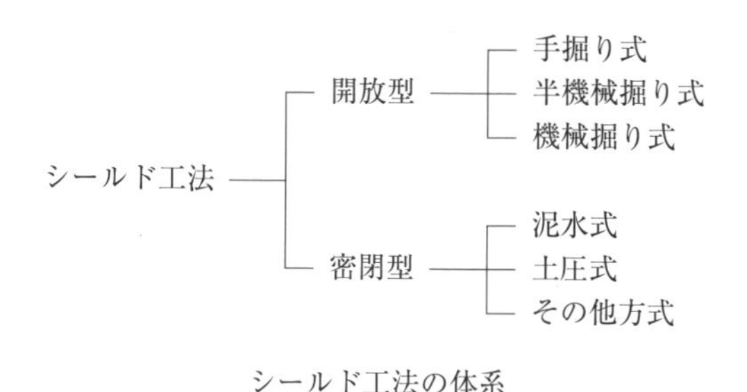

シールド工法の体系

出典：『水道施設設計指針』

合流式と分流式

合流式下水道とは汚水と雨水を同じ下水管で流す方式である。分流式下水道とは汚水と雨水をそれぞれ別の管で流す方式である。

昭和30年度代までの下水道は大都市を中心として浸水防除と下水道の普及を進めるため、汚水と雨水を同じ下水管で流す合流式下水道による整備が進められた。

しかし、昭和45年に水質汚濁防止法などの公害法が整備され、公共用水域の環境基準を達成する必要性が出てきた。そのため、雨天時に雨水と汚水が混合した下水の一部が未処理のまま河川などに放流する合流式下水道から、分流式下水道による整備が進められた。

①合流式下水道の特徴

下水管が一本で済むので、建設費が安い。

管径が大きく勾配が小さいため、汚物が管内に堆積しやすい。

遮集量（合流式下水道にて、雨天時に下水の一定量を下水処理場に送水するための収集量）を超えた流量は、未処理で河川などの水域に放流される。そのため、水質汚濁を招く恐れがある。

②分流式下水の特徴

河川や海などへの汚水の直接の流出が無い。

下水管が2本必要なので、建設費や維持管理費が高く他の地下埋設物との競合が多くなる。

汚水はすべて処理場で処理されるが、雨水は道路の表面の汚れとともに河川や海に放流される。

合流式下水道改善対策

改善目標

合流改善対策は、長期的な目標を踏まえ、水利用関係者や関連部局と連携し、地域の特性及び放流先の水利用を勘案し、次の各項について目標を設定する。

①当面の改善目標

- 汚濁負荷量の削減
- 公衆衛生上の安全確保
- 夾雑物の削減

②重要な水域における対策の強化

③長期的な改善目標

・雨天時における処理の高度化を図る

・未処理放流水等を極力抑制する

改善対策

合流改善対策の計画立案にあたっては、設定した改善目標達成のため、水利用状況、地域特性等の都市の実情を十分に考慮し、下水道システム全体における各種対策の組合せによる改善効果を把握するとともに、施設の設置位置・空間的な制限等から実現可能な内容とすることが重要である。

具体的な方法としては、

①貯留施設の整備：下水を一時的に貯留して降雨後に処理場に送水

②浸透施設の整備：雨水浸入量を削減

③スクリーンの設置：雨水吐室などにスクリーンを設置

④遮集管きょ容量の増大：雨水吐の堰高の嵩上げ

●合流式下水道緊急改善事業

合流式下水道では、雨天時において未処理の汚水が雨水とともに公共用水域に排出され、水質汚濁等の問題を引き起こしているため、合流式下水道緊急改善事業を創設することにより、改善対策を計画的かつ緊急的・集中的に推進する。

下水道施設の耐震設計

耐震設計の基本的な考え方

①設計地震動レベルや施設の重要度に応じ、下水道施設の構造面での耐震性能を確保する。

②既存施設については、耐震診断により耐震性能を明らかにし、耐震性能が不足する場合には施設の重要度や被災した場合の影響度合いなどに応じて適切な措置を講じる。

③下水道施設の耐震設計にあたっては、地域特性、地盤特性及び施設の特性や規模、類似施設の被害事例を考慮する。

④施設が被災した場合にも下水道が果たすべき機能を確保できるよう、システム的な対応により耐震性能を確保するとともに、下水道施設の被災による二次災害等の防止を図る。

耐震設計の地震動レベル

下水道施設の耐震設計にあたっては、施設の供用期間に1～2度発生する確率を有する地震動（レベル1）と供用期間内に発生する確率は低いが、大きな強度を持つ地震動（レベル2）の2段階の地震動を考慮する。

施設の重要度及び耐震性能等の目標

①施設の重要度

管路は、施設の重要度に応じて重要な幹線等とその他の管路に区分し、処理場・ポンプ場はすべて重要な施設とする。

②耐震性能等の目標

重要な幹線等と重要な施設については、レベル1地震動及びレベル2地震動に対応できる施設とする。

また、その他の施設については、レベル1地震動に対応できる施設とする。

出典：『下水道施設計画・設計指針と解説』

ディスポーザー

ディスポーザーは、家庭などから排出される生ごみ等を破砕機で細かく粉砕し、水とともに下水道に流そうというものである。日本では、管きょの閉塞、汚水量の増大、BOD・SSの増加、汚泥量の増大等の問題があり、使用の自粛を求めている自治体もあれば、使用を推奨している自治体もある。

下水道管きょの伏越し

河川、水路、鉄道及び移設が不可能な地下埋設物の下に管きょを通過させる場合に、逆サイフォンの圧力管として施工する部分を伏越しという。

①伏越し管きょは複数とし、不同沈下等の影響を受けないようにする。

②障害物の両側に垂直な伏越し室を設け、下流に向かい下り勾配の伏越し管きょで結ぶ。

③伏越し室に、ゲートまたは角落としのほか、深さ0.5 mの泥だめを設ける。

④管きょ内の流速は、上流管きょ内の流速の20～30%増しとする。

⑤雨水管きょまたは合流管きょが河川等を伏越す場合は、上流に雨水吐のないときは、非常放流管きょを設けるのがよい。

雨水流入管きょ内での安全対策

基本的な考え方

①予防対策の重視

②危機に際しての人命尊重

③危機管理意識の徹底

④現場特性に応じた安全対策の確立

実施すべき安全対策

①現場特性の事前把握

②中止基準・再開基準の設定（予防対策）

③迅速に退避するための対応（退避手順、安全器具配置、情報収集伝達、資機材の整理）

④日々の安全管理の徹底

最大計画雨水流出量

ある降雨が一定の区間に降った場合、ピーク時にどれだけの水量が下水管きょ内を流れるかを算定した最大の流出量をいう。

最大計画雨水流出量の算定は、原則として合理式によるものとする。ただし、十分な実績に基づき検討を加えた場合には、実験式によってもよい。

合理式

$$Q = \frac{1}{360} C \cdot I \cdot A$$

Q：最大計画雨水流出量（m^3/s）、C：流出係数、

I：流達時間内の平均降雨強度（mm/h）、A：排水面積（ha）

浸水対策

近年下水道施設の雨水排除能力や計画規模を大きく上回る集中豪雨が頻発しており、都市化の進展による流出形態の変化、地下街・地下室の設置など土地利用の高度化などによる都市部における浸水被害リスクが増大している。

具体施策

①ハード整備

・貯留浸透施設の整備

・幹線管きょの整備

・排水ポンプ場整備

②ソフト対策

・内水ハザードマップの公表

・浸水情報等の提供

③自助の促進による対策

・地下施設等への止水板設置

・土のう設置

・ビルの電気設備は地下に設置しない

浸水対策施設整備

1) 事前に調査する必要がある事項

①浸水被害区域の再確認：浸水被害対策計画を策定する区域が自治体における下水道計画区域と合致しているか、再確認する。

②被害の特徴や原因の再確認：浸水被害実績を再調査し、浸水被害の特徴や浸水原因を把握する。

③降雨実態の再確認：浸水被害を引き起こした過去の降雨について時間的・空間的分布状況を把握する。

④地域特性の再調査：地形・地勢、雨水排水施設の整備状況、人口・資産の分布状況、地下空間の利用状況、ライフラインの状況等を再調査する。

⑤現況対策の再調査：都市浸水に対する公助・自助によるハード対策およびソフト対策の現時点での整備状況や今後の整備計画について再調査し、確認する。

⑥課題の再整理：降雨実態、被害実態等を踏まえ、対策を行うべき地域における課題を再整理する。

2) 業務策定までの業務手順とその内容

①基礎調査：下水道計画区域内における過去の浸水被害の特徴や原因、降雨の実態、地域特性、対策について調査し、課題を整理する。

②計画目標の再設定：重点対策候補地域ごとに対象降雨、浸水被害防止、計画期間を再設定する。

③重点対策地区の再設定：ハザードマップ等から浸水被害の実績や対象降

雨時の浸水想定区域等から重点対策地区を再設定する。

④対策の再検討：ハード対策、ソフト対策を用いて、重点対策地区の浸水被害軽減対策を選定し、さらに対策後に対策の能力の評価を行い、対策効果を再確認する。

⑤最適案・優先度の再評価：重点対策地区に立案された浸水対策案の中から最適案を決定するための評価を行う。評価項目は、早期実現性、経済性を優先し、その他、安全性や経済活動への影響を考慮し再評価を行う。

3) 業務を進める際の留意事項

①他の浸水対策計画との整合性：総合的な都市雨水対策計画、流域水害対策、その他の河川改修計画との整合性を図ること。

②雨水の多面的な効果：雨水の浸透や利用、水辺空間の創出、ヒートアイランド対策、地震等の災害時の水確保等に繋がることを住民に再認識させること。

③震災対策の優先度：地方都市では厳しい財政事情にあるため、浸水被害多発地域から優先的に早期実現性、経済性を重視した対策の実施を行う。

④フォローアップと計画の見直し：本計画の想定外豪雨による浸水被害の発生、都市計画の変更、対策施設整備の進捗に応じて、適宜計画の見直しを行う。

下水道事業の経営上の課題

①下水道の安定的なサービス提供を行うため、下水道事業の経営基盤強化

②民間委託の監視・評価等のための技術力を下水道管理者が確保

③適正な維持管理のための技術基盤の確立

雨水管理計画

基本的な考え方

下水道が持つ重要な役割の一つは、雨水を排除し、住民の生命・財産及び交通・通信等の都市機能を浸水から守り、都市の健全な発達に寄与することにある。さらに、これからの下水道が持つ役割として、雨水については、速やかな排水のみではなく、貯留、浸透に加え、利用も含めた雨水管理も求められている。

下水道は都市の雨水の大部分を受け入れており、「雨に強いまちづくり」を実現するための大きなポテンシャルを有していることから、下水道管理者は、効率的に浸水被害を低減するために、雨水利用の観点も含め、その他の関連計画と整合を図りつつ、雨水管理計画を策定し、対策を進める必要がある。

●雨水管理総合計画

雨水管理総合計画とは下水道による浸水対策を実施するうえで、当面・中期・長期にわたる、下水道による浸水対策を実施すべき区域や目標とする整備水準、施設整備の方針等の基本的な事項を定めるものである。また、2015年の下水道法改正に伴い、もともと汚水処理と雨水排除を公共下水道で実施することを予定していた地域のうち、汚水処理方式を下水道から浄化槽へ見直した地域において、雨水対策を行う場合には、雨水排除に特化した「雨水公共下水道」の実施が可能となった。

(1) 調査検討すべき事項

・計画期間（当面、中期、長期の計画をする）

・下水道計画区域（雨水整備の役割分担、公共下水道区域、雨水公共下水道区域の設定）

・計画降雨（整備目標）：地区ごとに降雨強度を策定し、重点地区では1/10（確率年10年）、一般地区では1/5（確率年5年）等を計画する。

・段階的対策方針

事業費の制約等を考慮して、現在の整備水準等を整理したうえで、当面・中期・長期の段階に応じた対策方針を策定する。

①段階的対策時における対策メニュー案：地域の状況に応じた対策を検討し、抽出する。雨水管路以外にも使用できる水路等も含める。

②事業可能量の考慮：必要により、財源等に応じた概略事業可能量を考慮する。

(2) 業務を進める手順

整備目標や浸水対策実施区域を定めるための評価指標を設定する。

・浸水実績箇所数

・資産分布（資産集積度）、商業・業務集積状況、交通拠点施設・主要幹線地区

・人口分布
・地下施設箇所数
・災害時要配慮者数（または施設数）
・防災関連施設
・浸水危険度（内水ハザードマップや既存のシミュレーション結果、地形情報（標高データ）による簡易シミュレーション結果等に基づく）
・浸水要因（下水道施設の能力が要因か、放流先の排水が要因か、等）
・投資効果（浸水被害の解消による経済効果といった地域の被害ポテンシャル、設定した評価指標については、必要に応じて重み付けの検討等を行ったうえで、地域ごとの重要度の評価を行う）

(3) 関係者との調整

浸水シミュレーションに基づき、役所内の関係する部門、区域内の事業者や住民との調整、対話により、計画を推進する。

集中型モデル

降雨条件、地表面の分布状況もしくは下水道ネットワークの空間分布を一括して取り扱うモデル。地表面および下水管内における雨水流出および汚濁負荷流出に関する複数の挙動を一括もしくはいくつか取りまとめて扱うモデル。

分布型モデル

表面貯留、浸透、地表流、下水管流といった雨水流出過程、および晴天時負荷堆積、雨天時堆積負荷流出、下水管内汚濁負荷輸送といった汚濁負荷流出過程をプロセス別に取り扱い、同時に対象流域内の降雨分布や土地利用分布状態を考慮することが可能なモデル。

地震時マンホール浮上

砂質土や締固めが不十分な地盤では、土粒子の構造が崩れやすく、地震時は沈下が発生する。地下水がある場合、間隙水の排出が間に合わないため、間隙水圧が上昇し、土粒子の有効応力が失われ液状化する。液状化した地盤では、泥水より比重が軽いものが浮上するため、内部が中空で荷重が軽いマンホールの浮上現象が発生する。

下水道台帳（調整する意義、下水道台帳管理システムの有効利用）

下水道の維持管理及び一般の閲覧に供するために調書及び図面をもって組成されるもので、公共下水道台帳、流域下水道台帳及び都市下水路台帳がある。記載されている主な情報は、処理場・ポンプ場の施設、管種、管径、勾配、管底高、土被り、人孔種別、人孔間距離、人孔地盤高、流水方向、汚水桝（ます）、雨水桝（ます）などが記入されている。

下水道台帳管理システムとは、下水道台帳が扱う地図情報と下水道施設情報を一体としてデータベース化し、施設平面図の検索、属性データの検索、平面図や各種調書等の出力など、一連の処理を行うシステムである。

下水道施設の資産管理

厳しい財政制約の下、下水道サービスを安定的に確保していくため、増大する下水道資産を適正に管理し、施設の延命化や改築更新投資の平準化など、下水道施設を体系的に捉えた取組みが必要である。

具体施策

①サービスレベルを一定に確保するための諸基準の設定
②点検、診断、維持補修、改築更新などを定めた事業計画の策定
③資産台帳・改築修繕履歴の電子化、データベース化の検討
④適正な機能確保のための施設の点検・診断技術、対策技術の開発
⑤予算の平準化、LCCの最小化を勘案したストックマネジメント手法の体系化・構築

ストックマネジメント施設管理方法

ストックマネジメント（下水道固定資産管理）は「膨大な施設の状況の把握」、「中長期的な施設状態の予測」、「下水道施設の計画的かつ効率的な管理」を目的としている。施設の保全方法として3つの方法がある。

1）状態監視保全：予防保全の1つで施設・設備の状態（劣化の予兆が現れた時）に応じて保全を行う。

留意点：予兆を把握するための情報が多く必要。

2）時間計画保全：予防保全の1つで施設・設備の状態にかかわらず、（劣化の予兆が無くても）一定期間ごとに保全を行う。法律で定期点検が義務付けられているもの等に適用。

留意点：費用が高くなる可能性がある。

3）事後保全：故障・異常の発生後に更新を行う。処理機能への影響が小さいもの（応急処置が可能なもの）に適用。点検作業が少なくなり、費用が安くなる。

留意点：予算への影響が小さいものに適用

（参照：下水道事業におけるアセットマネジメント：厚生労働省）

下水道の種類

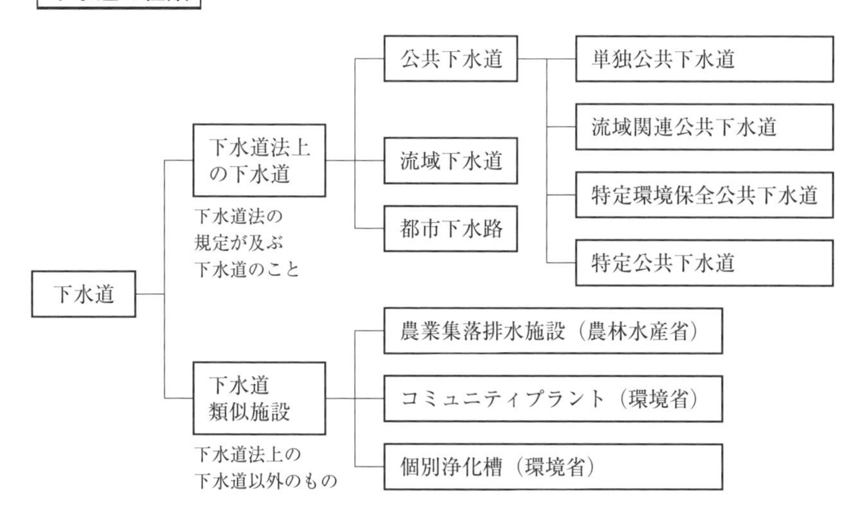

公共下水道

主として市街地における下水を排除し、または処理するために地方公共団体が管理する下水道で、終末処理場を有するものまたは流域下水道に接続するものであり、かつ汚水を排除すべき排水施設の相当部分が暗渠である構造のものをいう。

特定環境保全公共下水道

公共下水道のうち、市街化区域以外の区域において設置されるものを特定環境保全公共下水道という。

特定公共下水道

公共下水道のうち、特定の事業者の事業活動に主として利用され、当該下水道の計画汚水量のうち、事業者の事業活動に起因し、または付随する計画汚水量が概ね2/3以上を占めるものを特定公共下水道という。

流域下水道

①専ら地方公共団体が管理する下水道により排除する下水を受けて、これを排除し及び処理するために地方公共団体が管理する下水道で、2以上の市町村の区域における下水を排除するものであり、かつ終末処理場を有するものをいう。

②公共下水道（終末処理場を有するものに限る）により排除される雨水のみを受けて、これを河川その他の公共の水域又は海域に放流するために地方公共団体が管理する下水道で、2以上の市町村の区域における雨水を排除するものであり、かつ当該雨水の流量を調節するための施設を有するものをいう（雨水流域下水道）。

都市下水路

主として市街地における浸水を排除するために地方公共団体が管理している下水道で、その規模が政令で定める規模以上のものであり、かつ当該地方公共団体が下水道法第27条の規定により指定したものをいう。政令で定める規模とは、始まる箇所の管きょの内径又は内のり幅が500ミリメートルで、かつ地形上雨水を排除することができる地域の面積が10ヘクタール以上のものをいう。

下水道類似施設

● 合併処理浄化槽

戸別に設置される浄化槽で、し尿と生活雑排水を一緒に処理するもの。

●農業（漁業・林業）集落排水施設

農業（漁業・林業）集落の下水を集合的に排除及び処理するための施設。

水環境創造事業

●水循環再生型

下水処理水の再利用、雨水の再利用や貯留浸透による流出抑制、親水性のある水辺空間の整備、及び河川事業等との連携・共同事業を行うことにより健全な水循環系の再生を図る。

●ノンポイント汚濁負荷削減型

雨天時に宅地や道路などの市街地の面源から公共用水域に流入する汚濁負荷（ノンポイント汚濁負荷）及び下水道未整備地域から発生する生活雑排水により都市下水路等の水路や湖沼等の公共用水域に流入する汚濁負荷の削減を図る。

リサイクル推進事業

●再生資源活用型

渇水時の緊急対応としての下水処理水等の利活用。下水汚泥を用いた建設資材の利用により再生資源の活用を図る。

●未利用エネルギー活用型

下水及び下水処理水の熱やバイオマスを有効利用し、環境への負荷削減、省エネルギー等を図る。また、下水汚泥とその他のバイオマスを集約処理し、回収した下水道バイオガスをエネルギーとして有効利用を図る。

●積雪対策推進型

下水処理水の再利用や下水道管きょ等の活用、下水及び下水処理水の熱の有効活用等により積雪対策の推進を図る。

機能高度化促進事業

●新技術活用型

下水道に関わる新技術を先駆的に導入・評価し、新技術の普及と効率的な事業の執行を図る。

●高度情報化型

管きょの余裕断面を活用し、通信手段としての光ファイバーなどを管きょ内に布設する。目的としては、①ポンプ場や処理場など下水道施設間の監視制御のネットワーク化による維持管理の効率化、②自治体における行政情報のネットワーク化、③第1種電気通信事業者等の第三者利用等がある。

下水道管きょ空間は、オフィスビルや各家庭と直結して都市内を網目状にカバーする空間であり、光ファイバーなどの布設スペースとしての活用により情報インフラ構築に貢献することが可能である。

下水道地震対策緊急整備事業

地震時においても下水道が最低限有すべき機能を確保する耐震化を緊急かつ重点的に促進するとともに、被災した場合における下水道機能のバックアップ対策等を進める。

下水道総合浸水対策緊急事業

下水道の浸水対策として、効率的なハード対策の着実な整備に加え、効果的な浸水被害軽減を誘導する自助の取組みを推進し、そのためハザードマップ等のソフト施策の充実を図ることにより緊急かつ重点的に再度災害防止及び浸水被害の最小化を目指す。

流域下水汚泥処理事業（エースプラン）

都道府県が事業主体となり、広域的な観点から、流域下水道及び周辺の公共下水道から発生する下水汚泥を集約処理するとともに、資源化再利用の推進を行う。

特定下水道施設共同整備事業（スクラム下水道）

複数の市町村により、広域的に下水道施設の共同化、共通化を図ることで、効率的かつ経済的な下水道施設整備の推進を図る（例えば、汚泥処理処分施設、移動式汚泥脱水車等）。

複数市町村による共同利用施設の整備により、事業費及び維持管理費の縮減が実現。

汚水処理施設共同整備事業（MICS）

下水道、農業集落排水施設、合併処理浄化槽等、複数の汚水処理施設が共同で利用する施設を整備。

圧力式下水道収集システム

圧力式下水道収集システムは、汚水を加圧して処理場または自然流下管まで搬送収集するシステムであり、次の施設により構成される。

①グラインダーポンプユニット

②圧力管路

真空式下水道収集システム

真空式下水道収集システムは、管路内に発生させた真空圧と大気圧との差により汚水を収集搬送するシステムであり、次の施設により構成される。

①真空弁ユニット

②真空下水管

③中継ポンプ場

LOTUS Project

汚泥の有効利用率100％や温暖化対策のためのバイオマスエネルギーの積極利用を図るため、汚泥資源化の先端的な技術開発を誘導する技術開発。

計画時間最大汚水量

計画時間最大汚水量は、計画一日最大汚水量発生日におけるピーク時1時間汚水量の24時間換算値（m^3／日）であり、管きょ、ポンプ場、処理場内のポンプの施設、導水管きょなどの設計に用いる。

管きょの接合

管きょの接合方法には、

①水面接合

②管頂接合

③管中心接合

④管底接合

がある。

選定にあたっては、排水区域内の路面の縦断勾配、他の埋設物、放流河川の水位及び管きょの埋設深さ、接合部における損失水頭等を検討し、やむを得ない場合を除き原則として水面接合または管頂接合とするのがよい。

ヒービング

軟弱な粘性土地盤を掘削するような場合に、土留め壁背面の土の重量が、掘削面以下の地盤の極限支持力より大きくなり、背面土砂が掘削面に向かって流動し始め、掘削底面がふくれ上がる現象をいう。

ボイリング

砂質地盤において、地下水以下を掘削するときに、背面の地下水位が高く根入れが短い場合は、掘削面に地下水が流れ込み、土留め壁前の土砂を上に押し上げ、水が沸騰した状態のようになる。土粒子が水中で浮遊する現象をクイックサンドという。

パイピング

土中の浸透水により土粒子が移動・流出して、土中に水みちができる現象。

かま場排水

地下の基礎部分に設けられる排水ピットで、ここに排水を集め、ポンプで抜き取る。

ウェルポイント工法

施工基面より深くにウェルポイントという吸水管を通して、地下水をくみ上げ、地下水位を低下させる工法である。

ディープウェル工法

径30～40 cmのストレーナー・パイプを透水層に貫入させて、ストレーナー・パイプの内部に設置したポンプで揚水することにより帯水砂層の地下水面の低下を図る工法である。

注入工法

管きょのクラックや継手の不良個所に止水材を注入して止水する工法である。

シーリング工法

侵入水等が見られるクラックや継手の不良個所をV型またはU型にはつり、この部分に粘着性と弾性のあるシール材を止水材として張付け止水する工法である。

コーキング工法

専用ガンで修繕箇所に止水材を直接充填し、止水する工法である。継手、クラック、小破損個所等に対応可能である。

リング工法

円形状の製品を管きょ内に搬入し、管きょ内部で組み立て加圧して欠陥個所を覆い止水する工法である。管きょ背面に止水材を注入することができる。

高度処理

下水道計画における、高度処理導入の主な目的は、都市河川や閉鎖性水域及び水質の総量規制が設定されている場合では、放流水域の水質環境基準値あるいは放流水質規制値を達成することであり、そのために、BOD、COD、SS、窒素あるいはリンを対象とした高度処理が必要である。

1）生物膜ろ過法：砂ろ過槽と同じような構造の槽に、直径3～6 mmのアンスラサイトや膨張頁岩を層厚2 m程度とし、下降流で二次処理水を流し、槽下部から空気を吹き込む方式である。ろ材の表面に生物膜が形成され、この生物膜によって、原水中の有機物や窒素成分の生物学的な酸化・分解が行われる。さらに、ろ層や生物膜による物理的なろ過作用が加わり、BOD、CODの除去とSSの除去ができる。

2) 凝集沈澱法：凝集槽で二次処理水にPACや塩化鉄等の凝集剤と高分子凝集剤を加えてフロックを生成し、沈澱槽で沈める。場合によっては急速ろ過槽も設置する。これにより、SSとともに二次処理水中のリンを燐酸鉄や、燐酸アルミの形で沈澱除去できる。

3) 生物学的脱窒素法：これは二次処理で窒素をも除去する方法である。例えば循環式硝化脱窒法では反応タンクの前段に無酸素タンク、後段に好気タンクを設置し、後段ではアンモニア性窒素を硝酸性あるいは亜硝酸性窒素に酸化し、後段の硝化液を前段に循環させ、前段では無酸素の状態で、流入液中のBOD成分で硝酸、亜硝酸を還元し、窒素ガスとして放出し、窒素除去とBOD除去を行う。したがって終沈処理水では窒素成分は減少している。

4) 窒素、リン同時除去プロセス

詳細は「生物学的高度処理」③窒素、リン同時除去（嫌気・無酸素・好気法）（296ページ）を参照。

下水汚泥の嫌気性消化

目的：最初沈澱池汚泥及び最終沈澱池汚泥は濃縮槽で濃縮後、2～3％程度の固形物濃度とし、嫌気性消化を行う。嫌気的状態に保たれた消化槽タンク内で、有機物を嫌気性微生物の働きでメタンガスと炭酸ガスを含む消化ガスに分解し、そのガスをボイラや発電の燃料とする。脱離液は最初沈澱池に返送して処理する。消化槽汚泥は脱水後焼却埋立等の処分をする。

消化ガス発生量は汚泥中の有機物1 kgあたり500～600 NLであり、その成分はメタン60～65％、二酸化炭素33～35％であり、発熱量は5,000～5,500 kcal/m^3である。

処理プロセスは一般に次ページ図のように二段消化である。一段目で消化を行い、二段目は固液分離を行う。内部は消化ガスを循環してガス撹拌を行う。滞留時間は、中温消化（35℃程度）で一段目25～30日、二段目10日程度である。高温消化（55℃程度）で10～15日である。

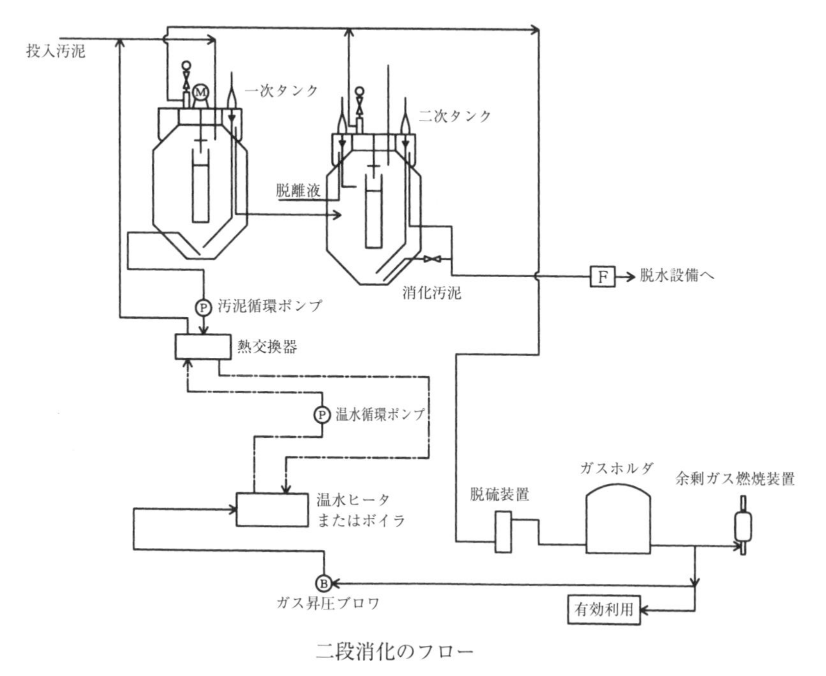

二段消化のフロー

出典：『下水道施設計画・設計指針と解説』

下水汚泥の集約処理

汚泥処理は大規模になると、スケールメリットが働き、建設コスト及び維持管理コストが安くなる。特に維持管理に関わる人件費が大幅に節約できる。

集約処理の問題点

1）汚泥処理区域の設定：域内にある複数の下水処理場を距離的、地勢的条件などにより、幾つかのグループに設定する。

2）輸送方式の検討

汚泥の管路圧送：送泥ポンプの選定（圧力・流量の決定）及び送泥管の材質、管内流速を決め口径を決める。管内は汚泥とともに常時ボールなどを走らせ、詰まらないようにする等の検討。

3）汚泥処理基地の決定：グループ内で、汚泥処理に最も適した処理場を選定する。脱水ケーキ、焼却灰などの搬出に便利な所。騒音、排煙の苦情がこない、なるべく市街地から離れた所。

4) 汚泥処分の方法：脱水・焼却・セメント原料への利用などの検討を行い決定する。

集合処理・個別処理

我が国の下水道は令和4年度末で普及率81.0%となっているが、整備水準は都市規模によって大きな格差があり、地方都市の郊外や中小市町村においては未普及地域が多く残されている。

一般に、人口が多く面整備が容易な地域では下水道による集合処理が、衛生面、経済面等から見ても有利である。人口密度が少ない農山村においても、人が住む地域は比較的まとまっている場合が多く、ここには50戸から200戸くらいを対象とした農業集落排水のような小規模な集合処理が適している。一方山村等において、近隣農家も少ない場所でも10～20戸を対象とした小規模集合処理が、維持管理面から有利である。しかし、近隣農家がないとか、あっても距離的に遠く、排水管の接続に膨大な費用が掛かる地域では、合併浄化槽のような個別処理もやむをえない。しかし、処理効率がよく、運転管理が容易な浄化槽といえども、個別処理の場合は運転管理を使用者個人に任せるしかなく、放流水域の水質維持のためには地方自治体の監視と指導が重要である。

下水汚泥からリン回収技術

イ）HAP法：二次処理水からヒドロキシアパタイト$Ca_{10}(OH)_2(PO_4)_6$として回収する。

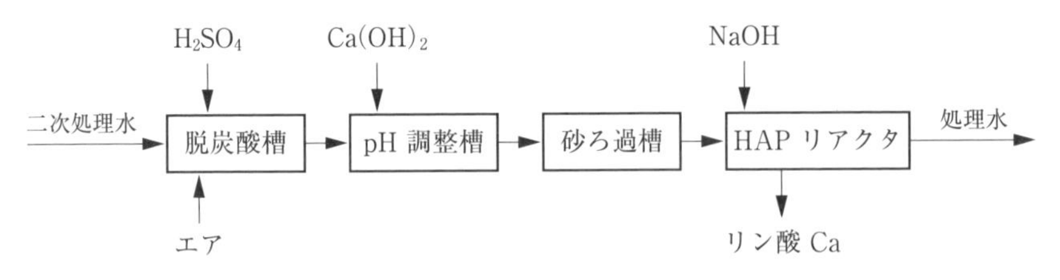

下水二次処理水を対象としたリン回収

プロセスは流入水の炭酸源を除去する脱炭酸槽、消石灰を添加するpH調整槽、砂ろ過槽、リン鉱石を破砕して充填した固定層型のHAPリアクタからなる。生成したHAPはリン鉱石として使用する。

ロ）MAP法：下水汚泥の嫌気性消化後の汚泥や消化汚泥の脱水ろ液等PO_4−PとNH_4−Nを含む液に適用し、消化汚泥中に含むリンをリン酸マグネシウムアンモニウムMAPとして回収する。

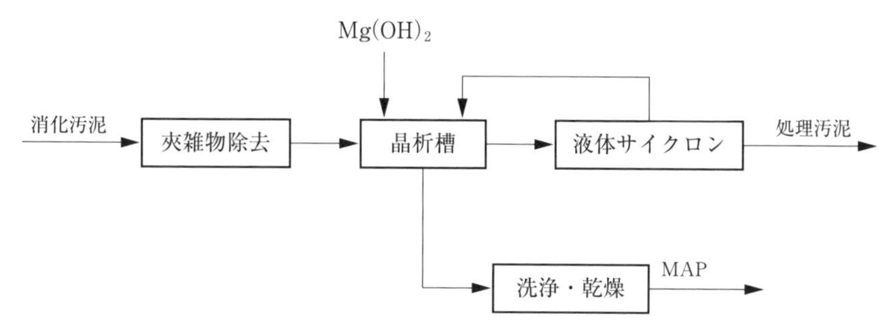

消化汚泥からのリン回収プロセス

処理フローは消化汚泥中の夾雑物を除去する夾雑物除去装置、マグネシウム源を添加することでMAPとして晶析させる晶析リアクタ、晶析したMAPと汚泥を分離し、MAPを回収する液体サイクロン、回収したMAPを洗浄・乾燥させる装置からなる。

ハ）下水汚泥焼却灰からのリン回収

リン抽出工程：水酸化ナトリウム溶液に焼却灰を入れ、リンを抽出して、「リン酸イオンを多く含む抽出液」と「脱リン灰」に分離する工程

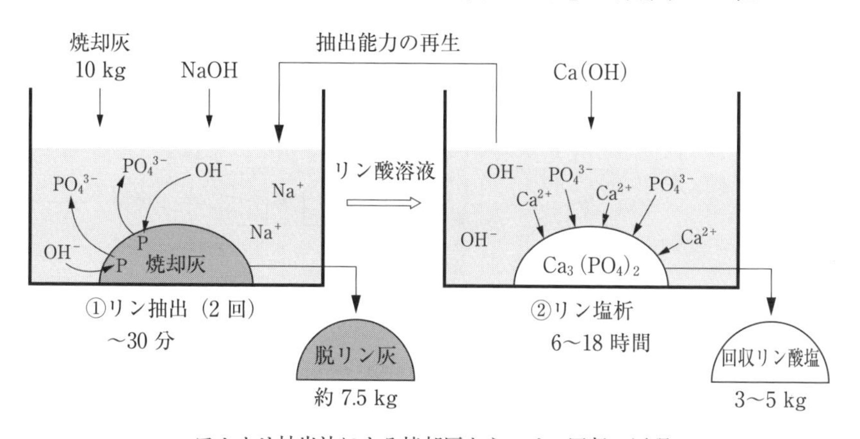

アルカリ抽出法による焼却灰からのリン回収の原理

リン酸塩析出工程：分離した抽出液と消石灰を反応させ、リン酸カルシウムを主成分とするリン酸塩回収工程からなる。

本システムは極めてリン濃度が高い焼却灰からの回収技術であり、装置がコンパクトになる。

下水汚泥の濃縮方法

汚泥濃縮の果たす役割は、水処理施設で発生した低濃度の汚泥を濃縮し、その後に続く汚泥消化や汚泥脱水を効果的に機能させることである。濃縮する汚泥には、最初沈澱池で発生する生汚泥と最終沈澱池で発生する余剰汚泥がある。

イ）重力濃縮

重力濃縮はタンク（鉄筋コンクリート造が多い）内に汚泥を滞留させ、重力を利用して濃縮を行い、底部に堆積した濃縮汚泥を汚泥かき寄せ機によって引抜口に集め、ポンプで引き抜く。タンク容量は次の項目を考慮して決める。

固形物負荷：60～90 kg/m^2・d

水深：4 m

滞留時間：12 h程度

流入汚泥含水率99%が濃縮汚泥含水率97%程度になる。

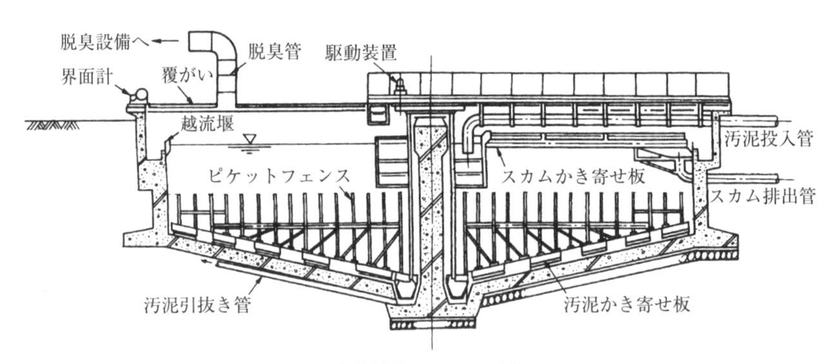

重力濃縮タンクの例

出典：『下水道施設計画・設計指針と解説』

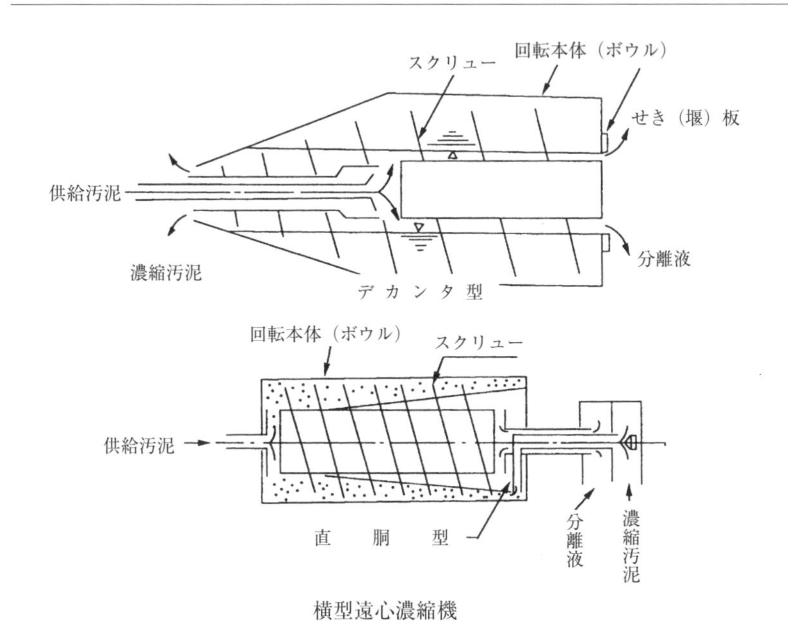

横型遠心濃縮機

出典：『下水道施設計画・設計指針と解説』

ロ）遠心濃縮

遠心濃縮機は高遠心力の場において固液分離を行い、重力濃縮しにくい余剰汚泥でも短時間で4%程度に濃縮することが可能である。設置面積は重力濃縮に比べて小さいが、消費電力は他の方法に比べて最も大きい。一般的には横型の遠心濃縮機を使用する。

遠心濃縮機は次の項目を考慮して決める。

容量：汚泥処理量（m^3/h）で表す。

台数：2台以上とする。

濃縮汚泥の含水率は96%程度とし、固形物回収率は85～95%を標準とする。

薬注設備：基本的には無薬注とするが、混合汚泥や余剰汚泥で濃縮性が悪い場合には高分子凝集剤の薬品注入装置を設ける。

ハ）ベルト式ろ過濃縮

ベルト式ろ過濃縮機は走行するベルト上に凝集汚泥を投入し、重力ろ過・濃縮を行う装置である。高分子凝集剤を添加された汚泥は、走行するベルト上に投入され、排出側に移送される間に重力ろ過により濃縮され、濃縮汚泥排出部でスクレーパによって剥離される。ベルトはこの後、ろ液により洗浄される。ベルト式ろ過濃縮機の容量は次の項を考慮して決める。

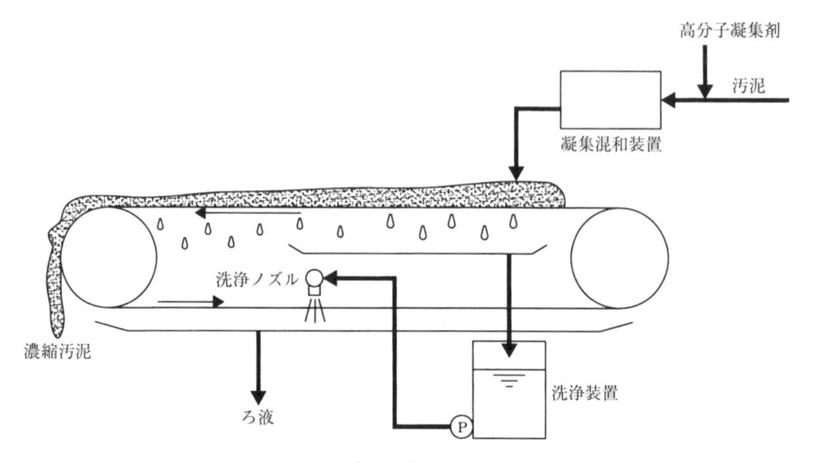

ベルト式ろ過濃縮設備の例

出典：『下水道施設計画・設計指針と解説』

濃縮機1台当たりの汚泥処理量は10 m^3/h～100 m^3/h程度である。

ベルト式ろ過濃縮機の濃縮性能は下記を標準とする。

濃縮濃度：4～5%程度

薬品添加率：0.3%程度

SS回収率：95%以上

急速ろ過法

下水処理において、より高度に有機物を除去する場合、最終沈澱池の後に急速ろ過施設を設置する。急速ろ過施設は、槽内に下部から砂利、砂、アンスラサイトを充填し、上部から300 m/d程度の下降流で、二次処理水を流し、ろ材への付着やろ層でのふるい分けによって水中から浮遊物を分離除去する。ろ層内部に捕捉された浮遊物はろ過の継続とともに増加し、ろ材の間隙を埋めていき、ついには浮遊物がリークする。このため、適当な時期に逆洗を行い、ろ層内部に捕捉されている浮遊物をろ材から剥離させて系外に排出し、ろ層を綺麗に洗浄する。これにより一般に処理水の浮遊物は5 mg/ℓ以下、BODは浮遊性有機物が減少し3 mg/ℓ以下になる。

設計上の留意点

イ）ろ過速度は、計画一日最大ろ過水量に対し、300 m/dを上限とする。

ロ）ろ過面積は計画水量をろ過速度で除して求めるが、最大で80 m^2を上限とするのが望ましい。

ハ）ろ過池数は洗浄中に原水流入が止まらないように複数とする。

ニ）洗浄設備としては、逆流洗浄に加えて、表面洗浄、空気洗浄を設置する。

ホ）アンスラサイトと砂からなるろ層の厚さは60～100 cmとする。

ヘ）アンスラサイトの有効径は1.5～2.0 mmを標準とし、砂の有効径の2.7倍以下とする。

ト）アンスラサイトと砂の均等係数は1.4以下とする。

その他に、圧力式急速ろ過装置や上向流式急速ろ過装置などがある。

BOD

生物化学的酸素消費量（BOD）とは排水がどの程度有機性成分で汚れているかを示す指標の一つである。水中に含まれる分解が可能な有機物が、一般に20℃で5日間に微生物の働きによって分解され、安定化するときに消費する酸素量で表している。BODは排水中に家庭の雑排水とかし尿のような有機性の汚れ成分が多いと高くなる。BODは微生物の働きで分解される有機物を表すため、CODのような酸化剤を使って表す値よりも自然の汚れの状態に近い値を示している。

測定方法

サンプル水と十分空気を吹き込んで活性汚泥を植種した希釈水を混合し、希釈割合を変えた数種の試料を培養瓶（100～300 mℓの細口共栓ガラス瓶）に移し恒温槽で20℃に5日間保つ。試料作成直後と5日後の培養瓶中の液の溶存酸素を測定し、その差から5日間で消費した酸素量を求める。分析時消費した酸素量が飽和酸素量の40～70％（3.5～6.2 mg/ℓ）の範囲に入るような数値でないとBOD値は正常でなくなるので、数種類の希釈をした試料を作り、正常な範囲に入った分析値をBODとして使用する。

膜分離活性汚泥法

概要

膜分離活性汚泥法は、活性汚泥法の反応タンクにろ過膜を浸漬して、活性汚泥混合液から直接ろ過水を得る方法である。流入下水は前処理施設で夾雑物を除去した後、好気タンクに流入する。好気タンク内に精密ろ過膜（孔径0.1～0.4 μm程度）を浸漬し、膜下部からエアレーションを行って気液混合流により膜面を洗浄し、膜の閉塞（ファウリング）を防止しながらポンプ吸引あるいは重力により、ろ過を行う。次に膜分離活性汚泥法の基本フローを示す。

設計上の留意点

イ）前処理施設

前処理施設として、膜の保護のため、装置流入手前に、１ mm目程度の微細目スクリーンを設置する。

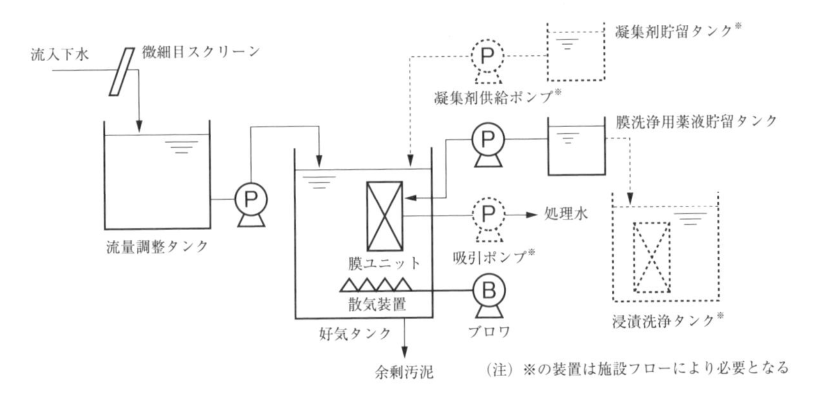

膜分離活性汚泥法の基本フロー

ロ）膜流量調整タンク

膜分離活性汚泥法では、原則として定量ろ過を行うので、流入水変動を均等化するため、流量調整タンクを設置する。

ハ）ろ過膜

膜分離活性汚泥法で用いる精密ろ過膜は平膜と中空糸膜に大別され、透過流速や洗浄方法、必要空気倍率は膜により異なるが、処理機能上の特徴については、膜形状による差は見られない。

また、透過流速は水温が低下すると小さくなるため、冬季に流入水温が相当低下することが予想される場合は、設計透過流速に余裕を見込む必要がある。

ニ）反応タンク

反応タンクのHRTは6時間程度である。反応タンクには外部からの異物混入を防止するため、原則として覆外をする。

ホ）その他

・膜分離活性汚泥法における必要空気量は、送気洗浄に必要な空気量と活性汚泥への酸素供給に必要な空気量からなる。

・消毒施設は不要であるが、ろ過膜破損等緊急対応時として、固形塩素投入等の処置が可能なよう配慮する。

・必要に応じてろ過膜用浸漬洗浄タンクを設置する。また、反応タンクには、膜ユニット吊上げ装置を設置する。

下水汚泥脱水方式

一般に濃縮汚泥や消化汚泥の含水率は96～98%であり、この汚泥を含水率80%程度に脱水すると、液状のものがケーキ状になり、汚泥容量は1/5～1/10程度に減少し、取り扱いが容易になる。また、凝集剤としては「薬品添加に伴う脱水汚泥量増大の抑制」、「維持管理の容易さ」、「固形物回収率の向上」等の理由から、無機凝集剤よりも有機高分子凝集剤の使用が増えている。

表に各脱水方式の原理、特徴を示し、簡単な構造図を次に示す。

項目	圧入式スクリュープレス	回転加圧脱水機	ベルトプレス脱水機	遠心脱水機
原理	凝集汚泥を連続回転する円筒状のスクリーンと円盤状スクリュー軸との間に投入し圧搾脱水する。	凝集汚泥を連続回転する円盤フィルター2枚とスペーサーの間に投入し圧搾脱水する。	凝集汚泥を連続走行するろ布で重力ろ過後、2本のロール間に挟み込み転圧脱水する。	凝集汚泥を高速回転する円筒ボウル内へ投入し、1,000～2,000 G程度の遠心力場で固液分離し、脱水する。
特徴	・構造が簡単で維持管理が容易である。 ・脱水機本体はコンパクトであり、設置面積も小さい。 ・騒音、振動は少ない。	・横型回分式脱水機を円盤連続式にしたもので、構造が簡単で維持管理が容易である。 ・脱水機はコンパクトであり、設置面積も小さい。 ・騒音、振動は少ない。	・補機数が少なく維持管理が容易である。 ・補機数が少ないため設置面積も小さい。 ・ろ布は摩耗、目詰まりするため、定期的交換が必要である。	・補機数が少なく維持管理が容易である。 ・補機数が少ないため設置面積も小さい。 ・騒音、振動が大きいため、遮音カバーが必要である。

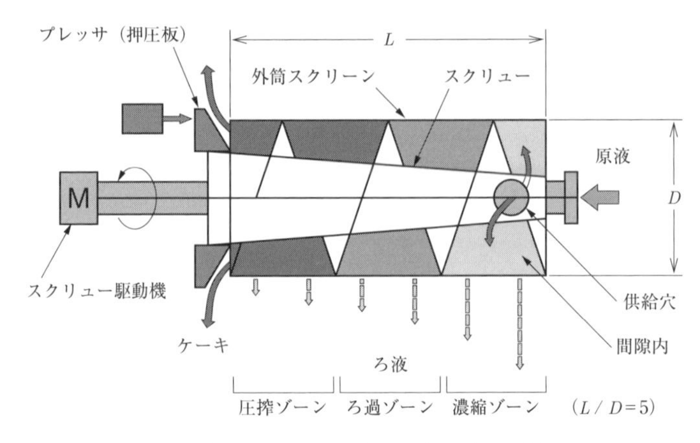

圧入式スクリュープレス脱水機の脱水原理

出典：『下水道施設計画・設計指針と解説』

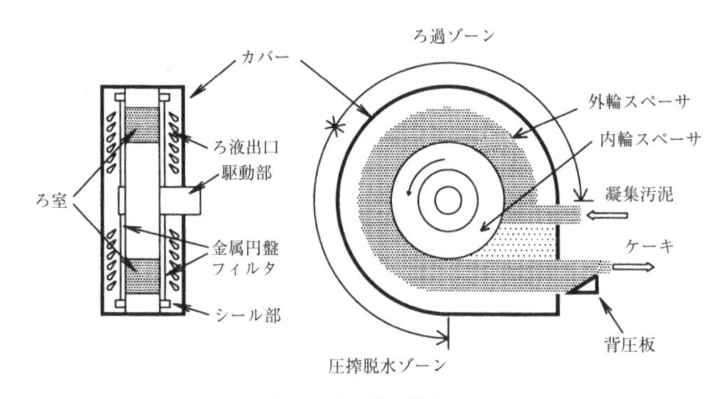

回転加圧脱水機の脱水原理

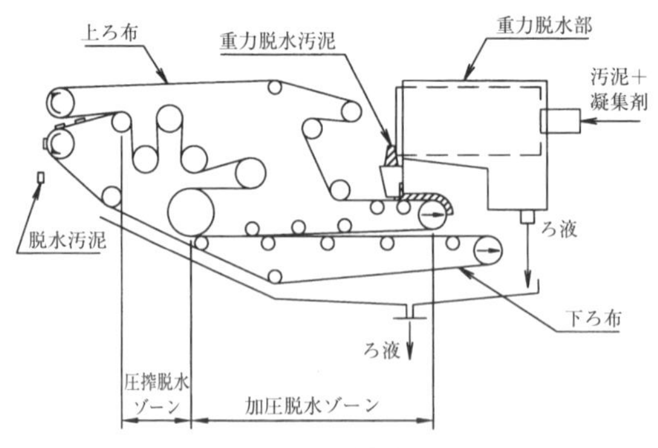

ベルトプレス脱水機の例

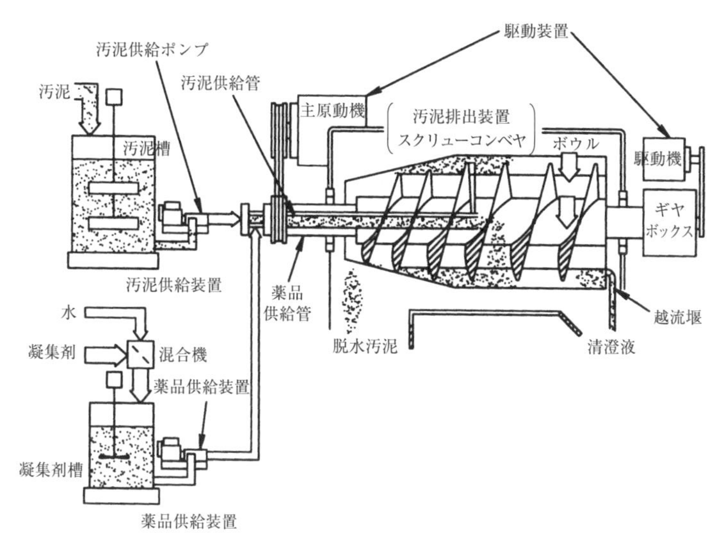

横型遠心脱水機の例

出典：『下水道施設計画・設計指針と解説』

下水処理水の再利用

我が国における下水処理水の再利用の現状は、年間使用量が2.2億m^3（平成30年度）であり、その内訳は修景用水に23.7％、親水用水1.7％、河川維持用水34.7％、融雪用水19.6％、工場・工業用水10.9％、農業用水5.1％等である（「日本の水循環系」平成30年度用途別再利用状況（223ページ）を参照）。

下水処理水の再利用を促進する課題と対応策は次のようなものがある。

イ）公共用水域の水質改善等への寄与：下水処理において窒素、リンの除去を促進し、水域での富栄養化の防止と、河川維持流量の確保を行う。

ロ）親水用水として利用する場合：人間が触れることを前提に殺菌・消毒とともに膜処理を行って、ウイルス、細菌の混入を完全に防ぐ。

ハ）ビルにおける水洗用水や植栽、道路、路面等の散水用水：高度な処理は不要であるが、第2水道としての配管整備が必要である。

ニ）修景用水：景観維持を主目的にしているが、少なくとも藻類の発生を防ぐため、脱窒、脱リン処理が必要である。

下水道の沈澱池（最初、最終）

沈澱池は沈澱可能なSSを沈澱除去する施設であり、最初沈澱池と最終沈澱池がある。

		最初沈澱池	最終沈澱池
役割		一次処理：流入下水中のあらゆる固形物（主に有機物を主体とする比重の大きいSS）を沈澱除去する。 また、沈澱したSSが腐敗してスカムとなり浮上するので、スカム除去を行う。	手前の反応タンクから流入した活性汚泥を沈降分離させる。 また、沈澱したSSが腐敗してスカムとなり浮上するので、スカム除去を行う。
設計上の留意点	形状及び構造	長方形、円形または正方形 鉄筋コンクリート製	長方形、円形または正方形 鉄筋コンクリート製
	水面積負荷	排泥のため汚泥かき寄せ機を設ける 計画一日最大汚水量に対し、 分流式：35〜70 m/d 合流式：25〜50 m/d	排泥のため汚泥かき寄せ機を設ける 計画一日最大汚水量に対し 20〜30 m/d （初沈に比べ沈降速度が小さいため、水面積負荷も小さくなる。）
	有効水深	2.5〜4.0 m とする。	2.5〜4.0 m とする。
	水平流速	長方形沈澱池の場合：0.3 m/min 以下とする。	
	余裕高	池の余裕高：50 cm 程度	池の余裕高：50 cm 程度
	整流設備	長方形沈澱池：有孔整流壁を設置。 円形沈澱池：流入口の周囲に円筒形の整流板（ドラフトチューブ）を設ける。	長方形沈澱池：有孔整流壁を設置。 円形沈澱池：流入口の周囲に円筒形の整流板（ドラフトチューブ）を設ける。
	越流堰の越流負荷	250 m^3/m・d 程度	150 m^3/m・d 程度
	汚泥かき寄せ設備	長方形池：チェーンフライト かき寄せ速度：0.3〜1.2 m/min 円形池及び正方形池：回転式 外周かき寄せ速度：3 m/min 以下	長方形池：チェーンフライト かき寄せ速度：0.3 m/min 円形池及び正方形池：回転式 外周かき寄せ速度：2.5 m/min 以下
	汚泥引き抜き設備	ポンプ台数：予備を含め２台以上とする。 排泥管口径：150 mm 以上とする。 ポンプ、排泥管は前処理設備のスクリーンを通り抜けた固形物で詰まるので、ポンプ入口、配管屈曲部には清掃口を設けるほか、圧力水配管を設け逆洗できるようにする。	ポンプ台数：予備を含め２台以上とする。 排泥管口径：150 mm 以上とする。 ポンプ、排泥管は汚泥で詰まる場合もあるので、ポンプ入口、配管屈曲部には清掃口を設けるほか、圧力水配管を設け逆洗できるようにする。

好気的固形物滞留時間（ASRT）

Aerobic Solids Retention Timeの略で、生物脱窒素において、硝化脱窒法は無酸素タンクと好気タンクからなる、流入した窒素の硝化は好気タンクで進行する。すなわち好気タンク内に硝化菌が長時間滞留すれば流入してきた窒素の硝化が進む、好気タンク内の活性汚泥量が硝化細菌量と比例するとして、ASRTは好気タンク内の汚泥量を系からでる余剰汚泥量で割った固形物滞留時間（d）で表す。硝化は水温の影響を大きく受ける。脱窒を80%以上とする場合のASRTは水温20℃で8～9 dである。

ASRT（d）＝（好気タンク内活性汚泥量）kg ÷（余剰汚泥量）kg/d

である。

流動焼却炉

下水の脱水汚泥を焼却する目的は、減量化と安定化である。汚泥中の有機物の燃焼と水分の蒸発により、大幅に減量化されると同時に、焼却残さとして無機物である灰しか残らないことから安定化する。

汚泥焼却炉としては流動焼却炉、多段焼却炉、階段式ストーカ炉、ロータリーキルンなどがあるが、流動焼却炉の採用が圧倒的に多い。

流動焼却炉の特徴

イ）焼却効率が高く未燃分が極めて少ない。

ロ）少量の過剰空気（空気比1.3程度）での運転操作が可能である。

ハ）炉内に機械的な可動部分が少ないため、維持管理が容易である。

ニ）炉内温度の自動制御、熱回収が容易である。

ホ）炉の排ガス温度（850℃）が臭気分解温度以上で制御されるため、排ガスの臭気対策を別途考慮する必要がない。

ヘ）流動媒体の蓄熱量が大きいため、炉を停止した場合炉内温度の降下が遅く、再立ち上げ時の昇温時間が他の炉に比べると短い。

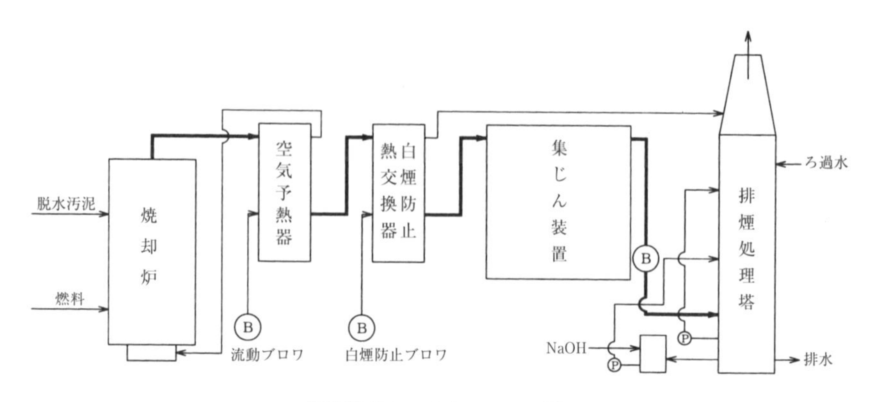

流動焼却システムフローの例

出典：『下水道施設計画・設計指針と解説』

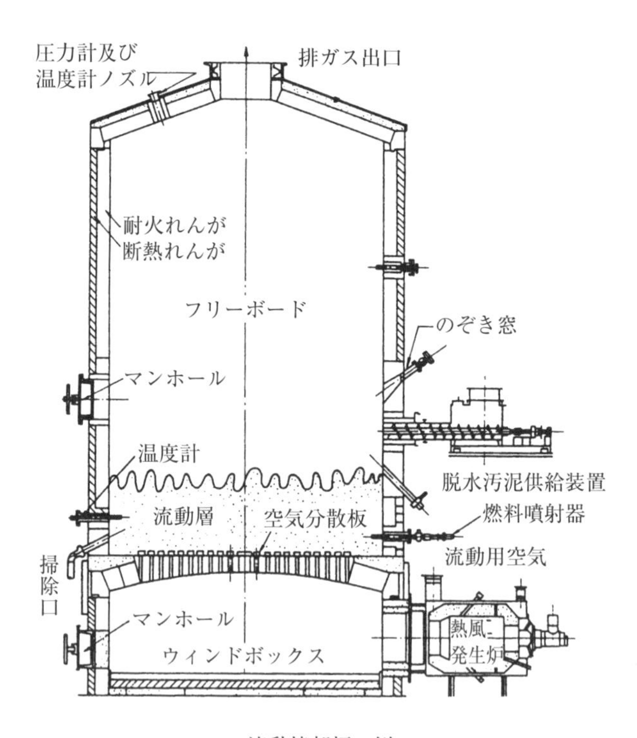

流動焼却炉の例

出典：『下水道施設計画・設計指針と解説』

汚泥溶融

汚泥溶融は、下水汚泥の処分地確保が困難な大都市、及び下水汚泥広域処理事業等、大量の下水汚泥を処理する場合に導入されている方法である。

汚泥焼却よりさらに減容化し、安定化及び資材化を図ることができる。

汚泥溶融の目的と効果は次の3点である。

ⅰ）汚泥の減容化

有機汚泥（有機凝集剤使用の脱水汚泥）を溶融してスラグ化した場合、脱水汚泥の1／15～1／20になり、乾燥汚泥の1／9となる。また焼却灰の1／3程度になる。

ⅱ）汚泥の安定化

溶融処理により、脱水汚泥中の有機物は完全に燃焼し、無機物は溶融されてスラグ化されることにより、組成的にも安定する。また、溶融スラグ中に含まれるクロム等の重金属類もスラグ中に封じ込められ安定化する。

ⅲ）汚泥の資材化（溶融スラグの利用）

汚泥溶融システムのスラグの冷却方法により、急冷すればガラス質の砂状になり、徐冷すれば結晶化し、岩石状になる。これらのスラグは路盤材やコンクリート骨材など資材として使われる。

汚泥溶融炉としては旋回溶融炉、コークスベッド溶融炉、表面溶融炉等があり、いずれの溶融炉も1,200～1,500℃の高熱で汚泥を溶融する。

次に汚泥溶融システムの構成と溶融方式の比較を示す。

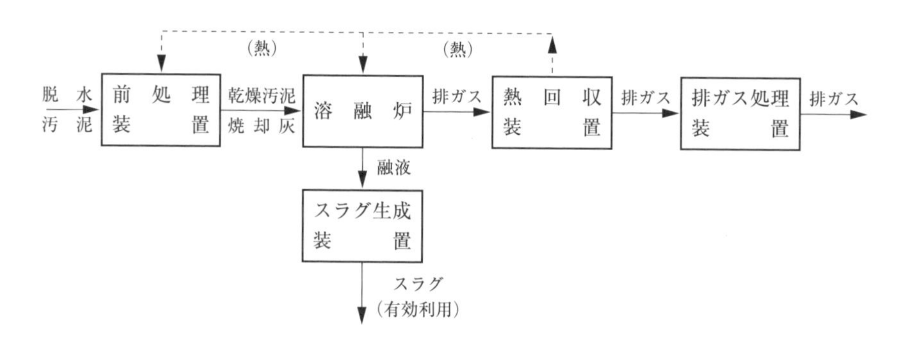

汚泥溶融システムの構成

出典：『下水道施設計画・設計指針と解説』

溶融方式の比較

		旋回溶融設備	コークスベット溶融設備	表面溶融設備
構造及び材質	構造	炉は自立型とし、自重・積載荷重・風圧・地震力等に耐える構造とする。	炉は円筒竪型とし、自重・積載荷重・風圧・地震力等に耐える構造とする。	炉は内筒、外筒による立形回転炉とし、自重・積載荷重・風圧・地震力等に耐える構造とする。
		構造及び炉内径、炉長は均一な旋回流が形成され、炉内で完全燃焼ができ、融液と排ガスを効果的に分離し、溶液スラグを安定して排出できるものとする。	下部の溶融帯と上部のフリーボード部及び投入口部よりなる構造とする。	内筒は助燃装置を組込み上下動できる構造とし、外筒は回転し乾燥脱水汚泥を全周均一に供給できる構造とする。
	炉内温度	1,200～1,500°C	1,500°C 程度	主燃焼室　1,200～1,500°C 二次燃焼室　950～1,100°C
	容積熱負荷	乾燥汚泥の場合　7,100～ 8,400 MJ／(m³・h) 灰溶融の場合　8,450～16,700 MJ／(m³・h)	コークスベット部　4,000～13,000 MJ／(m³・h) フリーボード部　210～　300 MJ／(m³・h)	主燃焼室　1,350～2,500 MJ／(m³・h)
	耐火材	耐火材は、十分な耐火度と高温強度を有し、かつ耐食、耐摩耗性のあるものとする。		
	緊急開放機構	異常時に備え緊急開放弁を設ける。		
前処理装置	前処理装置	(1) 脱水汚泥供給装置 (2) 脱水汚泥乾燥機又は焼却炉 (3) 調整剤投入装置（必要に応じて）	(1) 脱水汚泥供給装置 (2) 脱水汚泥乾燥装置及び成形機 (3) コークス投入装置 (4) 調整剤投入装置	(1) 脱水汚泥供給装置 (2) 脱水汚泥乾燥機又は焼却炉 (3) 調整剤投入装置（必要に応じて）
スラグ生成装置	スラグ生成装置	スラグ生成装置は、次の事項を考慮して定める。 (1) 炉から連続して流出する融液を冷却・固化するための装置を設ける。 (2) 常温まで冷却したスラグを一時貯留するための貯留ホッパ又はスラグ堆積場及び搬送装置を設置する。 (3) 融液流出口は、メンテナンスが容易に行えるよう考慮する。		
補助燃料装置	補助燃料装置	補助燃料装置は、主燃料室及び二次燃焼室に昇温用もしくは未燃物の完全燃焼を目的とし、助燃用のオイル（又はガス）バーナを設ける。	—	補助燃料装置は、主燃料室及び二次燃焼室に昇温用もしくは未燃物の完全燃焼を目的とし、助燃用のオイル（又はガス）バーナを設ける。
燃料供給装置	燃料供給装置	(1) 補助燃料として一般に重油、灯油、消化ガス又は都市ガスを用いる。 (2) 重油及び灯油貯留タンクの容量は、使用量の3～10日分とする。	(1) 溶融熱源としては、コークスを使用する。 (2) 通常コークスピットの貯留量は、使用量の3～10日分とする。	(1) 補助燃料として一般に重油、灯油、消化ガス又は都市ガスを用いる。 (2) 重油及び灯油貯留タンクの容量は、使用量の3～10日分とする。

出典：『下水道施設計画・設計指針と解説』

21世紀型下水道計画

下水道ビジョン2100では、持続可能な循環型社会を構築するため、これまでの「普及拡大」中心の20世紀型下水道から、「健全な水環境と資源循環」を創出する21世紀型下水道への転換を目指すべきとしている（基本コンセプト「循環のみち」）。

そして、「循環のみち」実現のために「水のみち」、「資源のみち」、「施設再生」の三つの基本方針を提示している。

「水のみち」では、水循環の健全化に向け、雨水浸透や再生水・湧水の活用、また、生態系にも配慮した施設配置・構造を基本とすることなどにより、水再生・利活用ネットワークを創出すべきとしている。

また、「資源のみち」では、化石燃料に依存しないエネルギー100％自立の処理場の構築等により、資源回収・供給ネットワークを創出すべきとしている。

さらに、「施設再生」では、アセットマネジメント等により「水のみち」と「資源のみち」を持続的に支え、ライフラインとしての安全確保や既存ストックを活用した機能高度化により、新たな社会ニーズに応える下水道（「サスティナブル下水道」）を実現すべきとしている。

内水ハザードマップ

内水ハザードマップは、下水道の雨水排水能力を上回る降雨が生じた際に、浸水の発生が想定される区域や、避難場所、洪水予報・避難情報の伝達方法等に関する情報を記載したものであり、ソフト対策の促進に極めて有効である。

小規模下水道

小規模下水道の対処となる地域は、イ）中心部から少し離れた都市近郊集落、ロ）農山漁村集落、ハ）観光地等の定住人口の少ない地域である。その特徴は次ページ表のとおりである。

	都市近郊	観光地	農　村	漁　村	山　村
集落の形態	密居	密居	集居	密居	散居
地　形	平坦	丘陵が多い	平坦	急傾斜地	山地
放流先	河川	湖沼	農業用水路	海域	河川
畜産業	ほとんどなし	ほとんどなし	ある	ほとんどなし	ほとんどなし
2次産業	機械、食品加工工場	ほとんどなし	ほとんどなし	水産加工業	ほとんどなし

計画設計での留意点

i）小規模下水道は大中規模下水道に比べて、1人当たりの施設建設費や維持管理費が高くなる。したがって施設の維持管理が容易で経済性を求めることが重要である。

ii）施設はプレキャスト部材等を使用して安く建設する。

iii）排除方式は分流式とし汚水のみを処理する。雨水は既存の排水施設を利用する。

iv）各家庭から集水する管きょは地形等を考慮してなるべく短くするとともに、自然流下による汚水収集とするが、困難な場合にはマンホールポンプを使用する。

v）汚水流入量は1日の中で時間差が大きく、流入水を平均化するため、貯留槽を大きくするなどの考慮が必要である。特に観光地では昼間人口が多くなるので、そのぶんの考慮が必要である。

vi）汚泥処理は施設ごとに行うのではなく、数か所の処理場の汚泥を1か所に集めて行うか、移動脱水車で巡回処理を行う。また、農村では汚泥を肥料化し、緑地還元を検討する。

下水処理場のネットワーク化の意義と検討手順

下水道施設は、大部分が地下に築造されるため、いったん被害が発生するとその復旧に長期間必要となる。下水道施設は都市の基幹施設であり、震災によってその機能が麻痺した場合、市民生活に大きな影響を及ぼす。地震対策の基本的な考え方は、個々の施設において構造面の耐震化を図ることであるが、万が一被害を受けた場合にも機能が確保できるように、処理場のネットワーク化により耐震性の向上を図るものである。

ネットワーク計画の策定は、汚水・汚泥の融通、汚泥の集約管理、電力、情報ネットワークによる統合管理あるいは資源等を対象として行う。

策定手順は、ネットワークの可能性を検討し、ネットワーク案を作成したのち、ネットワークにした場合と単独対応とした場合について、長期的な視点での経済性や事業効果（再構築、高度処理、危機管理、環境への貢献度等の付加価値）を比較検討することにより総合評価を行う。総合評価でネットワーク案に優位性があると判断された場合は、ネットワークの整備計画、事業計画の策定を行う。

下水道施設の空間利用の意義と計画策定の留意点

下水道施設の空間利用として、下水処理場の上部空間は都市における貴重なオープンスペースであり、緑地や公園などに広く利用されている。また、震災時の避難場所や商業施設など地域の交流拠点としての活用が求められている。さらに、ヒートアイランド現象の緩和を目的とした緑地事業も進められている。

もうひとつの下水道施設の空間利用としては、下水道管きょ内に信頼性や安全性の高い光ファイバーの構築が挙げられる。この通信網を利用して、点在する施設を情報ネットワークで結び、ポンプ所などの遠隔監視制御を行うなど下水道の効率的な運営を進める必要がある。

計画策定の留意点としては、

- 下水道のイメージアップにつなげる
- 地域住民に貢献する
- 下水道施設の維持管理や将来の増設に支障をきたさない
- 法令に遵守したものとする
- 地球温暖化やヒートアイランド現象の緩和に貢献する

活性汚泥における必要酸素量と空気量の求め方

活性汚泥法における必要な酸素量は次の3つからなる。

O_a：BODの酸化に必要な酸素量

O_a［kgO_2／日］＝A［kgO_2/kgBOD］×除去BOD［kg／日］

A：除去BOD当たり必要な酸素量

O_b：内生呼吸に必要な酸素量

O_b［kgO_2／日］＝B［kgO_2/kgMLVSS・日］×V［m^3］×MLVSS［kg/m^3］

B：kgMLVSS当たりの内生呼吸による酸素消費量
V：反応タンク容量［m^3］

O_c：硝化反応に必要な酸素量

O_c［kgO_2／日］＝C［kgO_2/kgN］×硝化したN［kgN／日］

C：硝化反応に伴い消費される酸素量

したがって必要酸素量O_t［kgO_2／日］＝O_a＋O_b＋O_cである。

必要な送風量は次式で求める。

N［m^3／日］＝O_t［kgO_2／日］／E［％］×10^{-2}×1.293×0.233

E：散気装置の酸素移動効率。一般に7.5％程度

酸素移動効率は散気装置によって異なるので、留意すること。

また、硝化が進む場合には必要な酸素量が増加するので注意すること。

BOD−SS負荷

活性汚泥処理で微生物に対する有機物の比率（F／M比）をBOD−SS負荷で表す。活性汚泥法ではエアレーションタンク内の浮遊物は活性汚泥で表す微生物の塊であり、流入する有機物はBOD成分で、活性汚泥が食べて分解し活性汚泥が増殖したり活動するためのエネルギーとなる。BOD成分が少なくなった水はその分浄化されたことになる。

一般に有機性排水（下水を含む）処理のBOD−SS負荷はBOD負荷が高くなると、処理の浄化は悪くなる。BOD負荷が低いと排水中のアンモニア性窒素の硝化が起こる。

下水処理場ではBOD−SS負荷は0.4 kgBOD/kgSS・日以下で設計されており、処理効果は良好である。

下水中の窒素を除去するための硝化脱窒素法では返送汚泥量を増やし、BOD−SS負荷を小さくして窒素の酸化を促す。

下水汚泥のバイオマスとしての特徴と利用方法

特徴

・人間生活に伴い必ず発生し、量・質とも安定している。

・収集の必要が無い集約型バイオマスである。

・エネルギーの需要地である都市部で発生する都市型バイオマスである。

利用方法

i）ガス発電

消化槽を設置した下水処理場では消化槽ガスをガスエンジンの燃料として供給し、ガス発電を行う。消化ガスの発熱量は5,000～5,500 kcal/m^3である。

ii）汚泥炭化

下水の脱水汚泥を炭化炉で蒸焼きにして、炭化し石炭火力発電所で、石炭と混焼させ、燃料とする。炭化汚泥の発熱量は4,000～4,500 kcal/kgである。

iii）緑地利用

脱水汚泥をコンポストで肥料化する。

下水汚泥の緑農地利用

下水汚泥の肥料としての緑農地利用は次の4種類である。

①下水汚泥コンポスト

汚泥中の有機物を生物学的に分解・安定化でき、そのまま肥料として投与しても急激に分解して、植物の生育に悪影響を及ぼさない。堆肥としての肥効性を保ち、かつ運搬、貯蔵等の作業性も良い。また、コンポスト製造時の発酵熱により、有害な微生物等が除去され、品質、衛生面からも緑地利用に適している。

②乾燥汚泥

乾燥処理を行うと、運搬、貯蔵、保管等の作業性を改善し、併せて有害な微生物を除去することができる。乾燥処理は汚泥ケーキの含有水分を蒸発させるのが目的で、汚泥中の有機分は減量化されない。このため、生汚泥を乾燥したものは有機物の安定化が十分でなく、農地等へ施用すると急激な分解により、作物の生育障害を起こすことがあるので、農地利用する乾燥汚泥には消化汚泥を用いたほうが良い。

③汚泥ケーキ

汚泥脱水設備から出た汚泥ケーキをそのまま利用する場合は、腐熟が不十分な有機物が多いこと、また、含水率70～80%程度の汚泥ケーキは取り扱いが困難であるなど問題がある。このため、汚泥ケーキを野積みにした後、土壌に良くすきこみ、作物を栽培するなどの配慮が必要である。なお、臭気も強いことから、都市近郊の農地での利用は避けたほうが良い。

④焼却灰

土壌への有機質の供給はできないが、焼却灰にはリン、マグネシウム、カルシウム、鉄、ケイ素等の植物の生育に必須の元素が含まれており、肥料としての価値がある。しかし、灰のままでは飛散しやすく、取り扱いが困難であるため、加湿による調整が行われる。

オキシデーションディッチにおける脱Nの原理と留意点

オキシデーションディッチ法は、最初沈澱池を設けず、機械式エアレーション装置を有するドーナツ状の無終端水路で活性汚泥処理を行い、最終沈澱池で固液分離を行う下水処理方式である。機械式エアレーション装置は生物処理に必要な酸素の供給と活性汚泥と流入水を混合撹拌し、混合液に流速を与えてオキシデーションディッチ内を循環させるとともに活性汚泥を沈降しないようにするものである。

この処理法ではBOD−SS負荷を0.03～0.05 kgBOD/kgSS・日と低負荷で処理するため、SRTが長く硝化反応が進行する。また、エアレーション装置の空気供給量を調節することにより槽内に嫌気ゾーンを設け、脱窒素も行われる。

設計上の留意点

ⅰ）容量はHRT 24～48時間とする。

ⅱ）水深は1～3 m、水路幅は2～6 mとする。

ⅲ）数は2池以上とする。

ⅳ）エアレーション装置は1池につき2台以上とし、酸素の供給、混合液の撹拌、流速の確保が十分行えるものとする。また、間欠運転、運転台数制御、回転数制御、浸漬深さの変更等により、運転方法の選択ができるようにする。

開削工法の安全対策

開削工法は、地盤を掘削し所定の位置に管きょを布設する工法である。開削工法では、地山が自立可能な地盤や掘削深が浅い場合は山留は不要であるが、土質や地下水などの条件により、木矢板、軽量鋼矢板、横矢板、鋼矢板、柱列杭、地中連続壁などの山留が必要となる場合がある。下水道管きょを開削工法で布設する場合の安全対策としては、

・交通対策：重機の搬入や施工時において、車両や人の通行に支障がないよう交通整理員による安全対策を行う。
・山留：土圧やボイリング、ヒービングに対応できる安全な山留を行う。
・地域環境：施工時に騒音、振動、交通渋滞など、住民生活に影響のない施工を行う。
・支障物件調査：地上工作物としては歩道橋基礎、擁壁、排水路、電柱、架空線、信号柱など、地下埋設物ではガス管、水道管、NTTケーブル、電力ケーブル、地下道、防火水槽などについて、現場及び各企業の台帳を調査しあらかじめ把握し、工事中の対策について他企業所有者と十分な協議を行う。

分流式下水道の雨天時の浸入水の発生原因と影響及び対策

分流式下水道において雨天時に浸入水が発生するのは、汚水管きょの継手やマンホールから雨水や地下水が浸入したり、各家庭での雨水管と汚水管を誤って接合しているためである。当然雨水が汚水と一緒に下水処理場に流入するので、降雨時の処理量が増加し、場合によっては処理場の能力を超える水量が流入し、処理が悪化する。

したがって、放流域の河川や海域の水質悪化を招く。

対策

ｉ）家庭での雨水管と汚水管の誤接合を防ぐため、ハウス建設業者や配管業者への指導を徹底する。

ⅱ）マンホールや汚水管きょの継手部分を定期的に監視し、破損個所は早急に修理する。

ⅲ）マンホールや各家庭の雨水桝（ます）の蓋は雨水が浸入しにくいものとする。

下水道BCP（Business Continuity Plan）

BCP（事業継続計画）とは、災害等の危機に遭遇しても重要な業務を中断させないことや、中断しても可能な限り短期間で業務を再開させる計画である。

下水道BCPとは、いつ起こるかわからない災害の備えとして、下水道に係る業務を継続させるために必要な手順を定めた計画である。下水道の業務を実施・継続するとともに、被災した機能を早期に復旧させることを目的とする。被災を前提に、機能の維持を図るにはどのような取組みが必要かということを事前に検討しておくのが下水道BCPである。

①調査検討すべき事項

イ）災害時の対応拠点の設置

ロ）地震規模の設定：震度6

ハ）被害想定（管路、処理場、職員、ライフライン）

②業務を進める手順

イ）下水台帳の整備及びバックアップ（電子データなど）

ロ）資機材の確保（備蓄及び調達）

可搬式ポンプ、可搬式発電機、小口径配管、セメント等

③関係者間の調整

イ）関連行政部局との連絡・協力体制の構築（例：水道部局）

ロ）他の地方公共団体との相互応援体制の構築（支援ルール）

ハ）民間企業等の協定の締結・見直し（運転管理業務を民間委託している場合、職員の参集、下水道業務の維持回復にかかわる協定）。

ニ）住民等への協力要請（節水・水洗トイレの使用抑制、携帯トイレの備蓄等）

下水汚泥と他のバイオマスの共同処理

下水汚泥と他のバイオマスを混合し、下水処理場の消化槽を使って、これらのバイオマスを混合処理し、嫌気性消化により、生物分解し、一部はメタンガスとして取出し発電の燃料としたり、残った汚泥は乾燥して肥料とするもので、経費の節減とCO_2排出量の削減を図る。

共同処理計画の検討手順

1）地域による設定：都市部での共同処理では下水汚泥と生ごみが主になる。地方ではこれら以外に浄化槽汚泥や剪定木、家畜糞尿などが加わり、地域によって処理対象物が異なる。

2）付帯設備の選定：通常生ごみはビニール袋などで包まれているので、解袋、粉砕、消化槽への定量的な投入設備が必要である。また、剪定木はチップ化する設備が必要である。

3）生成したガスの用途：ガスは発電の燃料としたり、さらに膜分離等でCO_2を分離し、メタン純度を高くして、車の燃料とする。

4）汚泥の用途：都市部では脱水汚泥をセメントの原料とする。地方では乾燥して肥料とし緑地還元をする。

等の検討が必要である。

● 下水処理場へのバイオマス（生ごみ等）の受け入れ

① 下水処理場は、約300カ所でバイオマスが持つエネルギーを取出すことができる汚泥消化タンク（メタン発酵槽）を有するほか、水処理施設を有するため、バイオマスの利用に伴い発生する排水の処理施設を新たに設ける必要がないという利点がある。

バイオマス受け入れの基本フローを次ページ図に示す。

バイオマスとして、生ごみ以外にし尿・浄化槽汚泥を加える場合もある。

② 効果

消化ガスの発生量が増え、発電量やガス量が増加する。

ごみ焼却施設での生ごみの焼却が減り、燃料費の減少が図れる。

し尿を加えることにより、し尿処理場の建設が不要になる。

脱水汚泥の地上投棄を無くすので、そのぶんメタンガスの大気放出が少なくなる。

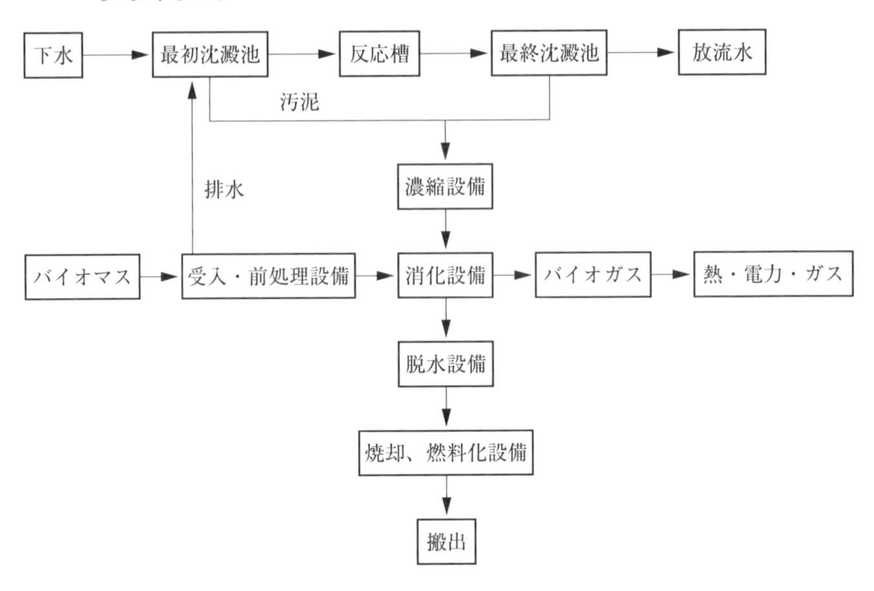

●標準活性汚泥法の下水処理場にし尿・浄化槽汚泥の受け入れ

し尿のBOD、SSは10.000 mg／ℓ以上あり、浄化槽汚泥もし尿の値の2割位あると想定すると、直接活性汚泥処理設備に投入すると過負荷になる。これらの汚泥は下水処理汚泥とともに消化→脱水をするのが良い。脱水機の分離液は最初沈澱池に戻し、活性汚泥処理で処理する。また、脱水機分離液の窒素、リンの濃度が高く、場合によっては生物学的脱窒素法または嫌気無酸素好気法に改造をする必要があるかもしれない。

自家発電設備の設置目的と留意点

下水道施設における下水処理機能は、沈砂、揚水、沈澱、生物処理、消毒、汚泥濃縮、汚泥脱水、汚泥焼却、放流などの機能に分けることができる。これらの機能のうち、最も優先的に確保すべき機能は、下水を排除するための逆流防止機能・揚水機能と消毒機能である。また、ポンプ場においての揚水機能は、常時はもとより被災時においても必ず確保しなければならない機能である。

このようなことから、下水処理場やポンプ場には被災時においても機能を確保する必要があるため、外部からの電力供給が止まった場合でも、自家発電設備により機能を維持する必要がある。

自家発電設備を設置する場合の留意点として、リスク別の防護レベルと対応策を十分検討して機能が確保できる設計とすべきである。

下水道長寿命化計画

下水道の予防保全的な管理、および更生工法あるいは部分取替等により、既存ストックを活用し、耐用年数の延伸に寄与する計画。

下水道長寿命化計画策定における基本的な考え方：下水道長寿命化計画を策定し、長寿命化計画、維持管理、診断、対策のPDCAサイクルを体系的に回すシステムを構築することにより、事故の未然防止及びライフサイクルコスト（LCC）最小化の観点を踏まえた計画的な改築の推進を行う。

下水汚泥のエネルギー化技術

下水汚泥のエネルギー利用の形態としては、主として次の4種類がある。

①消化ガス

一般に消化ガスは、汚泥消化タンクの加温用ボイラの燃料として利用され、余剰ガスは余剰ガス燃焼装置で燃焼させたのち、大気に放出している。余剰ガスが大量にある場合、ガスの持つエネルギーを有効に活用しシステム全体の省エネルギー化を図ることができる。

消化ガスの有効利用として、汚泥焼却用補助燃料、ボイラ用燃料、ガスエンジン等の熱機関による発電、他に有効利用の方策として、燃料電池、マイクロガスタービン発電、自動車燃料ガスへの適用が実用化されている。

②乾燥汚泥

乾燥汚泥は、肥料としての緑農地利用、セメントの原料として利用されるほか、焼却・溶融・炭化の省エネルギーのための前処理として生成される。

③焼却・溶融炉排ガス

焼却炉や溶融炉の排ガスは、多量の熱エネルギーを保有しているため、空気余熱や白煙防止余熱、脱水汚泥の乾燥に利用される。

排熱利用として、排熱ボイラの蒸気を利用した発電や、中温排熱・洗煙排水からの低温排熱をプールの加温にしている例などがある。

④炭化汚泥

炭化製品は木炭に似た特性を持ち軽量、無臭、多孔質な下水汚泥資材である。そのため、木炭同様に多様な有効利用用途が提案できる。

用途としては、土壌改良材、融雪剤、脱臭剤、脱水助剤、固形燃料などがあり、石炭の代替燃料として、火力発電所での利用が進められている。

固形物滞留時間（SRT）

活性汚泥が余剰汚泥として引き抜かれるまでの平均滞留時間

SRTの大小による活性汚泥法の特徴

SRT	大	小
該当する 活性汚泥法	オキシデーションディッチ法 長時間エアレーション法	標準活性汚泥法 酸素活性汚泥法
特徴	・処理の安定性がある ・余剰汚泥の発生量が少ない ・維持管理が容易 ・硝化促進の運転がしやすい ・処理水量当たりの施設面積が大きい	・処理水量当たりの施設面積が小さい ・運転、維持管理が難しい ・流入変動の影響を受けやすい ・余剰汚泥の発生量が多い

地震・津波に対する減災計画

地震で処理場の機械が故障し、下水が処理できない場合でも、未処理下水に消毒剤を注入し、疫病等が蔓延しないようにする。

(1) 管路施設

地震に強い可撓管の使用。液状化しやすい軟弱地盤を砂利等に置き換え地盤の強化をする。

(2) 処理場・ポンプ場

沿岸部では地震に加え、津波では波圧や漂流物が建物や設備に衝突し破壊されている。処理場・ポンプ場周囲を丈夫なコンクリの壁で囲う。電気設備（配電盤・モーター等）が浸水で使用不能になるので、電気設備室は津波でも浸水しないような防水を行う。

処理場の沈澱池や曝気槽は水が入りにくいように覆蓋をする。

(3) トイレ使用

ボール紙製の簡易トイレを各家庭や公共施設に常備しておく。

下水暗渠がある場合には災害時に簡易トイレを暗渠上に設置できるようにしておく。

下水道管きょのスクリーニング

令和3年度末には全国の下水道管きょの距離は49万kmに達する。設置後50年を越す老朽管も増えており、管きょの破損による道路陥没事故は令和3年度末で年間約2,700件発生している。しかし、下水道管の調査は年間総延長の1%程度しか行われていない。

そこで国土交通省は管路の維持管理のため、維持管理費用の増大を防ぎ、かつ、事故を減らすための下水管きょ調査のスクリーニングのガイドラインを作成した。

その手法は、①すべての管きょを外観調査によりスクリーニングし、異常個所の絞り込み。②緊急的に調査をすべき箇所の優先順位付け。③管きょについて内部にカメラを入れたりして、詳細調査による点検・調査を実施。それに基づき補修計画、補修実施を行う手法である。

下水処理水再利用処理技術

活性汚泥処理の後段に設置する処理技術

①砂ろ過処理

活性汚泥の沈澱処理水には溶解性BODと浮遊性BODが含まれているが、浮遊性BODはほぼすべて除去されるので、砂ろ過水BODは5 mg/ℓ以下、ほぼ3 mg/ℓ程度になる。浮遊物は取り除かれるが、溶解性有機物による色度は除去されない。したがって、塩素殺菌をして、工業用水、ビル等のトイレ用水等に使用できる。

②砂ろ過＋オゾン処理

浮遊性BOD以外に溶解性有機物の一部がオゾンにより、酸化変質し色度が除去される。しかし、溶解性有機物の分子が小さくなり、BODが増加することもある。したがって用途としては上記以外に修景水として利用される。

③砂ろ過＋オゾン処理＋活性炭処理

②の処理で小さくなった有機物分子は活性炭に吸着されやすくなり、BODと色度の両方の値が小さくなる。BODは1～2 mg/ℓ。したがって、かなりの範囲の工業用水、ビルの清掃用水、修景水、公園の庭木への散水等に使われる。

活性汚泥法反応タンクの省エネルギー対策

①メンブレン式散気装置

従来の散気装置に比べて、発生する気泡径が小さいことから、酸素移動効率が高くなり、反応タンクへの送風量が少なくて済み、省エネとなる。

②磁気浮上式単段ブロワ

軸を浮上させることで、軸受けでの摩擦損失を無くし、また、インバータによる高速回転に対応できる電動機を使用することで、増速歯車を無くし、機械損失を無くしている。これにより、送風機の電気容量を小さくすることができ、省エネとなる。

③反応タンクの入り口、出口にアンモニアセンサを設置し、連続でアンモニア濃度を測定し、その差で供給空気量をコントロールする。送風量が削減でき、その結果消費電気量も減少し、省エネとなる。

流域別下水道整備総合計画

水質環境基準を達成させるために、公共の水域または海域ごとに下水道の整備に関して定める総合的な基本計画をいう。

(1) 流域の水環境管理において留意すべき現状と課題

①下水道は整備されて普及率は77％に達している。二都府県にまたがる水域については流域下水道総合計画によって実施されているが、いまだに窒素、リンが環境基準に達していない流域もある。窒素、リンの除去に関しては高度処理が必要であるが、その資金は流域にまたがる各自治体が協力して提供することが必要である。

②将来の人口減少

③水利用（水道水、工業用水、農業用水）の見通し

④水産業の見通し

⑤観光業の見通し

⑥土地利用の見通し

(2) 計画を策定するための手順

①汚濁負荷量の推定（工業、農業、水産業、観光業、家庭）

②各水域の汚濁の解析

③各水域の汚濁負荷削減計画の策定

④前項に基づき下水道の処理水質の設定

⑤下水道整備計画の策定

(3) 計画を策定する際に留意すべき課題への対応策

①窒素、リンに関しては高度処理設備の設置が必要である。

②人口減少に関しては将来計画で更新時に設備の小型化等が必要である。

③水利用等に関しても、将来予測に基づく供給量の策定が必要である。

雨水滞水池

1) 雨水滞水池とは合流式下水道において、雨天時の初期雨水や雨水吐き室、ポンプ場からの溢流水、あるいは遮集雨水の一部を貯留または沈澱放流し、貯留した雨天時合流式下水を降雨終了後、原則として処理施設等に送水して処理を行うことにより、排水区または処理区全体から排出される雨天時放流負荷量の削減を図る施設である。雨水滞水池の設置によって合流式下水道越流水を流出させないことで、水質汚濁や環境汚染を防ぐ機能がある。

2) 雨水滞水池の計画時留意点

①排水区域は200 ha未満の流域に設置すること。

②雨水滞水池には箱型と管きょ型があり、都市の規模、地形等により、最適なものを選定する。

③計画降雨の確率年は5～10年を原則とする。

④降雨強度曲線を作成し、流入ハイドログラフ、流出ハイドログラフから最適な容量を計画する。

⑤底部の勾配は排水や清掃を考慮すること。

⑥必要に応じて防食や臭気対策を考慮すること。

立坑土留め工法

代表的な土留め工法は次のとおり。

1) 親杭横板工法：H型鋼を打込み、掘削に伴い横矢板をH鋼の間に挟み込み土留めを行う。比較的良好な地盤や地下埋設物が輻輳しており、鋼矢板など連続した打込みが不可能な場所に適している。

2) 鋼矢板工法：土留工の中で一番多く採用されており、軟弱地盤や地下水位の高い地盤に適している。止水性が良く、水や土砂の流入を防ぐので、周辺の地盤変動を最小限に抑えることができる。鋼矢板は繰り返し使用できるため経済的である。

3) ライナープレート工法：波板鉄板とリングを使用し、波板を土留板とし、リングでこれを支えながら順次掘削し、立坑を築造する。立坑には円形と小判型があり、一般的には発進用立坑には小判型、到達抗には円形が使用される。大型の機械設備を不要とし、人力による掘削で施工でき、狭い路地での作業や地下埋設物の移設が不可能な場所での施工が可能である。

ステップ流入式多段硝化脱窒素法

1) 概要

ステップ流入式多段硝化脱窒素法は、完全混合型の無酸素タンクと好気タンクの組み合わせたユニットを2～3段直列に配置したものである。流入水または最初沈澱池処理水を、それぞれの無酸素タンクに均等にステップ流入させる。各段におけるMLSSあたりの負荷を均等にさせ、高い窒素除去率が得られる生物学的な窒素除去法である。窒素除去率は理論上2段型で67%、3段型で78%である。

2) 設計上の留意点

①事前に窒素の収支を検討し、硝化対象の窒素量および硝化・脱窒にあずかる窒素除去率を算出する。

②多段化の段数は必要な窒素除去率を満足するように設定するが、段数が多くなると機器点数が多くなる等のマイナス要因が増えるため、段数は2段または3段とすること。

③反応タンク流入水は分配槽等であらかじめ等分配した下水を各段の無酸素タンクに流入させる。

④各段の好気タンクのMLSSあたりの有機物負荷はほぼ等しいため、各段のエアレーション装置の酸素供給能力は同一とすること。

⑤内部循環を行う場合はエアリフト循環を標準とする。

嫌気性汚泥消化プロセス導入

既存の下水処理場において、嫌気性汚泥消化プロセス導入の検討に先立ち、下水道施設についての関連計画並びに各年次計画ごとのの想定される状況等を把握する。また、本技術の導入の検討に必要な運転データを収集・整理し、運転状況を把握し、窒素、リンの影響も検討する。

1) 事前に把握する必要がある事項

(1) 関連下水道計画の整理

対象とする下水処理場に係る下水道計画等について把握する。

①上位計画：流域別下水道整備総合計画、都道府県構想等

②基本計画：基本構想、全体計画、事業計画等

③その他の関連計画：長寿命化計画、耐震化計画、バイオマス利活用の計画等

(2) 対象施設の実態調査

本技術の導入に先立ち、対象処理場の計画年次にて想定される各種情報を把握する。

①下水道ならびに下水処理場の基本諸元・条件（処理規模、周辺環境等）

②既存施設・設備の整備状況

③流入下水、放流水、脱水ろ液、総合返流水の水量・水質

④汚泥発生量および性状

⑤水処理および汚泥処理施設の運転管理状況

2) 嫌気性汚泥消化プロセスの導入にあたっての検討事項

①汚泥減量化量の試算、汚泥有効利用の検討：汚泥消化によって減量できる汚泥量と汚泥の有効利用（例えばセメント原料、土壌改良剤等）

②消化ガスの有効利用方法とコスト計算：コスト計算を行い最も効率の良い利用方法（例えばガス発電、消化槽加温用燃料等）を選定する。

③嫌気性汚泥消化タンクからの脱離液の処理方法：嫌気性汚泥消化タンクからの脱離液には、高濃度のアンモニアとリンが含まれる。そのため、水処理施設が標準活性汚泥法の水処理施設（最初沈澱池）へ脱離液を返送することは、一時的に窒素負荷を増大させることになる。したがって、既設水処理施設へ脱離液返送の均等化や放流水のT−N濃度低減などの水質改善方法を検討する必要がある。

3) 導入において留意すべき技術的事項

①消化タンク段数（1段消化と2段消化がある）、消化温度（中温消化、高温消化）、滞留日数等の検討が必要である。

②消化タンク内攪拌方式（機械式、消化ガス攪拌）の検討が必要である。

③消化タンクの形状（円筒型、卵型、亀甲型）の検討が必要である。

④消化タンクの加温に必要なボイラの選定。

下水汚泥の固形燃料化技術

（参照、下水汚泥エネルギー化技術ガイドライン：国土交通省下水道部平成27年3月）

全国の下水道からは固形物として年間224万トンの有機性汚泥が回収されている。従来はこの汚泥は主として投棄・埋立処分がされてきたが、温室効果ガスの削減対策や再生可能エネルギー対策に貢献されることが期待され、バイオマス燃料として見直されてきた。

1) 汚泥炭化技術

①概要

下水汚泥を乾燥後、低酸素下で加熱することにより、水分や吸着ガス

成分、一部ガス化可燃分等が放出された後に炭素が主体となった炭化物が得られる。今日では燃料化に適した低温（約300℃）で炭化する。炭化された下水汚泥は石炭火力発電所における石炭代替燃料として利用されている。発熱量は4,000～4,500 kcal/kgである。

②設備概要

システムは乾燥工程及び炭化工程に大別され、脱水汚泥は乾燥工程で水分除去され、炭化工程において乾燥された汚泥は低酸素状態で熱分解され、乾留・炭化される。

炭化設備は、外熱式ロータリーキルン、内熱式ロータリーキルン及び外熱式スクリューコンベア方式に大別される。

2）汚泥乾燥技術

①概要

従来は下水汚泥を乾燥したものは緑農地等の有効利用を目的としてきたもので、その利用量は少なかった。乾燥汚泥はそのまま、発電所等の燃料として使うことができるが、単独使用では、汚泥中に含まれる、臭気成分や重金属の発散による、環境への障害もある。一般には石炭と混焼し、高温で臭気成分を燃焼除去する。あるいはセメント工場の燃料として使用する。また、汚泥炭化の前の汚泥乾燥設備として使われる。

②装置概要

一般には内部撹拌付きのロータリーキルン型が使われている。650～750℃の熱風が乾燥機内で汚泥と直接接触し、水分を蒸発し、ロータリーキルン内で汚泥は撹拌機の羽で叩かれ粒状になる。排ガスは脱臭炉で再燃焼し、臭気成分を燃焼除去する。

このほかに、気流乾燥機、外熱式ドラム乾燥機等がある。

下水道管の予防保全型維持管理

（参照：下水道事業のストックマネジメントに関するガイドライン：国土交通省2015年3月）

下水道の普及率は、平成26年度末で77.6％（人口普及率）に達し、管きょ総延長約46万km、処理場数は約2,200箇所となっている。下水道ストックは、昭和40年代から平成10年代に集中的に整備され、今後急速に老朽化することが見込まれる。その一方で、本格的な人口減少社会の到来による使用料収入の減少により、地方公共団体の財政状況は逼迫化しており、投資余力が減退の方向にある。以上のことから、下水道施設のライフサイクルコストの低減化や、予防保全型施設管理の導入による安全の確保等、戦略的な維持・修繕及び改築を行い、良質な下水道サービスを持続的に提供することが重要である。

このような管路施設の維持管理の現状にかんがみると、発生対応型維持管理体制から、早急に異常を発見し、事故や苦情を未然に防止する予防保全型維持管理体制へ移行することが重要である。

管路施設はそのほとんどが地下構造物であり、処理区域全域に設置されていること等を踏まえると、常に施設の状況を把握することは、経済的にも技術的にも困難であり、維持管理に当たっては施設情報及び維持管理情報に基づく重点管理といった効率性の追求の観点が求められる。

(1) 事前に点検調査を行う事項

①下水道台帳、管路図等による、管種、管径、経年、道路状況等の調査、住民からの破損、腐食等の情報

②これらに基づく目視、さらにはTVカメラによる管内部調査

(2) 修繕か改築かの選択に関しての業務手順

①管の腐食、上下方向のたるみ、管の破損、管のクラック、管の継手ずれ、浸入水等の検討を行う。

②対策が必要な個所に関しては、緊急性が必要な個所に対しては修繕を行う。緊急性が低い場合は年次計画により改築とする。対策が必要でない箇所は継続使用する。

(3) 改築に当たって布設替えか更生工法の採用かを選定するにあたっての留意事項

①既設管の劣化の状況から更生工事が無理な場合、更生後の流下能力が確保できない場合は布設替えとする。

②現場条件が開削工法が取れない場合および更生工法が総合的な経済性に優れる場合は管更生工法とする。

（参照：下水道長寿命化計画の検討例Ⅳ：国土交通省）

マンホールふたの浮上・飛散の原因と対策

局地的集中豪雨によるふたの浮上、飛散発生のメカニズムは下記の3項目に大別されている。水圧の上昇によるウォーターハンマー、空気圧の上昇によるエアハンマー、空気塊の圧縮・急上昇によって起こる。

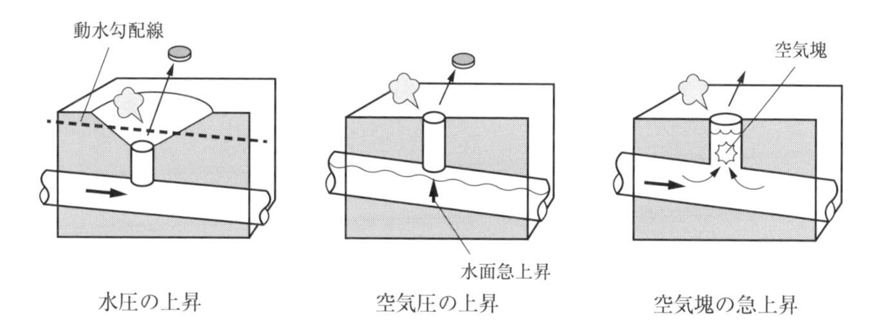

この現象反応は、降雨によって流下下水量が増加し、管きょ内の水位が上昇し、その結果水圧や空気圧の上昇や空気塊の圧縮などによって発生する。このような現象は下水の流下能力が小さくなるところや、管きょ内に空気が溜まって空気の逃げ場のない箇所で発生する。具体的に、急斜面から緩斜面への変化点、埋設深が深い管きょ、口径の大きい管きょ、管きょの落差の大きい箇所、管きょが急に曲がっている箇所、管きょの合流部では設計上の注意が必要である。

下水処理水の消毒方法

下水処理水は放流には消毒して大腸菌群数が3,000個／ml以下にする必要がある。主要な方法として3つ挙げる。

	次亜塩素酸ナトリウム液注入法	オゾン注入法	紫外線照射法
技術概要	次亜塩素酸ナトリウム液を注入する。	オゾンガスを現場で発生させ注入、反応槽で接触させる。	紫外線ランプを設置した槽を通過させ、紫外線照射で消毒する。
構成機器	次亜塩素酸ナトリウム液貯蔵槽、液注入ポンプ、混和設備（接触時間15分以上）、残留塩素計	PSA酸素発生装置、オゾン発生器、オゾン反応槽、廃オゾン装置	紫外線ランプ消毒槽
利点	設備が簡素である。消毒成分が残留する。	消毒効果が高い。	薬剤を使用しないため残留せず水棲生物への影響がない。
欠点	残留性が強く水棲生物への影響が懸念される。	水に溶解しにくいので、深層の反応槽が必要。消費電力が大きい。	水中に濁質があると、光が透過できないため、消毒効果が落ちる。消費電力が大きい。

下水処理場間ネットワーク

自治体内の複数の下水処理場をネットワーク化し、人口減少社会でも維持管理費の増大を防ぎ、老朽化による施設改築の効率化を図る。

①着手時に調査すべき内容

ネットワーク計画の策定のための調査は、汚水・汚泥の融通、汚泥の集約管理、電力、情報ネットワークによる統合管理あるいは資源等を対象として行う。また、ネットワーク計画策定の検討期間は、土木・建築施設の改築時期を考慮し、50年間を基本として行う。

②業務を進める手順

ネットワークの可能性を検討し、ネットワーク案を作成したのち、ネットワークした場合と単独対応した場合について、長期的な視点での経済性や事業効果（再構築、高度処理、危機管理、環境への貢献度等の付加価値）を比較検討することにより総合評価を行う。

③本業務において期待される効果

対象	内　容	平常時における効果	異常時における効果
汚水	汚水を処理施設間で融通する	・処理施設間で流入量のピーク時間が異なる場合は融通によりピーク量を緩和 ・各処理施設の負荷の均等化による安定的な処理の実現 ・処理施設の改築時の能力低下に対する相互補完	・非常時の能力低下の相互補完 ・相互補完により被災処理施設の復旧作業のスピードアップ ・有害下水流入時の貯留等での対応
汚泥	汚泥を処理施設間で融通、あるいは汚泥処理基地に集約する。	・汚泥処理施設の改築の容易化 ・効率的な汚泥処理の実現 ・ネットワーク内小規模施設での汚泥処理負担の軽減 ・集約化による有効利用の可能性の増大	・非常時の機能補完 ・相互補完により被災汚泥処理施設の復旧作業のスピードアップ
電力	処理施設間で電力線を接続し、融通を行う。	受電点の一本化による基本料金および電気使用料金の低減 ・蓄電施設の設置と蓄電融通による契約電力の低減 ・発電施設の共有化による非常用電力の融通	・非常時の停電等の最小化
情報	処理施設間を光ファイバー等で接続し、運転管理データ等の共有を図る。	・運転管理情報の共有化による安定的・効率的な運転の実現 ・遠隔制御の実施による維持管理要員の削減	・地域の非常時情報連絡網としての利用
資源	処理施設間で主として処理水の融通を行い、連絡管周辺での多目的利用を図る。	・人口集中地区での逼迫する水需給の緩和（広域循環型中水道） ・都市環境改善のためのせせらぎ用水供給 ・ヒートアイランド現象の緩和等のための道路散水、洗浄用水の供給	・非常時の消火用水供給 ・非常時避難場所への雑用水供給

出典：下水道処理施設ネットワーク計画策定マニュアル

硝化反応

一般に下水中の窒素は30～40 mg/ℓのアンモニア態であるが、流入下水量が減少したりして、曝気反応槽でのBOD負荷が低下すると硝化菌が増殖し、アンモニア態窒素を硝酸態窒素に変換する。その反応式は次のようになる。

$$NH_4^+ + 2O_2 \rightarrow NO_3^- + H_2O + 2H^+$$

①酸素使用量が多くなる。

②硝酸の生成により反応槽のpHが低下する。

③最終沈澱池で脱窒素反応が起こり、発生した窒素ガスで汚泥が浮上する。

なお、硝化反応を利用した高度処理については251ページ「高度処理」を参照してください。

下水道管きょの維持管理

下水道管きょの維持管理に当たっては、下水道台帳を整備しておき、管路図を基に巡視、点検、調査を行う。

①巡視：管路図を基に、汚水管や雨水管が埋設されている道路を目視し異常のあり、無しを調べる。道路側溝も巡視する。

②点検：道路の陥没や漏水のある近くのマンホールのふたを開け、内部を点検し、土砂の堆積や水の滞水状況を調べる。

③巡視点検により、管路が詰まっている場合は、高圧洗浄等により、管内のごみや土砂を除去する。管路に異常があると判断された場所にはマンホールから人が入り、管路内を点検して管が破損している状況を調べる。人が入れないような枝管にはカメラ付きロボットを投入し、管の破損状況を調査する。場合によっては道路を開削し、管路の異常を調べ、管の補修や取り換えを行う。

下水汚泥の焼却

①目的

下水処理場で発生した脱水ケーキを高熱で焼却し、灰とし、衛生面での安定と、容積を小さくして最終処分場で埋立処分をする。またセメントの材料として資源として再利用される。

②焼却設備の設計上の留意点

イ）供給汚泥量

供給する汚泥量（単一の処理場分か、付近の複数の処理場分を含むか）

ロ）焼却方式

焼却炉には各種方式がある。流動炉、多段炉、階段式ストーカ炉、回転焼却炉などがある。

ハ）排ガス処理設備

排ガス中には塵灰、塩化水素、硫黄酸化物、臭気成分等があり、それらを排ガス基準以下に抑える設備が必要である。

ニ）熱回収

下水汚泥（乾燥状態）には80％近い有機物を含んでおり、燃焼熱を利用し、排熱ボイラから発電をするなど、熱回収が可能である。

終末処理場の改築更新計画

①調査、検討すべき事項

イ）現状の流入水量。流入水質から新たに一日計画最大水量と水質の再設定

ロ）災害、特に地震に備えた設備の補強策

ハ）近い将来における放流先の水質基準

②業務を進める手順

ニ）新一日計画最大水量から水処理設備の運転系列の見直し（増やすか減らすか）を決める。

ホ）建物、土木設備、機械設備の耐震性の調査

ヘ）放流先の水質基準が強化されるのであれば、それに合うような設備の強化が必要になる。例えば脱窒設備、砂ろ過等。

③関係者との調整方法

ト）県、国と事業内容や国庫補助金の調整

チ）県、国と放流先水質の調整

リ）住民への説明と協力要請

エアレーション方式

標準活性汚泥法に使用されるエアレーション方式には次のようなものがある。

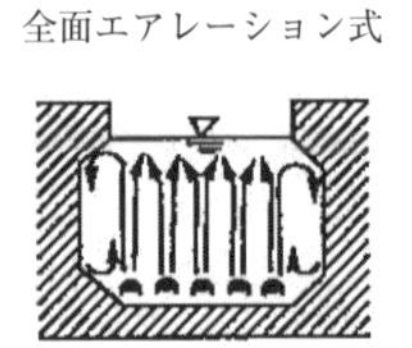

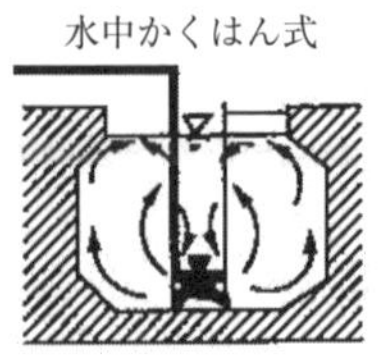

出典：『下水道施設計画・設計指針と解説』

エアレーション方式の種類

①旋回流式

送風機から送られた空気を細かい気泡状にして下水中に吹き込む。気泡は水面に向かって上昇し、このエアリフト効果によって下水を上向きに動かす力が生じる。この上昇流が撹拌及び混合の役目を果たし、同時に活性汚泥微生物への酸素供給が行われる。

旋回流式はタンク底面を平らとし、流れに平行にタンクの片側に散気装置を設置するもので、空気の噴出によって、水流は旋回流になる。

②全面エアレーション式

気孔径の小さい散気板をタンク底面全面に分散して配置するもので、気泡の微細化とタンク内での気泡の分散性を良くし、酸素移動効率を高めた方式である。

③水中撹拌式

送風機から送られてきた空気を水中に設けたタービン羽根で撹拌する方式で、機械撹拌の強いせん断作用によって空気泡を微細化するとともに、強い水流によって気泡を分散させて気液の接触を良くし、酸素移動効率を高める方式である。

生物学的高度処理

水域の富栄養化防止、放流先の環境基準の強化などにより、下水処理場における高度処理が強化されつつある。そのために生物学的に脱リン、脱窒などの高度処理が必要となる。

①脱リン処理（嫌気・好気活性汚泥法）

最終沈澱池からの返送汚泥中の活性汚泥微生物に含まれているポリリン酸は嫌気状態で正リン酸として嫌気タンク中に放出される。このとき混合液中の有機物は微生物の細胞内に摂取される。この有機物は細胞内でグリコーゲン等の基質として貯蔵される。

好気状態では細胞内貯蔵基質は酸化分解されて減少する。好気タンク内で活性汚泥微生物はこのエネルギーを利用して、嫌気状態で放出した正リン酸を取入れポリリン酸として再合成する。活性汚泥は最終沈澱池で分離され返送汚泥になる。このサイクルの繰り返しにより、活性汚泥中のリン含有量は増大する。一般の活性汚泥のリン含有量は0.02～0.03 mgP/gMLSSであるが、本法の活性汚泥のリン含有量は0.025～0.05 mgP/gMLSSになる。

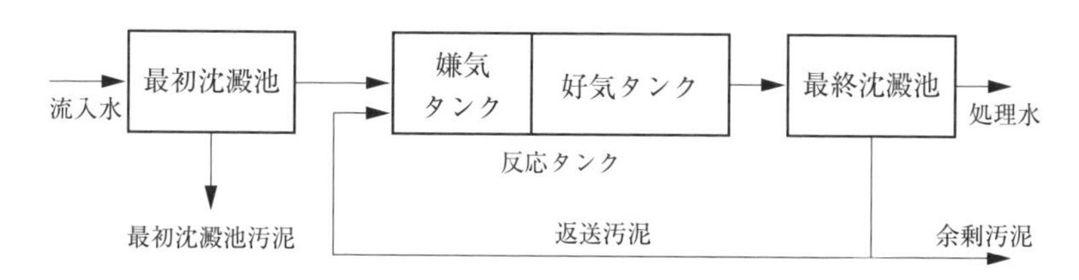

出典：『下水道施設計画・設計指針と解説』

脱リン処理のフロー

②窒素除去（循環式硝化脱窒法）

反応タンクを無酸素（脱窒）タンク、好気（硝化）タンクの順に配し、流入水及び返送汚泥を無酸素タンクに流入させ、続く好気タンクの硝化混合液の一部を無酸素タンクへ循環する処理方式である。好気タンクでは流入するアンモニア性窒素が亜硝酸性、もしくは硝酸性窒素に酸化され、無酸素タンクではこれらの酸化態の窒素が流入水中の有機物を酸化反応することによって窒素ガスに還元される。

また、標準的な都市下水では、脱窒のための水素供与体（メタノールなど）やpH調整用のアルカリ剤（水酸化ナトリウムなど）の添加は必要ないが、流入水の水質（畜産廃水、食品工場廃水など）によってはこれらを考慮する必要がある。

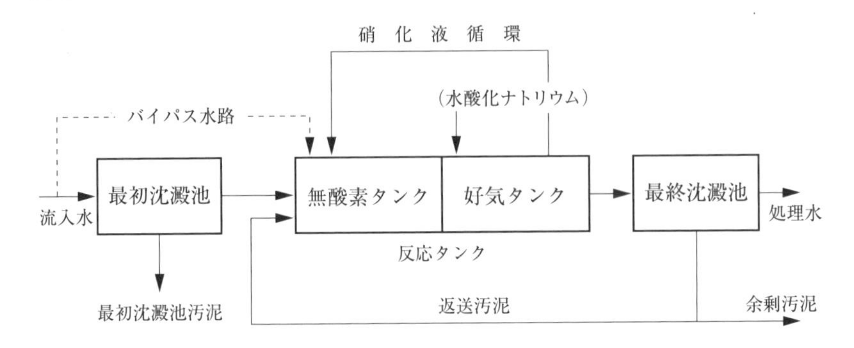

出典：『下水道施設計画・設計指針と解説』

循環式硝化脱窒法のフロー

標準的な都市下水の場合、流入水（最初沈澱池流出水）に対し、全窒素除去率は年平均で60～70%が期待できると同時にBOD、SSについても標準的活性汚泥と比較して除去率が上回る。

③窒素、リン同時除去（嫌気・無酸素・好気法）

本法に利用されるリン除去プロセスは嫌気・好気活性汚泥法であり、窒素除去プロセスは循環式硝化脱窒法である。反応タンクを嫌気タンク、無酸素（脱窒）タンク、好気（硝化）タンクの順に配置し、流入水と返送汚泥を嫌気タンクに流入させ、一方好気タンク混合液を無酸素タンクへ循環するプロセスである。

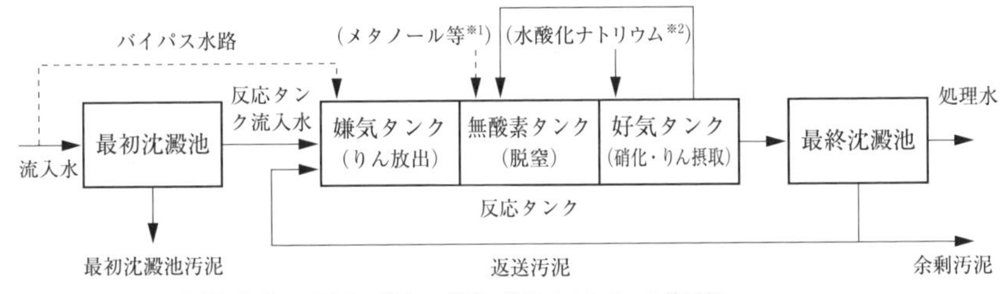

※1　流入水中の水素供与体が不足する場合、必要に応じてメタノール等添加
※2　硝化の促進等により反応タンク内の pH が低下した場合、必要に応じて水酸化ナトリウム等添加

出典：『下水道施設計画・設計指針と解説』

嫌気無酸素好気法のフロー

標準的な都市下水の場合、最初沈澱池流出水に対する全窒素除去率は60～70%、全リン除去率は70～80%が期待できる。

なお、雨天時には流入水のBODが低くなり、リン除去性能が低下する傾向があるので、放流水のリン濃度を低く保つため、PACなどの凝集剤注入が必要な場合もある。

下水処理におけるICT（Information and Communication Technology）

国土交通省はICTの活用により下水道事業の質・効率性の向上や情報の見える化を行い、下水道事業の「持続」と「進化」を実践し、その取組みを「i-Gesuido」として推進するとしている。

「i-Gesuido」の推進に当たっては、ICTを活用して効率的な事業実施が可能な4本の柱を中心に施策を展開し、より効率的な下水道事業とすることを目指す。

4本の柱とは次のとおりである。

①BIM／CIM：3次元モデルを活用した設計・施工。維持管理の効率化

3次元モデルの導入による業務の効率化（例：地下配管図の立体化モデル）

②ストックマネジメント：施設管理の効率化

下水管きょの点検等維持管理技術の開発、効率的な維持管理データの活用

③水処理革命：運転管理の効率化、処理水質の安定化

処理場等の集中管理、高度な運転管理の自動化、流入水質のデータ化（例：活性汚泥処理にアンモニアセンサーやDO計を用いた送風機の自動コントロール等）

④雨水管理スマート化：IoTやビッグデータによる浸水対策

管路内水位の見える化、リスク管理の発信等

第4章
口頭試験対策

1. 口頭試験の目的

口頭試験までくれば90%程度合格したようなものですが、ここで手を抜いてはいけません。90%合格と言いましたが、裏を返せば口頭試験で10～15%の人が毎年不合格となっています。不合格となれば、来年また筆記試験を1日かけて受けなければなりません。そのようなことにならないために、口頭試験まできたのですからバッチリと決めてしまいましょう。

口頭試験の目的は、受験者の経歴や技術力の確認と技術士としての資質を備えているかどうか、すなわち技術士として本当にふさわしいかどうかを確認するための試験です。

技術士とは、科学技術に関する高度な知識と専門的応用能力をもち、専門家として高い職業倫理観を備えている技術者であるので、試験官は受験者に質問をしながら、それにふさわしい人物であるかについて採点をしていきます。

技術士受験申込み案内には、次の記載があります。

『技術士としての適格性を判定することに主眼をおき、筆記試験における記述式問題の答案及び業務経歴を踏まえ実施するものとし、次の内容について試問します。

試問内容については、「技術士に求められる資質能力（コンピテンシー）」に基づく以下を試問します。

なお、業務経歴等の内容を確認することがありますが、試問の意図を考え簡潔明瞭にご回答ください。』

試問事項と合格決定基準は、表4.1.1となっています。

表4.1.1　口頭試験　総合技術監理部門を除く技術部門

試問事項		配点	合否決定基準	試問時間
技術士としての実務能力	①コミュニケーション、リーダーシップ	30点	60%以上の得点	20分 （10分程度延長の場合もあり）
	②評価、マネジメント	30点	60%以上の得点	
技術士としての適格性	③技術者倫理	20点	60%以上の得点	
	④継続研さん	20点	60%以上の得点	

口頭試験の試問時間は、総合技術監理部門を除く技術部門では20分（10分程度の延長の場合もあり）となっています。

口頭試験では、「技術士に求められる資質能力（コンピテンシー）」（令和5年1月25日改訂）のうち、コミュニケーション、リーダーシップ、評価、マネジメント、技術者倫理、継続研さんについて試問が行われます。

また、試験委員からの質問は、どの項目についての試問であるかの説明はありません。

なお、合格決定基準は表4.1.1のように①コミュニケーション、リーダーシップ、②評価、マネジメント、③技術者倫理、④継続研さんで配点は違いますが、それぞれの項目で60％以上の得点が必要となります。

2. 技術士としての実務能力

技術士としての実務能力としては、①コミュニケーション、リーダーシップ（表4.1.2参照）、②評価、マネジメント（表4.1.3参照）についての試問が行われます。

表4.1.2　技術士としての実務能力①

コミュニケーション	・業務履行上、情報技術を活用し、口頭や文書等の方法を通じて、雇用者、上司や同僚、クライアントやユーザー等多様な関係者との間で、明確かつ包摂的な意思疎通を図り、協働すること。 ・海外における業務に携わる際は、一定の語学力による業務上必要な意思疎通に加え、現地の社会的文化的多様性を理解し関係者との間で可能な限り協調すること。
リーダーシップ	・業務遂行にあたり、明確なデザインと現場感覚を持ち、多様な関係者の利害等を調整し取りまとめることに努めること。 ・海外における業務に携わる際は、多様な価値観や能力を有する現地関係者とともに、プロジェクト等の事業や業務の遂行に努めること。

表4.1.3　技術士としての実務能力②

評価	・業務遂行上の各段階における結果、最終的に得られる成果やその波及効果を評価し、次段階や別の業務の改善に資すること。
マネジメント	・業務の計画・実行・検証・是正（変更）等の過程において、品質、コスト、納期及び生産性とリスク対応に関する要求事項、又は成果物（製品、システム、施設、プロジェクト、サービス等）に係る要求事項の特性（必要性、機能性、技術的実現性、安全性、経済性等）を満たすことを目的として、人員・設備・金銭・情報等の資源を配分すること。

コミュニケーションとは、クライアント、雇用者、上司、同僚、部下に対して、業務を遂行するために、自分の考えや意見等を相互に伝え合うことです。また、このような試験において、文章やプレゼンテーションで的確に考え方等が伝えられる能力です。

リーダーシップとは、明確な業務遂行プランと現場感覚を持って、多様な関係者の調整をして業務を進めることです。

評価は、当該業務を評価して次の業務につなげるために行うもので、①業務の各段階における結果、②成果や波及効果について評価を行います。

マネジメントとは、品質、コスト、納期等の目標を達成するため、人・モノ・金・情報を適切に配分することです。

以上のコンピテンシーについて、次のような試問がされると考えます。

①『業務経歴について1分程度で説明してください』

最近の口頭試験では業務経歴について、このパターンで説明を求められることが多くなりました。時間が1分と短いので、提出した業務経歴書どおりに上から順番に説明していては時間が不足します。自分がどのような業務を行い、その業務の中でどのように成長してきたのかを簡潔に説明する必要があります。

②『業務内容の詳細について1分程度で説明してください』

業務内容の詳細についても、同様にこのパターンで説明を求められることがあります。1分程度で説明できるように、次のように整理しておくと、試験官にとってわかりやすい説明となります。

・業務概要
・私の立場と役割
・業務の課題
・課題の解決策
・現時点での評価

ここでは、単に業務内容を述べるだけでなく、技術的課題に対して、課題を整理分析して論理的に解決できる能力があることを試験官にアピールする必要があります。

また、このような質問には、だらだらと答えるのではなく、与えられた時間を有効に使って、筋道を立てて、わかりやすく説明することが求められます。わかりやすく説明するには、あらかじめ箇条書きにしてまとめておくとよいでしょう。

業務概要が技術士としてふさわしいと評価してもらえるかどうかが鍵となります。ポイントとしては、課題解決に至った経緯、考え方等を整理しておくとよいでしょう。

③『今までの業務の中で、コミュニケーションの事例を説明してください』

上司や同僚、部下、クライアントに対して、口頭や文書等のやりとりを通じて、明確かつ効果的な意思疎通をしていることを説明すればよいでしょう。できるだけ具体的に、だれに対して、どのような状況で、どのような方法で意思疎通を図ったかを説明する必要があります。

④『今までの業務の中で、リーダーシップを発揮した事例を教えてください』

明確な目標設定と現場感覚を持って、色々な関係者の利害等を調整し、まとめていったことの説明が必要です。具体的に、どのような目標に向かって、どのような関係者がいて、それぞれの利害をどのように調整したかの説明を行います。

⑤『今までの業務の中で、評価の事例を説明してください』

自分が挙げた業務について、業務遂行上の各段階における結果、最終的に得られる成果やその波及効果を評価して、課題として整理しておく必要があります。なお、その課題については、次回どのように対応するかまで考慮しておく必要があります。

⑥『業務の中でマネジメントを行った事例を教えてください』

業務の過程に関する要求事項、または成果品に係る要求事項の特性を満たすことを目的として、人員・設備・金銭・情報等の資源をどのように配分したかの説明が必要です。やはりここでも具体的に、どのようなことで、どのように考えて資源配分をしたかの説明を行います。

⑦『技術士はどのような目的で受験されたのでしょうか』

責任ある立場で公共工事を計画する上で、必要な資格であることと、自己研さんやスキルアップのためといった内容がよいと思います。

人から言われてというよりも、自分の意思で受験したと言ったほうがよいです。「会社からそろそろ受けろと言われて」とか「上司に受験を勧められて」などの回答では、積極性がないと思われたり、本当に技術士となりたいのかと判断されます。

責任ある立場や社会信用性を得るために必要であり、自分の自己研さんのために受験をしたことをPRすることが大切です。

⑧『技術士になったらどのようなことをしたいですか』

管理技術者などの責任ある立場や、重要プロジェクトに関わる機会が増えるため、技術を通した社会貢献ができるようになるといった内容がよいと思います。

つまり、技術士となると職務上の責任が重くなり、高度な技術的判断を求められる機会も増えるため、技術を通した社会的責任も重くなってきます。

⑨『今まで行ってきた業務の失敗事例と、その事例をどのように今の業務に活用しているかをお話しください

これについても、下記のように整理しておくとよいでしょう。

a．業務概要

b．私の立場と役割

c．業務の課題

d．失敗例

e．失敗した原因

f．失敗がどのように生かされているか

失敗には、かならず原因があるはずなのでその原因究明をしてその後その失敗をどのように生かしているのかが重要です。

⑩『組織内でのあなたの役割はどのようなものですか』

この質問は、専門的な技術が生かせるような職務についているかどうかの確認のための質問です。つまり、すでに組織内で隠居して技術を生かせるポジションにいないとか、単に資格目当てに受験しているかどうかの確認のための質問です。

⑪『問題解決能力・課題遂行能力問題で、○○の対策について記載されていますが、その対策を行うに当たっての留意点について説明してください』

筆記試験が終了したら、どのように解答したかの要点を箇条書きでまとめておき、それに関連した事項も調べておく必要があります。

また、『○○についての、課題と対応策において、記載された対応策は△△の問題があると思いますが、それについてはどのように考えているのでしょうか』のように、筆記試験のときに記載した内容について、説明不足や不十分な解答と考えられる場合は、筆記試験が終わった後に完璧な解答となるよう十分にフォローしておくことが大切です。

なお、次のような質問についても回答を用意しておくとよいでしょう。

・コミュニケーションで、心がけていることと具体的事例を述べてください。
・顧客、ステークホルダーとのコミュニケーションはどのようにしていますか。
・若い人たちとのコミュニケーションで意識していることはどのようなことでしょうか。
・リーダーシップ、コミュニケーションでうまくいかなかった点と、今後の対策について述べてください。
・今までの業務でリーダーシップを発揮する際に考慮したことはどのようなことでしょうか。
・利害関係調整を行った事例について説明してください。
・自分の業務を評価して改善に資したことを述べてみてください。
・この業務を現時点でどのように評価して、今後どのように生かしたいと考えていますか。
・マネジメントで心がけていることの具体的な事例をあげてみてください。
・マネジメントの成功事例と失敗事例をあげてみてください。

試験官から指定がない場合は、業務経歴、業務内容の詳細どちらから答えても構いません。自分が回答しやすい方で、回答を用意しておきましょう。

想定問答は、より多く準備しておきましょう。多く準備することで、心に余裕ができ、本番の口頭試験でも対応が楽になります。

3. 技術士としての適格性

(1) 技術者倫理

技術者倫理の技術士に求められる資質能力（コンピテンシー）と技術士倫理綱領の関係は表4.1.4のようになります。

表4.1.4 技術士に求められる資質能力と技術士倫理綱領の関係

要約	技術者倫理として技術士に求められる内容	技術士倫理綱領	筆記試験	口頭試験
公衆優先原則、地球環境の保全、倫理的行動	業務遂行にあたり、公衆の安全、健康及び福利を最優先に考慮したうえで、社会、経済及び環境に対する影響を予見し、地球環境の保全等、次世代にわたる社会の持続可能な成果の達成を目指し、技術士としての使命、社会的地位及び職責を自覚し、倫理的に行動すること。	安全・健康・福利の優先 持続可能な社会の実現 信用の保持	◎	◎
法令遵守	業務履行上、関係法令等の制度が求めている事項を遵守し、文化的価値を尊重すること。	法令等の遵守		◎
責任範囲の明確化、決定の責任を負う	業務履行上行う決定に際して、自らの業務及び責任の範囲を明確にし、これらの責任を負うこと。	有能性の重視		◎

最近は試問されることは少なくなったのですが、万全を期すためにも下記の技術士法は暗記することをお勧めします。

●技術士法

技術士における倫理事項として、技術士法の遵守が求められているため、次の技術士法の条項について、覚えておく必要があります。

（目的）

第一条　この法律は、技術士等の資格を定め、その業務の適正を図り、もって科学技術の向上と国民経済の発展に資することを目的とする。

（定義）

第二条　この法律において「技術士」とは、第三十二条第一項の登録を受け、技術士の名称を用いて、科学技術（人文科学のみに係るものを除く。以下同じ。）に関する高等の専門的応用能力を必要とする事項についての計画、研究、設計、分析、試験、評価又はこれらに関する指導の業務（他の法律においてその業務を行うことが制限されている業務を除く。）を行う者をいう。

第四章　技術士等の義務

（信用失墜行為の禁止）

第四十四条　技術士又は技術士補は、技術士若しくは技術士補の信用を傷つけ、又は技術士及び技術士補全体の不名誉となるような行為をしてはならない。

（技術士等の秘密保持義務）

第四十五条　技術士又は技術士補は、正当の理由がなく、その業務に関して知り得た秘密を漏らし、又は盗用してはならない。技術士又は技術士補でなくなった後においても、同様とする。

（技術士等の公益確保の責務）

第四十五条の二　技術士又は技術士補は、その業務を行うに当たっては、公共の安全、環境の保全その他の公益を害することのないよう努めなければならない。

（技術士の名称表示の場合の義務）

第四十六条　技術士は、その業務に関して技術士の名称を表示するときは、その登録を受けた技術部門を明示してするものとし、登録を受けていない技術部門を表示してはならない。

（技術士の資質向上の責務）

第四十七条の二　技術士は、常に、その業務に関して有する知識及び技能の水準を向上させ、その他その資質の向上を図るよう努めなければならない。

●技術士等の義務に違反したときの制裁

第三十六条

２　文部科学大臣は、技術士又は技術士補が次章（＝第四章　技術士等の義務）の規定に違反した場合には、その登録を取り消し、又は二年以内の期間を定めて技術士若しくは技術士補の名称の使用の停止を命ずることができる。

第八章　罰　則

第五十九条　第四十五条の規定（＝秘密保持義務）に違反した者は、一年以下の懲役又は五十万円以下の罰金に処する。

2 前項の罪は、告訴がなければ公訴を提起することができない。

●技術士倫理綱領

前述のように、技術士に求められる資質能力（コンピテンシー）の技術者倫理の内容は、技術士倫理綱領を抜粋したものといえます。

技術士倫理綱領は、付録1をご覧ください。

口頭試験の試問に対して、この技術士倫理綱領の条文に照らし合わせて回答できる場合がありますので、十分内容を読み込んで、自分なりの考えをもつことが重要になると考えます。

●最近の倫理事例

実際の試問として、受験者自身の業務での倫理に関する対応事例と、技術者倫理に関する知識を求められることが多くなっています。

過去1年程度で、技術者が関係して倫理的に問題となった事例について、その内容についての理解と何が倫理的に問題となり、その問題に対して自分なりの考えをまとめておくことが必要です。

技術者倫理について、次のような試問がされると考えます。

①『技術士法においては、技術者倫理に関するどのような規定が設けられていますか』

簡単に回答するのであれば、下記のように3義務2責務の項目だけも良いです。

3義務とは、信用失墜行為の禁止、秘密保持義務、名称表示の場合の義務です。

2責務とは、公益確保の責務、資質向上の責務です。

それぞれの内容について、問われた場合は、前述の条文を回答する必要がありますがそこまでは要求されないと思います。

3義務と2責務の項目は完全に暗記しましょう。

②『3義務2責務の中で一番大切と思うものは何でしょうか？』

すべて大切ですが、相反関係になった場合は、優先すべきは公益の確保だと思います。

その理由は、公衆優先原則だからです。また、公益通報者保護法でも一定条件を満たせば公益通報してよいとなっております。つまり、一定条件を満たせば公益確保を守秘義務より優先させてもいいことが法的に定められているのです。

③『技術士法第45条の二「公益確保の責務」における公益とはどのような意味でしょうか』

公益とは、公衆の利害関係または利益を指し、自己あるいは顧客や組織の利益だけでなく、社会的利益を指します。技術士法では公共の安全、環境の保全などが挙げられており、これは、自らの属する組織のみではなく社会全体への義務を果たすように求めています。

なお、公衆とは、技術者が行う業務に、自由な、またはよく知られた上での同意を与えることができる立場ではなくて、その結果に影響される人々をいいます。

つまり公衆とは、ある程度の無知、無力、および受動性という特性をもつものとされます。

④『技術士法第46条で、技術士の名称を表示する場合に、技術部門を明示するとされているのはなぜでしょうか』

自分の専門業務の範囲を明確に示すために、自らの専門分野を明示する必要があります。

⑤『近年、技術者の倫理が強調されるようになったのは、なぜでしょうか？』

負の効果の抑止には、科学技術を利用する業務に従事する技術者が、積極的、自立的に関わることが大切であると考えられるようになったためです。

⑥技術士倫理はなぜ重要視されていますか？（必要性）

・科学技術の危害を抑制するため

・公衆を災害から守る。

・公衆の福利を推進する。

なお、次のような質問についても回答を用意しておくとよいでしょう。

・技術者倫理を、どのように業務に生かしているか説明してください。
・技術者倫理の中で、特に何を重要視して業務をしているか説明してください。
・技術者倫理として、相反事例をどのように対応したのか説明してください。
・公益確保を、どのように行っているのか説明してください。

(2) 継続研さん

技術士に求められる資質能力（コンピテンシー）のうち、継続研さんは表4.1.5のように示されています。

表4.1.5　技術士としての適格性

継続研さん	・CPD活動を行い、コンピテンシーを維持・向上させ、新しい技術とともに絶えず変化し続ける仕事の性質に適応する能力を高めること。

CPDとは、Continuing Professional Developmentの略で、継続研さん、継続学習、継続教育、自己研さんなどを意味します。

技術士CPDは、技術士個人の専門家としての業務に関して有する知識及び技術の水準を向上させ、資質の向上に資するものです。

技術業務は、新たな知見や技術を取り入れ、常に高い水準とすべきであることはいうまでもなく、継続的に技術能力を開発し、これが証明されることは、技術者の能力証明としても意義があるものとなっています。

平成12年の技術士法改正により、技術士法第47条の二に「技術士の資質向上の責務」として「技術士は、常に、その業務に関して有する知識及び技能の水準を向上させ、その他その資質の向上を図るよう努めなければならない。」が追加されました。これによって、技術士の資質向上を図るためのCPDは、法律で責務と位置づけられました。

このようなCPDを進めるため、公益社団法人日本技術士会では、「技術士CPD（継続研さん）ガイドライン」第3版（平成29年4月）を発行しています。その中で、技術士CPDの目的として次のような視点を重視して、継続研さんに努めることが求められるとなっています。

①技術者倫理の徹底

現代の高度技術社会においては、技術者の職業倫理は重要な要素である。技術士は倫理に照らして行動し、その関与する技術の利用が公益を害することのないように努めなければならない。

②科学技術の進歩への関与

技術士は、絶え間なく進歩する科学技術に常に関心を持ち、新しい技術の習得、応用を通じ、社会経済の発展、安全・福祉の向上に貢献できるよう、その能力の維持向上に努めなければならない。

③社会環境変化への対応

技術士は、社会の環境変化、国際的な動向、並びにそれらによる技術者に対する要請の変化に目を配り、柔軟に対応できるようにしなければならない。

④技術者としての判断力の向上

技術士は、経験の蓄積に応じ視野を広げ、業務の遂行にあたり的確な判断ができるよう判断力、マネジメント力、コミュニケーション力の向上に努めなければならない。

継続研さんについて、次のような試問がされると考えます。

①『技術士とはどのようなものをいうのでしょうか』

技術士の定義（技術士法第2条）：技術士の登録を受け、技術士の名称を用いて、科学技術に関する高等の専門的応用能力を必要とする事項についての計画、研究、設計、分析、試験、評価又はこれらに関する指導の業務を行う者をいう。

この技術士の定義は、完全に暗記しましょう。

技術士法の目的（技術士法第1条）：この法律は、技術士等の資格を定め、その業務の適正を図り、もって科学技術の向上と国民経済の発展に資することを目的とする。

技術士は名称独占資格であり、技術士が独占しているのは、仕事をするうえで「技術士の名称を用いる」ことだけです。これに対して、医師や弁護士などは業務独占資格と言って、その資格を持っていない人は、その業務をやってはいけません。

②『技術士に相当する海外の技術者資格にはどのようなものがありますか』

アメリカ：プロフェッショナルエンジニア（P.E.）

イギリス：チャータードエンジニア（C.E.）

韓国：技術士

マレーシア：プロフェッショナルエンジニア（P.E.）

インドネシア：プロフェッショナルエンジニア（P.E.）

シンガポール：プロフェッショナルエンジニア（P.E.）

オーストラリア：チャータードプロフェッショナルエンジニア（CPEng.）

カナダ：プロフェッショナルエンジニア（P.E.）

③『技術者資格の相互承認とはどのようなものでしょうか』

技術者の能力について、実質的同等性を認めて、技術者が国境を越えて業務を提供する枠組みのことをいいます。

APECエンジニア制度

IPEA国際エンジニア

欧州の「ヨーロッパ技術者（Eur Ing）」

④『部下の指導はどのようなことをしていますか』

部下の指導は、業務遂行上の指導として、OJTにより行っています。しかしながら、OJTだけでは体系的な知識の取得が困難ですので、社内で順番を決めてOFF−JTによる教育訓練を受けさせています。自己啓発については、個人が主体的に将来を考えて行う教育訓練ですが、その大切さを理解してもらうように指導をしています。

OJT（On−the−Job Training）：上司や先輩などの指導の下で、職場で働きながら行われる教育訓練

OFF−JT（Off−the−Job Training）：職場から離れ、外部の教室などで行われる教育訓練

自己啓発：通信教育を受けることや留学するなど、個人が主体的に能力開発を行う教育訓練。

⑤『継続研さん（CPD）の実施方法にはどのようなものがありますか』

・研修会、講習会への参加
・論文の発表
・企業内研修及びOJT
・技術指導
・産業界における技術指導
・その他
　政府機関等の認定する公的な技術資格の取得
　政府機関等の審議会等の委員、学協会の役員、委員への就任
　大学、研究機関等における研究開発、技術開発業務への参加

⑥『技術士制度はなぜ必要なのでしょうか』

技術者は、社会の一員として、自己の携わる業務が社会に及ぼす影響の大きさを十分認識しなければならない。そして、このように専門職意識が高く、十分な数の技術士を社会に提供して、公衆の安全、健康、福利に貢献する制度として技術士制度の意義がある。

これにより、「優秀な技術者の育成」及び「技術者の能力保証」を確保することも目的とされている。

⑦『社会の中で、技術士制度はどのように活用されていますか』

我が国の公共工事においては、その設計や工事監理の分野において多くの技術士が活用されており、公共工事の品質の向上が図られている。

なお、次のような質問についても回答を用意しておくとよいでしょう。

・CPDはどのようなシステムでしょうか。これまでどのように取り組んできたでしょうか。
・継続研さんはどのように取り組んでいますか。
・技術士になったら、どのような継続研さんを考えていますか。
・環境問題の取組みについてお話ください。
・社会動向はどのように学ぶのでしょうか。

4. 一般的な注意事項

(1) 面接試験準備

①実務経験証明書に詳細に記載した業務についてのプレゼンテーション準備

前述のように、業務概要、私の立場と役割、業務の課題、課題の解決策、現時点での評価の順でプレゼンテーションができるように準備しましょう。また、プレゼンテーションについては、時間の制約がありますから、3分、5分でプレゼンテーションを行う場合の内容について確認しておきましょう。

②筆記試験の問題の解答について、どのようなことを書いたか確認しておきましょう。また、その解答に不十分なところや誤りがある場合は、フォローできるように事前に準備しておきましょう。

③面接での想定問題など繰り返し練習しておきましょう。

(2) 宿舎の手配

面接は、12月頭から1月にかけて行われますので、地方から来る方は、早めに宿の手配をしたほうがよいと思います。また、できるだけ会場に近い宿か、交通の便が良い宿がよいでしょう。慣れない土地での、乗り物の遅れがでた場合でも、遅刻しないように早めに面接会場に着くようにしましょう。遅刻をすると、理由はともあれ失格となってしまいます。

(3) 服装について

ダークスーツに地味なネクタイが一般的と思います。

また、コートやカバンについても、派手なものは避けたほうが無難です。服装や持ち物の採点があるわけではありませんが、試験官に服装などで悪い印象をもたれないようにしたほうがよいでしょう。第一印象は、とても大切です。基本的には、顧客に会うときと同じ服装がよいでしょう。

まれに、作業着は悪いのかと言われる方もおられますが、理屈ではなく、ダークスーツとネクタイで面接を乗り切りましょう。

(4) 試験当日

①遅刻は厳禁

遅刻をすると面接そのものが受けられなくなる可能性があります。遅刻の原因には、交通機関の遅れや道に迷ったなどさまざまな原因が考えられますが、どのような原因であっても、その理由を認めてはくれないと思います。

地方から来る人は、できれば前日にホテルから会場までのルートと時間の確認をしておいたほうがよいでしょう。

当日は、面接予定時間の1時間前までに着くことを目標とすれば、トラブルがあっても対処できるでしょう。

②試験会場

試験会場の待合室で受付をします。

あとは、受付で渡された案内に従い、指定された時間になったら、待合室から試験室前の椅子に移動して、着席して前に面接している人が終わるのを待ちます。

前に面接を受けた人が出てきても、中の試験官が呼びにくるまで椅子にすわっています。

中の試験官がドアから出てきて、名前を呼ばれたら中に入ります。

荷物やコートは、手に持って入ります。

試験官から、荷物はそこの椅子の上に置くようにといわれたら、荷物を置きます。

自分の椅子の横に行き、「○○番、△△△△です。よろしくお願いいたします。」と言います（名前は必ずフルネームで言ってください）。

試験官から「お座りください」と言われてから座りましょう。

ここからが、面接試験の始まりです。

椅子に座ったら背筋を伸ばし、質問した試験官の方を見て、ゆっくりとはっきりした声で話しましょう。

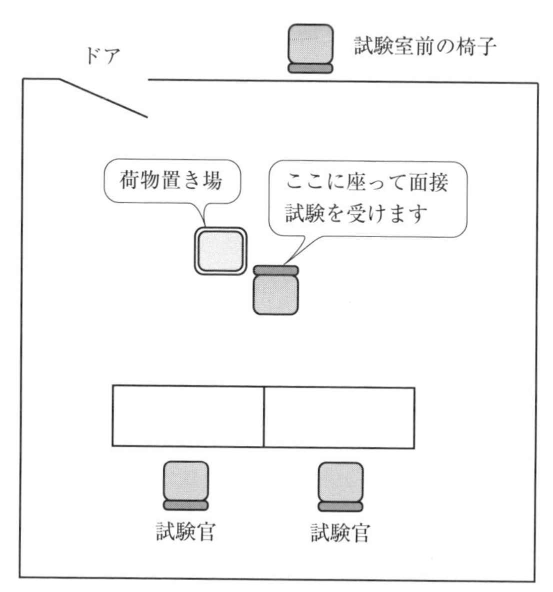

※試験官は３名以上の場合もあります。

斜に構えたり、挑戦的な態度は、よい結果をもたらしません。

あくまでの誠実に誠意のある態度でのぞみましょう。

試験官と議論をしてもなんの得にもなりません。あくまでも試験を受けていることを忘れないでください。

試験官からの質問内容の意味がよくわからないときや、どちらでも取れるときは、勝手に試験官からの質問を決めてしまわないで、「今の質問は、○○についてということでよいのでしょうか」など質問内容を確認することが大切です。

また、どうしても答えられない質問があった場合は、いい加減なことを言ったり、黙り込んだりせず、また、単に「わかりません。」とだけ答えるのではなく「わかりません。勉強しておきます。」と言いましょう。たった1問に答えられなかったことで、不合格にはしないと思います。

試験官は、次の項目について受験者が、60%以上の回答ができるかどうかの確認をしているのです。

Ⅰ技術士としての実務能力

①コミュニケーション、リーダーシップ

②評価、マネジメント

Ⅱ技術士としての適格性

③技術者倫理

④継続研さん

試験時間は、20分となっていますが、あっという間に時間は過ぎますので、集中して臨んでください。なお、試験室に時計はありません。20分の時間感覚を身につけることが大切です。

試験官から、終了することが告げられたら、椅子から立ち「ありがとうございました」と一礼して荷物を手に取り退席します。

退席したら、受付に寄る必要はありません。速やかに会場を出るようにしましょう。

会場を出ましたら、覚えているうちに口頭試験の体験談を作成しておくことをお勧めします。もしも、残念な結果となった際の反省資料として利用できます。

5. 重要キーワード

(1) 技術者倫理

法と倫理とモラル

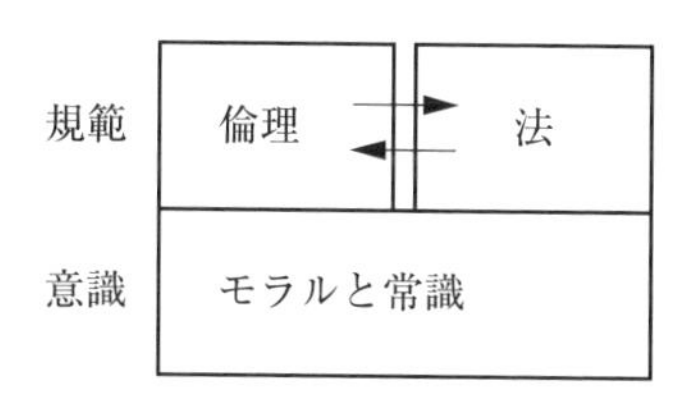

モラルと倫理の関係は、モラルが下に倫理が上にあり、モラル（意識）が倫理を支えている。また、法と倫理の関係は、法だけでは不十分なところを倫理が補い、倫理だけでは不十分なところを法が補うという補完関係にある。

技術者倫理の必要性

①科学技術の危害を抑制する

技術は、人間生活に多くの便益をもたらすが、安全面や環境問題など負の効果も拡大する傾向にある。負の効果の抑止には、科学技術に携わる技術者が積極的・自律的に関わることが大切である。

②公衆を災害から救う

技術者が、自然災害から公衆を救うことに積極的・自律的に関わることにより、技術者に対する社会的評価が高まる。

③公衆の福利を推進する

科学技術を利用する業務を通じて、公衆の福利に寄与することは、技術者の基本的な役割である。

インフォームド・コンセント

よく知らされたうえでの同意。

特に医療行為（手術、投薬、検査）や治療を行う場合に、その内容について説明を受けて理解したうえで方針に合意すること。

「公衆」は、よく知らされたうえでの同意を与える立場にはなく、その結果に影響される人々を指す。

警笛鳴らし

会社が重大な不正を犯していると被用者が考える場合に、その被用者が公表することを言う。本来、警笛鳴らしをする人は、名乗って行うあるいは名乗るまでもなくやっている人の身元がわかる。

警笛鳴らしの正当化の基準の一つは下記の２つの条件を同時に満たすこととなっている。

①関係のない一般の人々に重大な危害が及ぶリスクがある状況

②それを上司に話し、経営者に話し、それでも聞き入れてもらえない場合

内部告発

内部告発とは、組織内の人間が、その組織で行われている不正・違法な行為を、監督官庁や報道機関など外部に知らせることをいう。

利益相反（利害関係の相反）

利益相反とは、一方にとっては利益になるが、他方にとっては不利益になるという意味。

例えば、売買を例に考えてみると、売る人と買う人は対立関係にあるといえる。売値が高ければ、売る人は利益が増え、買う人は損失が増えるといった対立である。

オープン・ドア方針

組織内の風通しを良くするために、経営者と被用者の両方に信頼される窓口を設けて、被用者の申し出を希望により匿名でも受け付ける。これは、「警笛鳴らし」のような深刻な事態に至るのを避けるために行うものである。

功利主義

最大多数の人々に最大幸福をもたらすことを理想とする倫理である。

黄金律

自分がいやだと思うことは人にもするなという判断基準である。

(2) 技術士法

CPD（継続研さん）

技術者が実務についてからの継続的な専門能力開発のことをいう。

具体的な実施方法としては、

①講習会、研修会への参加　②論文等の発表　③講習会、研修会の講師
④技術指導　⑤技術資格の取得　⑥政府機関等の審議会の委員、役員
⑦国際機関等への技術協力

技術者資格の国際相互承認

経済活動のグローバリゼーションなどに伴い、技術者能力の実質的同等性を相互に認め、技術者が国境を越えて活躍できる機会を促進しようとする枠組みである。

APECエンジニア

APECエンジニアの制度は、参加エコノミーが共通に定めた登録要件を満たす技術者について、APEC域内に共通の称号を与えることによって、これらの技術者の国際的な活躍を支援することを目的としたものである。

IPEA国際エンジニア

経験を積んだ技術者の国際的な活動を促進することを目的として、国際エンジニア協定に加盟している各エコノミー（地域）の技術者団体は、加盟エコノミー間で合意された一定の技術者を、各国において国際エンジニア登録簿に登録を行うこととしている。

エコノミー

APECには、多種多様な国と地域が参加しているため、APECメンバーの国・地域を指す場合に「エコノミー」と呼んでいる。(例えば台湾など)

アカウンタビリティ（説明責任）

信頼関係を確認しながらの情報開示をすること。

技術士等の義務に違反した場合の制裁

第三十六条

2　文部科学大臣は、技術士又は技術士補が次章（第四章）の規定に違反した場合には、その登録を取り消し、又は二年以内の期間を定めて技術士若しくは技術士補の名称の使用の停止を命ずることができる。

第五十九条：第四十五条の規定（秘密保持義務）に違反したものは、一年以下の懲役又は五十万円以下の罰金に処する。

2　前項の罪は、告訴がなければ公訴を提起することができない。

付　　録

付　録 1　技術士倫理綱領

昭和36年3月14日　理事会制定
平成11年3月 9日　理事会変更承認
平成23年3月17日　理事会変更承認
2023年3月 8日　理事会変更承認

【前文】

技術士は、科学技術の利用が社会や環境に重大な影響を与えることを十分に認識し、業務の履行を通して安全で持続可能な社会の実現など、公益の確保に貢献する。

技術士は、広く信頼を得てその使命を全うするため、本倫理綱領を遵守し、品位の向上と技術の研鑽に努め、多角的・国際的な視点に立ちつつ、公正・誠実を旨として自律的に行動する。

【本文】

（安全・健康・福利の優先）

1. 技術士は、公衆の安全、健康及び福利を最優先する。
   (1) 技術士は、業務において、公衆の安全、健康及び福利を守ることを最優先に対処する。
   (2) 技術士は、業務の履行が公衆の安全、健康や福利を損なう可能性がある場合には、適切にリスクを評価し、履行の妥当性を客観的に検証する。
   (3) 技術士は、業務の履行により公衆の安全、健康や福利が損なわれると判断した場合には、関係者に代替案を提案し、適切な解決を図る。

（持続可能な社会の実現）

2. 技術士は、地球環境の保全等、将来世代にわたって持続可能な社会の実現に貢献する。
   (1) 技術士は、持続可能な社会の実現に向けて解決すべき環境・経済・社会の諸課題に積極的に取り組む。
   (2) 技術士は、業務の履行が環境・経済・社会に与える負の影響を可能な限り低減する。

（信用の保持）

3. 技術士は、品位の向上、信用の保持に努め、専門職にふさわしく行動する。

(1) 技術士は、技術士全体の信用や名誉を傷つけることのないよう、自覚して行動する。

(2) 技術士は、業務において、欺瞞的、恣意的な行為をしない。

(3) 技術士は、利害関係者との間で契約に基づく報酬以外の利益を授受しない。

（有能性の重視）

4. 技術士は、自分や協業者の力量が及ぶ範囲で確信の持てる業務に携わる。

(1) 技術士は、その名称を表示するときは、登録を受けた技術部門を明示する。

(2) 技術士は、いかなる業務でも、事前に必要な調査、学習、研究を行う。

(3) 技術士は、業務の履行に必要な場合、適切な力量を有する他の技術士や専門家の助力・協業を求める。

（真実性の確保）

5. 技術士は、報告、説明又は発表を、客観的で事実に基づいた情報を用いて行う。

(1) 技術士は、雇用者又は依頼者に対して、業務の実施内容・結果を的確に説明する。

(2) 技術士は、論文、報告書、発表等で成果を報告する際に、捏造・改ざん・盗用や誇張した表現等をしない。

(3) 技術士は、技術的な問題の議論に際し、専門的な見識の範囲で適切に意見を表明する。

（公正かつ誠実な履行）

6. 技術士は、公正な分析と判断に基づき、託された業務を誠実に履行する。

(1) 技術士は、履行している業務の目的、実施計画、進捗、想定される結果等について、適宜説明するとともに応分の責任をもつ。

(2) 技術士は、業務の履行に当たり、法令はもとより、契約事項、組織内規則を遵守する。

(3) 技術士は、業務の履行において予想される利益相反の事態については、回避に努めるとともに、関係者にその情報を開示、説明する。

（秘密情報の保護）

7. 技術士は、業務上知り得た秘密情報を適切に管理し、定められた範囲でのみ使用する。

(1) 技術士は、業務上知り得た秘密情報を、漏洩や改ざん等が生じないよう、適切に管理する。

(2) 技術士は、これらの秘密情報を法令及び契約に定められた範囲でのみ使用し、正当な理由なく開示又は転用しない。

（法令等の遵守）

8. 技術士は、業務に関わる国・地域の法令等を遵守し、文化を尊重する。

(1) 技術士は、業務に関わる国・地域の法令や各種基準・規格、及び国際条約や議定書、国際規格等を遵守する。

(2) 技術士は、業務に関わる国・地域の社会慣行、生活様式、宗教等の文化を尊重する。

（相互の尊重）

9. 技術士は、業務上の関係者と相互に信頼し、相手の立場を尊重して協力する。

(1) 技術士は、共に働く者の安全、健康及び人権を守り、多様性を尊重する。

(2) 技術士は、公正かつ自由な競争の維持に努める。

(3) 技術士は、他の技術士又は技術者の名誉を傷つけ、業務上の権利を侵害したり、業務を妨げたりしない。

（継続研鑽と人材育成）

10. 技術士は、専門分野の力量及び技術と社会が接する領域の知識を常に高めるとともに、人材育成に努める。

(1) 技術士は、常に新しい情報に接し、専門分野に係る知識、及び資質能力を向上させる。

(2) 技術士は、専門分野以外の領域に対する理解を深め、専門分野の拡張、視野の拡大を図る。

(3) 技術士は、社会に貢献する技術者の育成に努める。

付　録2　技術士法

昭和五十八年四月二十七日法律第二十五号
最終改正　令和四年六月十七日法律第六十八号

技術士法（昭和三十二年法律第百二十四号）の全部を改正する。

第一章　総　則

（目的）

第一条　この法律は、技術士等の資格を定め、その業務の適正を図り、もって科学技術の向上と国民経済の発展に資することを目的とする。

（定義）

第二条　この法律において「技術士」とは、第三十二条第一項の登録を受け、技術士の名称を用いて、科学技術（人文科学のみに係るものを除く。以下同じ。）に関する高等の専門的応用能力を必要とする事項についての計画、研究、設計、分析、試験、評価又はこれらに関する指導の業務（他の法律においてその業務を行うことが制限されている業務を除く。）を行う者をいう。

2　この法律において「技術士補」とは、技術士となるのに必要な技能を修習するため、第三十二条第二項の登録を受け、技術士補の名称を用いて、前項に規定する業務について技術士を補助する者をいう。

（欠格条項）

第三条　次の各号のいずれかに該当する者は、技術士又は技術士補となることができない。

一　心身の故障により技術士又は技術士補の業務を適正に行うことができない者として文部科学省令で定めるもの

二　禁錮以上の刑に処せられ、その執行を終わり、又は執行を受けることがなくなった日から起算して二年を経過しない者

三　公務員で、懲戒免職の処分を受け、その処分を受けた日から起算して二年を経過しない者

四　第五十七条第一項又は第二項の規定に違反して、罰金の刑に処せられ、その執行を終わり、又は執行を受けることがなくなった日から起算して二年を経過しない者

五　第三十六条第一項第二号又は第二項の規定により登録を取り消され、その取消しの日から起算して二年を経過しない者

六　弁理士法（平成十二年法律第四十九号）第三十二条第三号の規定により業務の禁止の処分を受けた者、測量法（昭和二十四年法律第百八十八号）第五十二条第二号の規定により登録を消除された者、建築士法（昭和二十五年法律第二百二号）第十条第一項の規定により免許を取り消された者又は土地家屋調査士法（昭和二十五年法律第二百二十八号）第四十二条第三号の規定により業務の禁止の処分を受けた者で、これらの処分を受けた日から起算して二年を経過しないもの

第二章　技術士試験

（技術士試験の種類）

第四条　技術士試験は、これを分けて第一次試験及び第二次試験とし、文部科学省令で定める技術の部門（以下「技術部門」という。）ごとに行う。

2　第一次試験に合格した者は、技術士補となる資格を有する。

3　第二次試験に合格した者は、技術士となる資格を有する。

（第一次試験）

第五条　第一次試験は、技術士となるのに必要な科学技術全般にわたる基礎的学識及び第四章の規定の遵守に関する適性並びに技術士補となるのに必要な技術部門についての専門的学識を有するかどうかを判定することをもってその目的とする。

2　文部科学省令で定める資格を有する者に対しては、文部科学省令で定めるところにより、第一次試験の一部を免除することができる。

（第二次試験）

第六条　第二次試験は、技術士となるのに必要な技術部門についての専門的学識及び高等の専門的応用能力を有するかどうかを判定することをもってその目的とする。

2　次のいずれかに該当する者は、第二次試験を受けることができる。

一　技術士補として技術士を補助したことがある者で、その補助した期間が文部科学省令で定める期間を超えるもの

二　前号に掲げる者のほか、科学技術に関する専門的応用能力を必要とする事項についての計画、研究、設計、分析、試験、評価又はこれらに関する指導の業務を行う者の監督（文部科学省令で定める要件に該当する内容のものに限る。）の下に当該業務に従事した者で、その従事した期間が文部科学省令で定める期間を超えるもの（技術士補となる資格を有するものに限る。）

三　前二号に掲げる者のほか、前号に規定する業務に従事した者で、その従事した期間が文部科学省令で定める期間を超えるもの（技術士補となる資格を有するものに限る。）

3　既に一定の技術部門について技術士となる資格を有する者であって当該技術部門以外の技術部門につき第二次試験を受けようとするものに対しては、文部科学省令で定めるところにより、第二次試験の一部を免除することができる。

（技術士試験の執行）

第七条　技術士試験は、毎年一回以上、文部科学大臣が行う。

（合格証書）

第八条　技術士試験の第一次試験又は第二次試験（第十条第一項において「各試験」という。）に合格した者には、それぞれ当該試験に合格したことを証する証書を授与する。

（合格の取消し等）

第九条　文部科学大臣は、不正の手段によって技術士試験を受け、又は受けようとした者に対しては、合格の決定を取り消し、又はその試験を受けることを禁止することができる。

2　文部科学大臣は、前項の規定による処分を受けた者に対し、二年以内の期間を定めて技術士試験を受けることができないものとすることができる。

（受験手数料）

第十条　技術士試験の各試験を受けようとする者は、政令で定めるところによ

り、実費を勘案して政令で定める額の受験手数料を国（次条第一項に規定する指定試験機関が同項に規定する試験事務を行う技術士試験の各試験を受けようとする者にあっては、指定試験機関）に納付しなければならない。

2　前項の規定により同項に規定する指定試験機関に納められた受験手数料は、指定試験機関の収入とする。

3　第一項の受験手数料は、これを納付した者が技術士試験を受けない場合においても、返還しない。

（指定試験機関の指定）

第十一条　文部科学大臣は、文部科学省令で定めるところにより、その指定する者（以下「指定試験機関」という。）に、技術士試験の実施に関する事務（以下「試験事務」という。）を行わせることができる。

2　指定試験機関の指定は、文部科学省令で定めるところにより、試験事務を行おうとする者の申請により行う。

3　文部科学大臣は、他に指定を受けた者がなく、かつ、前項の申請が次の要件を満たしていると認めるときでなければ、指定試験機関の指定をしてはならない。

一　職員、設備、試験事務の実施の方法その他の事項についての試験事務の実施に関する計画が、試験事務の適正かつ確実な実施のために適切なものであること。

二　前号の試験事務の実施に関する計画の適正かつ確実な実施に必要な経理的及び技術的な基礎を有するものであること。

4　文部科学大臣は、第二項の申請が次のいずれかに該当するときは、指定試験機関の指定をしてはならない。

一　申請者が、一般社団法人又は一般財団法人以外の者であること。

二　申請者が、その行う試験事務以外の業務により試験事務を公正に実施することができないおそれがあること。

三　申請者が、第二十四条の規定により指定を取り消され、その取消しの日から起算して二年を経過しない者であること。

四　申請者の役員のうちに、次のいずれかに該当する者があること。

イ　この法律に違反して、刑に処せられ、その執行を終わり、又は執行を受けることがなくなった日から起算して二年を経過しない者

ロ　次条第二項の規定による命令により解任され、その解任の日から起算して二年を経過しない者

（指定試験機関の役員の選任及び解任）

第十二条　指定試験機関の役員の選任及び解任は、文部科学大臣の認可を受けなければ、その効力を生じない。

2　文部科学大臣は、指定試験機関の役員が、この法律（この法律に基づく命令又は処分を含む。）若しくは第十四条第一項に規定する試験事務規程に違反する行為をしたとき、又は試験事務に関し著しく不適当な行為をしたときは、指定試験機関に対し、当該役員の解任を命ずることができる。

（事業計画の認可等）

第十三条　指定試験機関は、毎事業年度、事業計画及び収支予算を作成し、当該事業年度の開始前に、文部科学大臣の認可を受けなければならない。これを変更しようとするときも、同様とする。

2　指定試験機関は、毎事業年度の経過後三月以内に、その事業年度の事業報告書及び収支決算書を作成し、文部科学大臣に提出しなければならない。

（試験事務規程）

第十四条　指定試験機関は、試験事務の開始前に、試験事務の実施に関する規程（以下「試験事務規程」という。）を定め、文部科学大臣の認可を受けなければならない。これを変更しようとするときも、同様とする。

2　試験事務規程で定めるべき事項は、文部科学省令で定める。

3　文部科学大臣は、第一項の認可をした試験事務規程が試験事務の適正かつ確実な実施上不適当となったと認めるときは、指定試験機関に対し、試験事務規程の変更を命ずることができる。

（指定試験機関の技術士試験委員）

第十五条　指定試験機関は、技術士試験の問題の作成及び採点を技術士試験委員（次項、第四項及び第五項並びに次条及び第十八条第一項において「試験委員」という。）に行わせなければならない。

2　試験委員は、技術士試験の執行ごとに、文部科学大臣が選定した技術士試験委員候補者のうちから、指定試験機関が選任する。

3　文部科学大臣は、技術士試験の執行ごとに、技術士試験の執行について必要な学識経験のある者のうちから、科学技術・学術審議会の推薦に基づき技術士試験委員候補者を選定する。

4　試験委員の選任及び解任は、文部科学大臣の認可を受けなければ、その効力を生じない。

5　第十二条第二項の規定は、試験委員の解任について準用する。

（不正行為の禁止）

第十六条　試験委員は、技術士試験の問題の作成及び採点について、厳正を保持し不正の行為のないようにしなければならない。

（受験の禁止等）

第十七条　指定試験機関が試験事務を行う場合においては、指定試験機関は、不正の手段によって技術士試験を受けようとした者に対しては、その試験を受けることを禁止することができる。

2　前項に定めるもののほか、指定試験機関が試験事務を行う場合における第九条の規定の適用については、同条第一項中「不正の手段によって技術士試験を受け、又は受けようとした者に対しては、合格の決定を取り消し、又はその試験を受けることを禁止すること」とあるのは「不正の手段によって技術士試験を受けた者に対しては、合格の決定を取り消すこと」と、同条第二項中「前項」とあるのは「前項又は第十七条第一項」とする。

（秘密保持義務等）

第十八条　指定試験機関の役員若しくは職員（試験委員を含む。次項において同じ。）又はこれらの職にあった者は、試験事務に関して知り得た秘密を漏らしてはならない。

2　試験事務に従事する指定試験機関の役員又は職員は、刑法（明治四十年法律第四十五号）その他の罰則の適用については、法令により公務に従事する職員とみなす。

（帳簿の備付け等）

第十九条　指定試験機関は、文部科学省令で定めるところにより、試験事務に関する事項で文部科学省令で定めるものを記載した帳簿を備え、これを保存しなければならない。

（監督命令）

第二十条　文部科学大臣は、この法律を施行するため必要があると認めるときは、指定試験機関に対し、試験事務に関し監督上必要な命令をすることができる。

（報告）

第二十一条　文部科学大臣は、この法律を施行するため必要があると認めるときは、その必要な限度で、文部科学省令で定めるところにより、指定試験機関に対し、報告をさせることができる。

（立入検査）

第二十二条　文部科学大臣は、この法律を施行するため必要があると認めるときは、その必要な限度で、その職員に、指定試験機関の事務所に立ち入り、指定試験機関の帳簿、書類その他必要な物件を検査させ、又は関係者に質問させることができる。

2 前項の規定により立入検査を行う職員は、その身分を示す証明書を携帯し、かつ、関係者の請求があるときは、これを提示しなければならない。

3 第一項に規定する権限は、犯罪捜査のために認められたものと解してはならない。

（試験事務の休廃止）

第二十三条 指定試験機関は、文部科学大臣の許可を受けなければ、試験事務の全部又は一部を休止し、又は廃止してはならない。

（指定の取消し等）

第二十四条 文部科学大臣は、指定試験機関が第十一条第四項各号（第三号を除く。以下この項において同じ。）の一に該当するに至ったときは、その指定を取り消さなければならない。この場合において、同条第四項各号中「申請者」とあるのは、「指定試験機関」とする。

2 文部科学大臣は、指定試験機関が次のいずれかに該当するに至ったときは、その指定を取り消し、又は二年以内の期間を定めて試験事務の全部若しくは一部の停止を命ずることができる。

一 第十一条第三項各号の要件を満たさなくなったと認められるとき。

二 第十二条第二項（第十五条第五項において準用する場合を含む。）、第十四条第三項又は第二十条の規定による命令に違反したとき。

三 第十三条、第十五条第一項若しくは第二項又は前条の規定に違反したとき。

四 第十四条第一項の認可を受けた試験事務規程によらないで試験事務を行ったとき。

五 次条第一項の条件に違反したとき。

（指定等の条件）

第二十五条 この章の規定による指定、認可又は許可には、条件を付し、及びこれを変更することができる。

2 前項の条件は、当該指定、認可又は許可に係る事項の確実な実施を図るため必要な最小限度のものに限り、かつ、当該指定、認可又は許可を受ける者に不当な義務を課することとなるものであってはならない。

（聴聞の方法の特例）

第二十六条 第二十四条の規定による処分に係る聴聞の期日における審理は、公開により行わなければならない。

2 前項の聴聞の主宰者は、行政手続法（平成五年法律第八十八号）第十七条

第一項の規定により当該処分に係る利害関係人が当該聴聞に関する手続に参加することを求めたときは、これを許可しなければならない。

（指定試験機関がした処分等に係る審査請求）

第二十七条　指定試験機関が行う試験事務に係る処分又はその不作為について不服がある者は、文部科学大臣に対し、審査請求をすることができる。この場合において、文部科学大臣は、行政不服審査法（平成二十六年法律第六十八号）第二十五条第二項及び第三項、第四十六条第一項及び第二項、第四十七条並びに第四十九条第三項の規定の適用については、指定試験機関の上級行政庁とみなす。

（文部科学大臣による試験事務の実施等）

第二十八条　文部科学大臣は、指定試験機関の指定をしたときは、試験事務を行わないものとする。

2　文部科学大臣は、指定試験機関が第二十三条の規定による許可を受けて試験事務の全部若しくは一部を休止したとき、第二十四条第二項の規定により指定試験機関に対し試験事務の全部若しくは一部の停止を命じたとき、又は指定試験機関が天災その他の事由により試験事務の全部若しくは一部を実施することが困難となった場合において必要があると認めるときは、試験事務の全部又は一部を自ら行うものとする。

第二十九条　文部科学大臣が自ら試験事務の全部又は一部を行う場合には、技術士試験委員（次項から第五項までにおいて「試験委員」という。）に、技術士試験の問題の作成及び採点を行わせる。

2　試験委員の定数は、政令で定める。

3　試験委員は、技術士試験の執行ごとに、技術士試験の執行について必要な学識経験のある者のうちから、科学技術・学術審議会の推薦に基づき、文部科学大臣が任命する。

4　試験委員は、非常勤とする。

5　第十六条の規定は、試験委員について準用する。

（公示）

第三十条　文部科学大臣は、次の場合には、その旨を官報に公示しなければならない。

一　第十一条第一項の規定による指定をしたとき。

二　第二十三条の規定による許可をしたとき。

三　第二十四条の規定により指定を取り消し、又は試験事務の全部若しくは一部の停止を命じたとき。

四　第二十八条第二項の規定により試験事務の全部若しくは一部を自ら行うこととするとき、又は自ら行っていた試験事務の全部若しくは一部を行わないこととするとき。

（技術士試験の細目等）

第三十一条　この章に定めるもののほか、試験科目、受験手続、試験事務の引継ぎその他技術士試験及び指定試験機関に関し必要な事項は、文部科学省令で定める。

第二章の二　技術士等の資格に関する特例

第三十一条の二　技術士と同等以上の科学技術に関する外国の資格のうち文部科学省令で定めるものを有する者であって、我が国においていずれかの技術部門について我が国の法令に基づき技術士の業務を行うのに必要な相当の知識及び能力を有すると文部科学大臣が認めたものは、第四条第三項の規定にかかわらず、技術士となる資格を有する。

2　大学その他の教育機関における課程であって科学技術に関するもののうちその修了が第一次試験の合格と同等であるものとして文部科学大臣が指定したものを修了した者は、第四条第二項の規定にかかわらず、技術士補となる資格を有する。

第三章　技術士等の登録

（登録）

第三十二条　技術士となる資格を有する者が技術士となるには、技術士登録簿に、氏名、生年月日、事務所の名称及び所在地、合格した第二次試験の技術部門（前条第一項の規定により技術士となる資格を有する者にあっては、同項の規定による認定において文部科学大臣が指定した技術部門）の名称その他文部科学省令で定める事項の登録を受けなければならない。

2　技術士補となる資格を有する者が技術士補となるには、その補助しようとする技術士（合格した第一次試験の技術部門（前条第二項の規定により技術士補となる資格を有する者にあっては、同項の課程に対応するものとして文部科学大臣が指定した技術部門。以下この項において同じ。）と同一の技術部門の登録を受けている技術士に限る。）を定め、技術士補登録簿に、氏名、生年月日、合格した第一次試験の技術部門の名称、その補助しようとする技術士の氏名、当該技術士の事務所の名称及び所在地その他文部科学省令で定める事項の登録を受けなければならない。

3　技術士補が第一項の規定による技術士の登録を受けたときは、技術士補の登録は、その効力を失う。

（技術士登録簿及び技術士補登録簿）

第三十三条　技術士登録簿及び技術士補登録簿は、文部科学省に備える。

（技術士登録証及び技術士補登録証）

第三十四条　文部科学大臣は、技術士又は技術士補の登録をしたときは、申請者にそれぞれ技術士登録証又は技術士補登録証（以下「登録証」と総称する。）を交付する。

2　登録証には、次の事項を記載しなければならない。

一　登録の年月日及び登録番号

二　氏名

三　生年月日

四　登録した技術部門の名称

（登録事項の変更の届出等）

第三十五条　技術士又は技術士補は、登録を受けた事項に変更があったときは、遅滞なく、その旨を文部科学大臣に届け出なければならない。

2　技術士又は技術士補は、前項の規定による届出をする場合において、登録証に記載された事項に変更があったときは、当該届出に登録証を添えて提出し、その訂正を受けなければならない。

（登録の取消し等）

第三十六条　文部科学大臣は、技術士又は技術士補が次のいずれかに該当する場合には、その登録を取り消さなければならない。

一　第三条各号（第五号を除く。）の一に該当するに至った場合

二　虚偽又は不正の事実に基づいて登録を受けた場合

三　第三十一条の二第一項の規定により技術士となる資格を有する者が外国において同項に規定する資格を失った場合

2　文部科学大臣は、技術士又は技術士補が次章の規定に違反した場合には、その登録を取り消し、又は二年以内の期間を定めて技術士若しくは技術士補の名称の使用の停止を命ずることができる。

第三十七条　文部科学大臣は、技術士又は技術士補が虚偽若しくは不正の事実に基づいて登録を受け、又は次章の規定に違反したと思料するときは、職権をもって、必要な調査をすることができる。

2　文部科学大臣は、前条第一項第二号又は第二項の規定による技術士又は技

術士補の登録の取消し又は名称の使用の停止の命令をする場合においては、聴聞又は弁明の機会の付与を行った後、科学技術・学術審議会の意見を聴いてするものとする。

3　文部科学大臣は、第一項の規定により事件について必要な調査をするため、その職員に、次のことを行わせることができる。

一　事件関係人若しくは参考人に出頭を命じて審問し、又はこれらの者から意見若しくは報告を徴すること。

二　鑑定人に出頭を命じて鑑定させること。

三　帳簿、書類その他の物件の所有者に対し、当該物件を提出させること。

4　前項の規定により出頭を命ぜられた参考人又は鑑定人は、政令で定めるところにより、旅費、日当その他の費用を請求することができる。

（登録の消除）

第三十八条　文部科学大臣は、技術士又は技術士補の登録がその効力を失ったときは、その登録を消除しなければならない。

（登録免許税及び登録手数料）

第三十九条　第三十二条第一項の規定により技術士の登録を受けようとする者及び同条第二項の規定により技術士補の登録を受けようとする者は、登録免許税法（昭和四十二年法律第三十五号）の定めるところにより登録免許税を納付しなければならない。

2　第三十二条第一項の規定により技術士の登録を受けようとする者、同条第二項の規定により技術士補の登録を受けようとする者、第三十五条第二項の規定により登録証の訂正を受けようとする者及び登録証の再交付を受けようとする者は、政令で定めるところにより、実費を勘案して政令で定める額の登録手数料を国（次条第一項に規定する指定登録機関が同項に規定する登録事務を行う場合にあっては、指定登録機関）に、それぞれ納付しなければならない。

3　前項（技術士の登録を受けようとする者及び技術士補の登録を受けようとする者に係る部分に限る。）の規定は、文部科学大臣が次条第一項に規定する登録事務を行う場合については、適用しない。

4　第二項の規定により次条第一項に規定する指定登録機関に納められた登録手数料は、指定登録機関の収入とする。

（指定登録機関の指定等）

第四十条　文部科学大臣は、文部科学省令で定めるところにより、その指定する者（以下「指定登録機関」という。）に、技術士及び技術士補の登録の実施に関する事務（以下「登録事務」という。）を行わせることができる。

2　指定登録機関の指定は、文部科学省令で定めるところにより、登録事務を行おうとする者の申請により行う。

第四十一条　指定登録機関が登録事務を行う場合における第三十三条、第三十四条第一項、第三十五条第一項及び第三十八条の規定の適用については、これらの規定中「文部科学省」とあり、及び「文部科学大臣」とあるのは、「指定登録機関」とする。

（準用）

第四十二条　第十一条第三項及び第四項、第十二条から第十四条まで、第十八条から第二十八条まで並びに第三十条の規定は、指定登録機関について準用する。この場合において、これらの規定中「指定試験機関」とあるのは「指定登録機関」と、「試験事務」とあるのは「登録事務」と、「試験事務規程」とあるのは「登録事務規程」と、第十一条第三項中「前項」とあり、及び同条第四項中「第二項」とあるのは「第四十条第二項」と、第十八条第一項中「職員（試験委員を含む。次項において同じ。）」とあるのは「職員」と、第二十四条第二項第二号中「第十二条第二項（第十五条第五項において準用する場合を含む。）」とあるのは「第十二条第二項」と、同項第三号中「、第十五条第一項若しくは第二項又は前条」とあるのは「又は前条」と、第二十五条第一項中「この章」とあるのは「第十二条第一項、第十三条第一項、第十四条第一項、第二十三条又は第四十条第一項」と、第三十条第一号中「第十一条第一項」とあるのは「第四十条第一項」と読み替えるものとする。

（登録の細目等）

第四十三条　この章に定めるもののほか、登録及び登録の消除の手続、登録証の再交付及び返納、登録事務の引継ぎその他技術士及び技術士補の登録並びに指定登録機関に関し必要な事項は、文部科学省令で定める。

第四章　技術士等の義務

（信用失墜行為の禁止）

第四十四条　技術士又は技術士補は、技術士若しくは技術士補の信用を傷つけ、又は技術士及び技術士補全体の不名誉となるような行為をしてはならない。

（技術士等の秘密保持義務）

第四十五条　技術士又は技術士補は、正当の理由がなく、その業務に関して知り得た秘密を漏らし、又は盗用してはならない。技術士又は技術士補でなくなった後においても、同様とする。

（技術士等の公益確保の責務）

第四十五条の二　技術士又は技術士補は、その業務を行うに当たっては、公共の安全、環境の保全その他の公益を害することのないよう努めなければならない。

（技術士の名称表示の場合の義務）

第四十六条　技術士は、その業務に関して技術士の名称を表示するときは、その登録を受けた技術部門を明示してするものとし、登録を受けていない技術部門を表示してはならない。

（技術士補の業務の制限等）

第四十七条　技術士補は、第二条第一項に規定する業務について技術士を補助する場合を除くほか、技術士補の名称を表示して当該業務を行ってはならない。

2　前条の規定は、技術士補がその補助する技術士の業務に関してする技術士補の名称の表示について準用する。

（技術士の資質向上の責務）

第四十七条の二　技術士は、常に、その業務に関して有する知識及び技能の水準を向上させ、その他その資質の向上を図るよう努めなければならない。

第五章　（第四十八条から第五十三条まで）削除

第六章　日本技術士会

（設立）

第五十四条　その名称中に日本技術士会という文字を使用する一般社団法人は、技術士を社員とする旨の定款の定めがあり、かつ、全国の技術士の品位の保持、資質の向上及び業務の進歩改善に資するため、技術士の研修並びに社員の指導及び連絡に関する事務を全国的に行うことを目的とするものに限り、設立することができる。

2　前項に規定する定款の定めは、これを変更することができない。

（成立の届出）

第五十五条　前条の一般社団法人（以下「技術士会」という。）は、成立したときは、成立の日から二週間以内に、登記事項証明書及び定款の写しを添えて、その旨を、文部科学大臣に届け出なければならない。

（技術士会の業務の監督）

第五十五条の二　技術士会の業務は、文部科学大臣の監督に属する。

2　文部科学大臣は、技術士会の業務の適正な実施を確保するため必要があると認めるときは、いつでも、当該業務及び技術士会の財産の状況を検査し、又は技術士会に対し、当該業務に関し監督上必要な命令をすることができる。

第七章　雑　則

（業務に対する報酬）

第五十六条　技術士の業務に対する報酬は、公正かつ妥当なものでなければならない。

（名称の使用の制限）

第五十七条　技術士でない者は、技術士又はこれに類似する名称を使用してはならない。

2　技術士補でない者は、技術士補又はこれに類似する名称を使用してはならない。

（経過措置）

第五十八条　この法律の規定に基づき命令を制定し、又は改廃する場合においては、その命令で、その制定又は改廃に伴い合理的に必要と判断される範囲内において、所要の経過措置（罰則に関する経過措置を含む。）を定めることができる。

第八章　罰　則

第五十九条　第四十五条の規定に違反した者は、一年以下の懲役又は五十万円以下の罰金に処する。

2　前項の罪は、告訴がなければ公訴を提起することができない。

第六十条　第十八条第一項（第四十二条において準用する場合を含む。）の規定に違反した者は、一年以下の懲役又は三十万円以下の罰金に処する。

第六十一条　第二十四条第二項（第四十二条において準用する場合を含む。）の規定による試験事務又は登録事務の停止の命令に違反したときは、その違反行為をした指定試験機関又は指定登録機関の役員又は職員は、一年以下の懲役又は三十万円以下の罰金に処する。

第六十二条　次の各号の一に該当する者は、三十万円以下の罰金に処する。

一　第十六条（第二十九条第五項において準用する場合を含む。）の規定に違反して、不正の採点をした者
二　第三十六条第二項の規定により技術士又は技術士補の名称の使用の停止を命ぜられた者で、当該停止を命ぜられた期間中に、技術士又は技術士補の名称を使用したもの
三　第五十七条第一項又は第二項の規定に違反した者

第六十三条　次の各号の一に該当するときは、その違反行為をした指定試験機関又は指定登録機関の役員又は職員は、二十万円以下の罰金に処する。
一　第十九条（第四十二条において準用する場合を含む。）の規定に違反して帳簿を備えず、帳簿に記載せず、若しくは帳簿に虚偽の記載をし、又は帳簿を保存しなかったとき。
二　第二十一条（第四十二条において準用する場合を含む。）の規定による報告をせず、又は虚偽の報告をしたとき。
三　第二十二条（第四十二条において準用する場合を含む。）の規定による立入り若しくは検査を拒み、妨げ、若しくは忌避し、又は質問に対して陳述をせず、若しくは虚偽の陳述をしたとき。
四　第二十三条（第四十二条において準用する場合を含む。）の許可を受けないで試験事務又は登録事務の全部を廃止したとき。

第六十四条　技術士会の理事、監事又は清算人は、次の各号のいずれかに該当する場合には、五十万円以下の過料に処する。
一　第五十五条の規定に違反して、成立の届出をせず、又は虚偽の届出をしたとき。
二　第五十五条の二第二項の規定による文部科学大臣の検査を拒み、妨げ、若しくは忌避し、又は同項の規定による文部科学大臣の監督上の命令に違反したとき。

付　録3　新水道ビジョン【参考】

（厚生労働省健康局水道課　平成25年4月より）

新水道ビジョンの構成

～ 目次 ～

（旧）水道ビジョンから新水道ビジョンへ

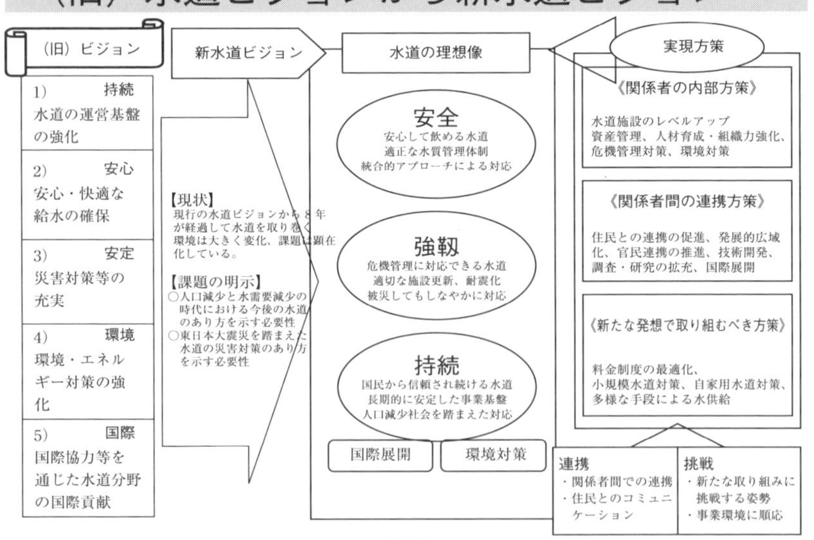

第1章　はじめに

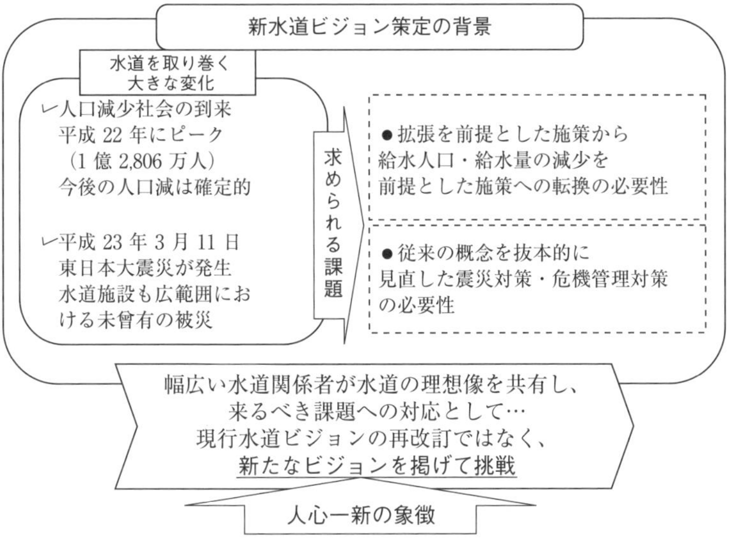

新水道ビジョン策定の背景

水道を取り巻く大きな変化

- 人口減少社会の到来
  平成22年にピーク
  （1億2,806万人）
  今後の人口減は確定的
- 平成23年3月11日
  東日本大震災が発生
  水道施設も広範囲における未曾有の被災

求められる課題

- ●拡張を前提とした施策から給水人口・給水量の減少を前提とした施策への転換の必要性
- ●従来の概念を抜本的に見直した震災対策・危機管理対策の必要性

幅広い水道関係者が水道の理想像を共有し、
来るべき課題への対応として…
現行水道ビジョンの再改訂ではなく、
新たなビジョンを掲げて挑戦

人心一新の象徴

第2章　新水道ビジョンの基本理念

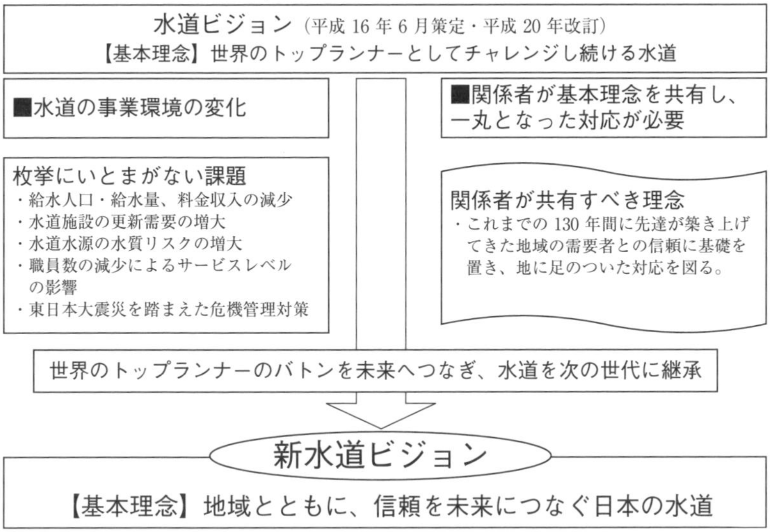

水道ビジョン（平成16年6月策定・平成20年改訂）
【基本理念】世界のトップランナーとしてチャレンジし続ける水道

■水道の事業環境の変化

枚挙にいとまがない課題
- ・給水人口・給水量、料金収入の減少
- ・水道施設の更新需要の増大
- ・水道水源の水質リスクの増大
- ・職員数の減少によるサービスレベルの影響
- ・東日本大震災を踏まえた危機管理対策

■関係者が基本理念を共有し、一丸となった対応が必要

関係者が共有すべき理念
- ・これまでの130年間に先達が築き上げてきた地域の需要者との信頼に基礎を置き、地に足のついた対応を図る。

世界のトップランナーのバトンを未来へつなぎ、水道を次の世代に継承

新水道ビジョン

【基本理念】地域とともに、信頼を未来につなぐ日本の水道

第３章　水道の現状評価と課題

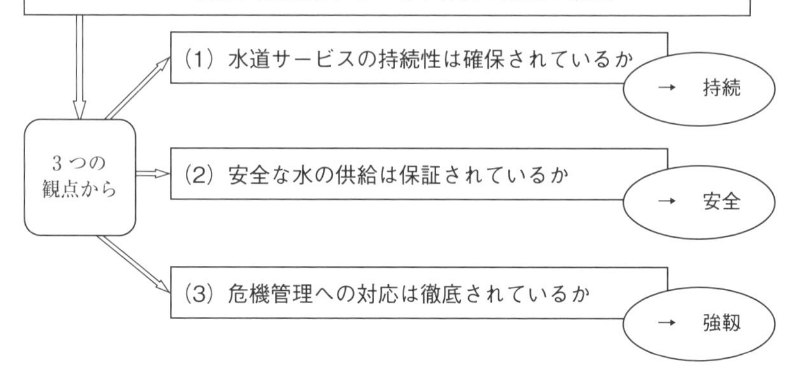

(1) 水道サービスの持続性は確保されているか

①現状評価

- 国民皆水道の実現（水道普及率 97.5% ※1）
- 市町村経営の原則※2 のもと、水道サービスの持続性を確保
- 横断的な組織※3 を中心とする情報共有、各種連携の実施
- 世界に先駆けた技術開発等、水道技術の絶え間ない研鑽・進歩

②課題

- 料金収入の不足・減少による施設更新等の遅れ
- 人員削減・団塊世代の大量退職による職員の不足
- 人員不足に伴う、技術の空洞化、災害時対応力の低下
- 長期的視点に立った人材確保・育成
- 適正な事業規模を勘案した施設計画・財政計画・人材計画
- 広域化等の対策の実施

※1　平成 22 年度末現在
※2　市町村等の地方公共団体が実施する水道事業は、地方公営企業法が適用され、企業会計の原則に基づき行われる。
※3　国・都道府県・関係団体等

第3章　水道の現状評価と課題

(2) 安全な水の供給は保証されているか

①現状評価

- 水道法に基づく水道水質基準の遵守
- 適切な施設整備と水質管理の実施
- 水質の安全性向上の実現
  - ・水系伝染病対策※1
  - ・環境汚染対策※2
  - ・消毒副生成物対策※3
  - ・異臭味対策※4
  - ・おいしい水の供給※5

※1　塩素消毒による病原生物・微生物等の不活化
※2　凝集沈澱、ろ過、活性炭等による重金属・有機物等の除去
※3　塩素注入点の変更、高度浄水処理の導入等によるトリハロメタン等の低減化
※4　高度浄水処理の導入によるかび臭、クロラミン臭の除去

②課題

- 大規模な取水障害や断水を引き起こす可能性のある水源汚染リスクの存在※5、※6
- 水道未普及地域の存在
- 水安全計画策定の進捗の遅れ※7
- 登録検査機関における水質検査の信頼性の低下
- 小規模貯水槽水道や飲用井戸における衛生的な水の確保の必要性
- 給水装置工事業者の資質の確保

※5　平成24年5月に利根川で発生したホルムアルデヒドによる水質汚染事故
※6　水道原水の水質変化により何らかの対応（給水停止又は給水制限、特殊薬品（粉末活性炭等）の使用）を図った水質汚染事故は毎年80件程度発生。
※7　水安全計画の策定率は9%（平成23年度末現在）

(3) 危機管理への対応は徹底されているか

①現状評価

（地震災害）
- 東日本大震災※1における、水道関係団体による応援活動の展開
- 政府の各種方針※2に基づく原子力災害への対応※3

（その他災害等）
- 自然災害等※4への対策の実施
  - ・危機管理マニュアル等の整備
  - ・災害訓練の実施

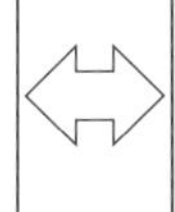

②課題

- 水道事業の耐震化の進捗の遅れ※5
- 広域的な災害時において資機材等を調達を可能とする体制の整備
- 緊急時における生活用水確保のための衛生水準確保の在り方の検討
- 水道事業体の職員が減少している状況で、広域的な水道施設の被災を想定した応援ネットワーク化の推進
- 住民とのコミュニケーション※6の推進による被災時の対応力の強化
- 多様な災害等事象に対処する危機管理能力

※1　地震・津波・液状化による管路、構造物、設備の破損、津波による水源の塩水化による長期的かつ広範囲に亘る断水が発生した。
※2　政府の原子力災害対策本部から示された方針、放射性物質汚染対処特別措置法等。
※3　水道水中の放射性物質の管理目標値や浄水発生土の処分基準等の提示。
※4　地震以外の自然現象として、小雨による渇水の発生、台風やゲリラ豪雨による風水害の発生件数が近年増加しており、その他、テロ等による人為的被害も危機管理上、考慮する必要がある。
※5　基幹管路の耐震化適合率32.6%、浄水施設の耐震化率19.7%、配水池の耐震化率41.3%（平成23年度末時点）
※6　災害時に発生する断水等の可能性、その他事業環境の理解を得られるよう、情報を共有すること。

第４章　将来の事業環境

(1) 外部環境の変化

①人口減少
②施設効率の低下
③水源の汚染
④利水の安定性低下

- 人口及び給水量の減少に伴う料金収入の減少※1
- 給水量の減少による保有施設の過大化
- 水道水源の水質の変化※2
- 少雨化や降水量の変動による利水安全度の低下
- ゲリラ豪雨による浄水処理障害の多発

※1　我が国の人口は、2060年に8,600万人と推計されており、現状から3割程度の減少となる。
※2　水道原水中の未規制化学物質の存在、耐塩素性病原微生物による汚染のほか、都市部の人口集積、水源地域における汚染物質の水源河川への流入等

(2) 内部環境の変化

①施設の老朽化
②資金の確保
③職員数の減少

- 高度経済成長期に布設された管路等の経年劣化の進行
- 料金収入の減少による財政状況の悪化
- 団塊世代職員の大量退職、現役職員の合理化による技術継承の途絶

第５章　取り組みの目指すべき方向性

水道の理想像

■時代や環境の変化に対して的確に対応しつつ、水質基準に適合した水が、必要な量、いつでも、どこでも、誰でも、合理的な対価をもって、持続的に受け取ることが可能な水道

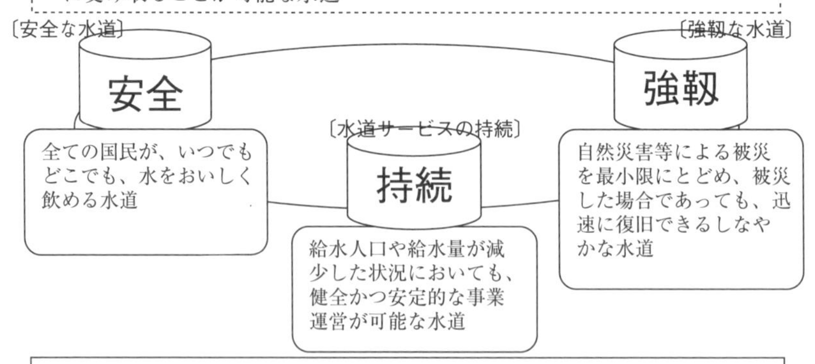

50年後、100年後を見据えた水道の理想像を提示し、関係者間で認識を共有

第６章　方策の推進要素

「挑戦」と「連携」を方策の主要な推進要素と位置付け、
水道の理想像の具現化に取り組む

〔想定される困難な課題〕

- 給水人口減少による料金収入の減少
- 水道施設の更新需要の増大
- 職員数の減少によるサービスレベルへの影響
- 東日本大震災を踏まえた危機管理対策
- 水道水源の水質の変化への対応

「挑戦」する
意識・姿勢

関係者間の
「連携」

困難な環境・状況を克服
水道の理想像の具現化

第７章　重点的な実現方策

水道関係者によって「挑戦」「連携」をもって取り組むべき方策
（3つの種別に分類し、15項目に区分）

1　関係者の内部方策

(1) 水道施設のレベルアップ（強／(持)）※
(2) 資産管理の活用（持）
(3) 人材育成・組織力強化（強／(持)）
(4) 危機管理対策（強／安）
(5) 環境対策（持）

3　新たな発想で取り組むべき方策

(1) 料金制度の最適化（持）
(2) 小規模水道（簡易水道事業・飲料水供給施設）対策（安／(持)）
(3) 小規模自家用水道等対策（安／(持)）
(4) 多様な手法による水供給（持／(強)）

強靱　安全　持続

2　関係者間の連携方策

(1) 住民との連携（コミュニケーション）の促進（持／安／強）
(2) 発展的広域化（持／強）
(3) 官民連携の推進（持）
(4) 技術開発、調査・研究の拡充（安／持）
(5) 国際展開（持）
(6) 水源環境の保全（持）

※目指すべき方向性のうち、どれに最も合致するかを示す。（　）書きは、やや合致するものを示す。
「安」は安全、「強」は強靱、「持」は持続をそれぞれ示す。

第８章　関係者の役割分担

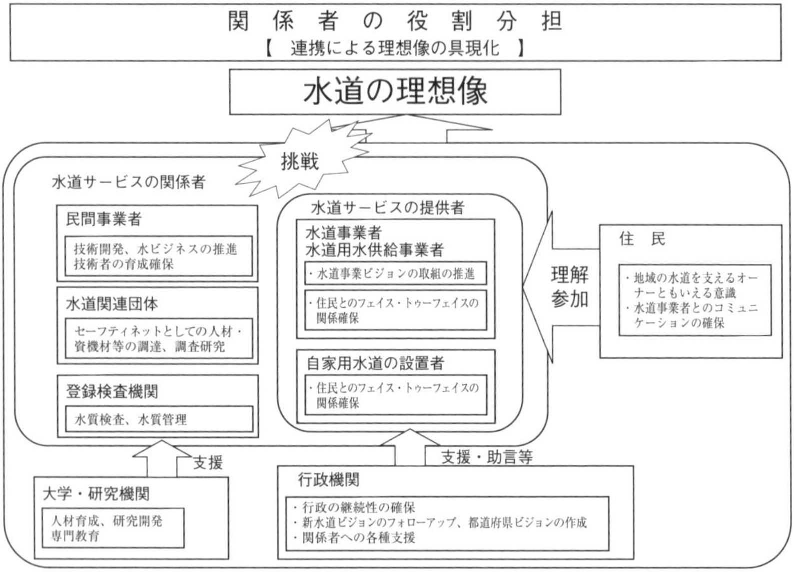

関係者の役割分担
【 連携による理想像の具現化 】

水道の理想像

挑戦

水道サービスの関係者

民間事業者
技術開発、水ビジネスの推進
技術者の育成確保

水道関連団体
セーフティネットとしての人材・資機材等の調達、調査研究

登録検査機関
水質検査、水質管理

水道サービスの提供者

水道事業者
水道用水供給事業者
・水道事業ビジョンの取組の推進
・住民とのフェイス・トゥーフェイスの関係確保

自家用水道の設置者
・住民とのフェイス・トゥーフェイスの関係確保

理解
参加

住　民
・地域の水道を支えるオーナーともいえる意識
・水道事業者とのコミュニケーションの確保

支援

大学・研究機関
人材育成、研究開発
専門教育

支援・助言等

行政機関
・行政の継続性の確保
・新水道ビジョンのフォローアップ、都道府県ビジョンの作成
・関係者への各種支援

【新水道ビジョン】　…　厚生労働省

・関係者が共有する基本理念【信頼を未来につなぐ日本の水道】を提示。
・最終的には 50 年から 100 年後を見据えた水道の理想像が具現化。
・取り組みの目指すべき方向性を提示。
・重点的な実現方策を定め、役割分担を明示。

「地域水道ビジョン作成の手引き」は、適切な時期に見直す方向。

【都道府県水道ビジョン】　…　都道府県
・個々の水道事業者では乗り越えられない課題解決の先導役となる役割が求められる。
・水道事業の財政問題、技術基盤、人材確保など諸問題への対応。
・流域単位で、水源保全、水質監視、渇水対策など諸問題への対応。

リーダシップ

広域的な事業間調整
（水道事業の広域化）

流域単位の連携推進
（流域の水源保全）

【水道事業ビジョン】　…　水道事業者・水道用水供給事業者
・地域の中核的な水道事業者と中小規模水道事業者は、それぞれの理想像に向けての方策のプロセスが異なると考えられる。
・水道用水供給事業は、水道事業と異なり、受水水道事業者との給水実態に適合した事業規模の設定や効率的な施設運用の検討が必要になる。
・水道事業者等のそれぞれの役割に応じたビジョンを作成。

第9章　フォローアップ

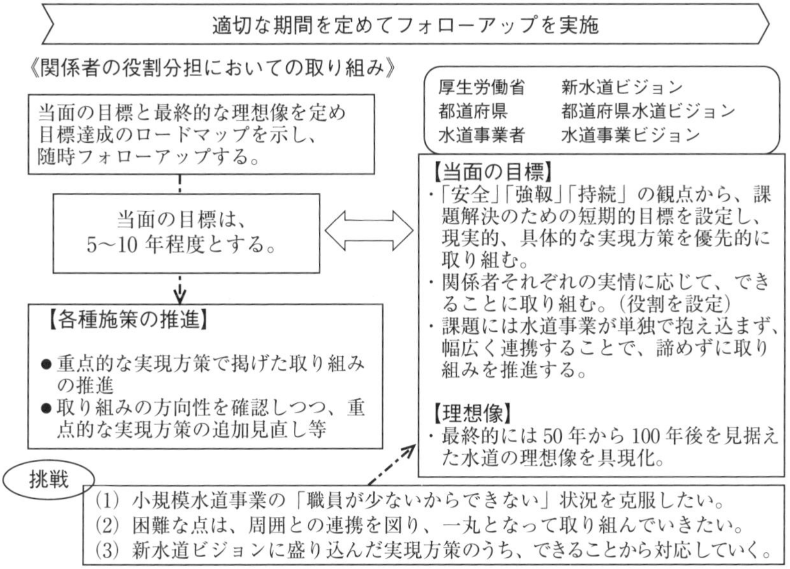

適切な期間を定めてフォローアップを実施

《関係者の役割分担においての取り組み》

当面の目標と最終的な理想像を定め
目標達成のロードマップを示し、
随時フォローアップする。

当面の目標は、
5～10年程度とする。

【各種施策の推進】

- 重点的な実現方策で掲げた取り組みの推進
- 取り組みの方向性を確認しつつ、重点的な実現方策の追加見直し等

厚生労働省	新水道ビジョン
都道府県	都道府県水道ビジョン
水道事業者	水道事業ビジョン

【当面の目標】

- 「安全」「強靱」「持続」の観点から、課題解決のための短期的目標を設定し、現実的、具体的な実現方策を優先的に取り組む。
- 関係者それぞれの実情に応じて、できることに取り組む。(役割を設定)
- 課題には水道事業が単独で抱え込まず、幅広く連携することで、諦めずに取り組みを推進する。

【理想像】

- 最終的には50年から100年後を見据えた水道の理想像を具現化。

挑戦

(1) 小規模水道事業の「職員が少ないからできない」状況を克服したい。
(2) 困難な点は、周囲との連携を図り、一丸となって取り組んでいきたい。
(3) 新水道ビジョンに盛り込んだ実現方策のうち、できることから対応していく。

付　録4　新下水道ビジョン（骨子）
～「循環のみち」の持続と進化～

（国土交通省下水道政策研究委員会　平成26年7月より）

新下水道ビジョン目次

はじめに

現行ビジョンについて

○「下水道ビジョン 2100（H17.9 月）」は、「循環のみち」を基本コンセプトとし、「排除・処理」から「活用・再生」への変換を図るため、「水のみち」、「資源のみち」、「施設再生」の実現を提示。
○ビジョンの実現に向けた 10 年間の取組として、「下水道中期ビジョン」（H19.6 月）を取りまとめ。

社会経済情勢等の変化

○ビジョン策定から約 9 年が経過し、社会資本や経済、行財政に対する視点が大きく変化。
　少子高齢化の進行／東日本大震災の発生／大規模災害発生リスクの増大／エネルギーの逼迫／インフラ朽化に伴うインフラメンテナンスの推進／国・地方公共団体等における行財政の逼迫／成長戦略へのシフト／海外における水インフラ需要の急増
○下水道事業においても、整備促進から管理運営の時代に軸が移っていくなか、施設の朽化や運営体制の脆弱化など事業執行上の制約が増大している一方、PPP / PFI 等の事業手法の多様化や ICT の急速な進展などのイノベーションが進行。
○平成 25 年 12 月、「強くしなやかな国民生活の実現を図るための防災・減災等に資する国土強靱化基本法」が、平成 26 年 3 月には、「水循環基本法」、「雨水の利用の推進に関する法律」が制定。

新下水道ビジョンの策定

○「新下水道ビジョン」は主に、「下水道の使命と長期ビジョン」と今後 10 年程度の目標及び具体的な施策を示した「中期計画」で構成。
○長期ビジョンとして、『「循環のみち下水道」の成熟化』を図るための『「循環のみち下水道」の持続』と『「循環のみち下水道」の進化』を位置づけ。
○地方公共団体においては、財政、人材等の制約の中、経営の観点も踏まえ、まずは適切な汚水・雨水管理を持続的に実施することを基本とし、地域の状況、特性、ニーズ等に応じて、必要とする施策を選択し、優先順位を付けて実行することが望まれる。
○地方公共団体、公的機関、民間企業、大学・研究機関、国、国民等、幅広い各主体が、新下水道ビジョンに示された下水道の使命を共有し、それぞれが果たすべき役割を着実に実行されることが求められる。

（参考）
ビジョンを実現させていくためには、苗木が大木へと「成長」するのみならず、幼生がさなぎを経て蝶へと「変態」していくかのごとく、下水道も時代の要請に応じて、下水道の役割をも変えていくことが必要。

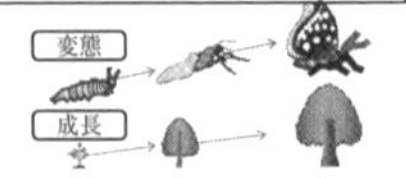

【第１章】新下水道ビジョン策定の背景と目的

国民生活や経済活動を支える下水道

- 水は生命の源であり、絶えず地球上を循環しながら、人々の生活を支え、潤いを与えるとともに、産業や文化の発展の礎になる、他に代わりを求めることのできない極めて重要な資源である。
- この貴重な水の循環の一端を支えているのが下水道。
- 下水道は、水の循環をとおして、人々の衛生的で快適な生活環境を支え、河川、湖沼、海洋等の水環境を水質汚濁等から守っている。さらに、都市等に降った雨水を速やかに排除し又は貯留することにより、人々の生命・財産を浸水被害から守っている。

迫り来る危機

- 今日の下水道は、「人」、「モノ」、「カネ」の面での制約（例えば、「ベテランの大量退職と体制縮小」「施設の朽化」「投資縮小」など）が時間の経過とともに、静かに、しかし確実にその深刻度を増しており、その持続可能性の危機を迎えている。
- この状況を見過ごせば、いつの日か事業の継続は困難となり、下水道システムに基本的には有効な代替手段はないため、汚水の溢水や水道水源の汚染等による感染症の発生や水道供給の停止、河川や海域の水環境汚染やそれに伴う水産業やレクリエーション活動、生態系への被害、都市における浸水被害、管渠の破損に伴う道路陥没事故等、国民の生活や経済活動に大きな支障をきたし、人命や財産が失われるなど甚大な被害を与えることとなる。

豊かな国民生活の実現に資するための下水道のポテンシャル

- 高度成長期以降、都市化の進展、産業の発達等に伴う衛生問題や水環境問題を解決するため、下水道施設を短期間で整備し、それらを安定的に管理運営してきた経験から培われた技術力や組織・人材が豊富に蓄積されている。
- また、東日本大震災等の大規模災害から得た教訓や、人口減少への対応策など、世界にも先んじた知見を有する。
  →これらのポテンシャルや叡智を活かすことにより、世界の下水道のリーダーとなり、我が国の国際的なプレゼンス向上にも貢献可能
- さらには、下水汚泥等の地域資源を最大限活用することで、地域における水・資源・エネルギー循環の要となるとともに、下水道分野を越えて食料やエネルギー分野等にも貢献する可能性がある。

新下水道ビジョン策定の目的

- ○この「新下水道ビジョン」は、上述の危機とポテンシャルを踏まえ、「今」がまさに「危機を好機に変える最初で最後のチャンス」であると捉え、危機を好機に変えるための基本方針として策定する。
- ○本ビジョンは、下水道事業の現状と課題、社会経済情勢の変化や将来を見通した上で、下水道の「使命」を改めて見直し、「使命」を達成するための長期的な未来像として「ビジョン」を描き、「ビジョン」を達成するための中期的な目標と施策を明確化するもの。
- ○この「ビジョン」に描いた未来像の実現に向けては、地方公共団体、公的機関、民間企業、大学・研究機関、国、国民等、全ての関係主体が本ビジョンを共有し、適切な役割分担の下、「チーム・下水道ジャパン」として一丸となって行動していくことが必要である。

【第１章～第３章】社会経済情勢の変化と新たな下水道の使命

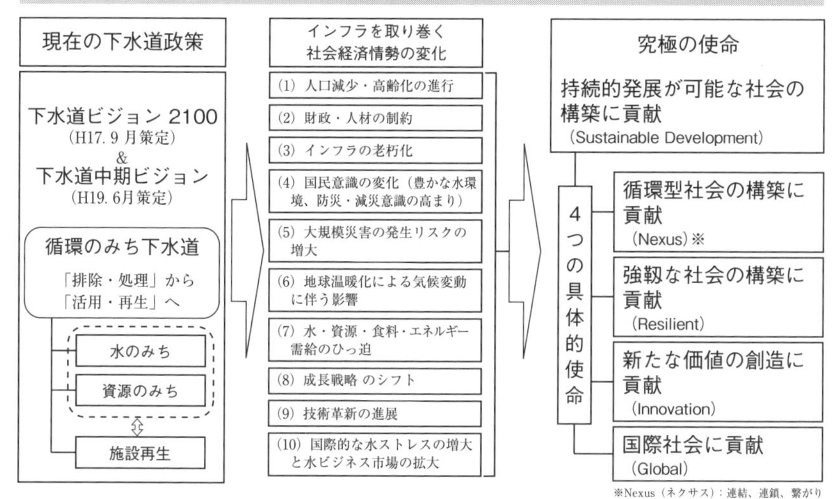

※Nexus（ネクサス）：連結、連鎖、繋がり

【第３章】下水道が果たすべき使命

持続的発展が可能な社会の構築に貢献（Sustainable Development）
下水道の有する多様な機能の社会への持続的な提供をとおして、健全で恵み豊かな環境が地球規模から身近な地域にわたって保全されるとともに、いかなる時も国民一人一人の安全・安心な暮らしが守られ、活力・魅力ある地域社会の形成と持続的な経済成長が実現する社会の構築に貢献する。

循環型社会の構築に貢献（Nexus※）
下水道が有する水・資源・エネルギー循環の機能を持続的かつ能動的に発揮していくことで、地域・世代を超えて、水・資源・エネルギーを量的・質的に健全に循環させる社会の構築に貢献する。
（※）Nexus（ネクサス）：連結、連鎖、繋がり

強靱な社会構築に貢献（Resilient）
下水道が有する汚水の収集・処理、雨水の排除または貯留といった機能を平常時はもとより、大規模災害（地震、津波、異常豪雨等）時においても強くしなやかに発揮し、持続的に提供することを通じ、国民の健康・生命・財産及び経済活動を保護・保全する強靱な社会の構築に貢献する。

新たな価値の創造に貢献（Innovation）
下水道が有する膨大なストックや情報、質・量ともに安定した水・資源・エネルギーなどのポテンシャルを、幅広い分野との連携を深めつつ活かしていくことで、新しい価値を創造する社会の構築に貢献する。

国際社会に貢献（Global）
我が国が培った下水道の技術や経験を活かし、世界の水問題の解決に貢献するとともに、国際的なビジネス展開を通じ、我が国の経済の持続的成長に貢献する。

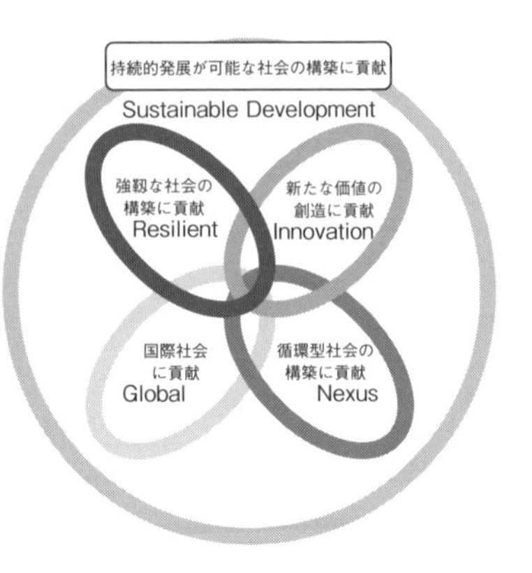

【第３章】3. 長期ビジョン ～「循環のみち下水道」の成熟化

- 下水道の使命に鑑み「循環のみち下水道」という方向性は、新下水道ビジョンにおいても堅持する。
- その上で、使命を実現するための長期ビジョンとして「『循環のみち下水道』の成熟化」を図るため、『「循環のみち下水道」の持続』と『「循環のみち下水道」の進化』を二つの柱に位置づける。

新たな下水道ビジョン：「循環のみち下水道」の成熟化

『循環のみち下水道』の持続
各地方公共団体ごとの使命および機能やサービスの目標水準を、適切なマネジメントにより「持続」させることを目指すもの。
※既存の取組の現状維持を目指すことのみならず、下水道のマネジメントを発展させ、サービスの安定性や効率性など質的な向上を図り、持続

✖

『循環のみち下水道』の進化
人口減少や気候変動、ICT 等の技術革新等を踏まえ、スマートに対応していくことや、下水道のポテンシャルを活かしつつ、多様な主体との連携を通じ、分野や地域を越えて社会への貢献範囲を拡大させていくことを目指すもの。

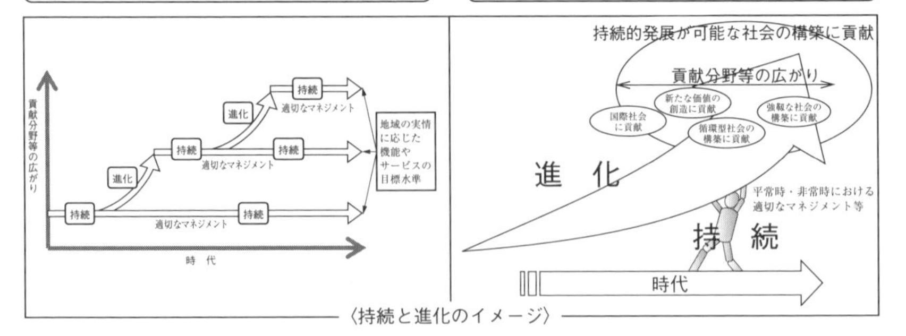

〈持続と進化のイメージ〉

【第3章】3.（1）「循環のみち下水道」の持続

（1）「循環のみち下水道」の持続

○平常時・非常時ともに絶え間なく、広域的な観点を踏まえつつ、時代のニーズに応じた事業体毎の最適な下水道サービスを提供する。

①人・モノ・カネの持続可能な一体管理（アセットマネジメント）の確立

○「管理・運営」の時代に適した 人・モノ・カネが一体となった事業管理体制を確立する

②非常時（大規模地震・津波・異常豪雨等）のクライシスマネジメント※の確立

○適切な被害想定にもとづく防災・減災を推進するという考え方のもと、ハード・ソフト対策を組み合わせた非常時のクライシスマネジメントを確立する。

※本ビジョンでは「クライシスマネジメント」は非常時の危機管理行動のみならず、これらの行動を決定する上で重要な要素となるハード対策を含めた概念とする。

③国民理解の促進とプレゼンスの向上

○国民１人１人にとって、下水道が「自分ゴト化」された社会を実現するとともに、下水道ブランドの確立とプレゼンスの向上を目指す。

④下水道産業の活性化・多様化

○民間企業が下水道事業の市場を見据え、戦略的に自らビジネスモデルを構築し、地方公共団体や公的機関等による下水道管理者の視点からの適切な業務評価を受けつつ、持続可能な事業運営により積極的に参画する。
○民間企業の強みを活かすとともに、革新的技術の活用等により、常に最適なサービスを提供するとともに、新たなビジネスチャンスを開拓していく。

【第3章】3.（2）「循環のみち下水道」の進化

（2）「循環のみち下水道」の進化

○地域における水・資源・エネルギーの最適な循環、および都市における浸水リスクをマネジメントする「要」となるとともに、下水道施設においてもエネルギー的に自立する。
○下水道のポテンシャルを活かした多様な主体との連携を通じ、食料、資源、エネルギー分野等の多様な分野に下水道の貢献範囲を拡大していく。
○日本の枠を超え、世界の水問題の解決と水ビジネス市場の獲得を図る。

①健全な水環境の創造

○下水道が能動的に水量 水質を管理し、地域に望まれる水環境を創造する。
○リスク物質を適正にコントロールするとともに、保有する流入水質情報を活用して感染症拡大を防止するなど地域に貢献できる下水道システムを構築する。

②水・資源・エネルギーの集約・自立・供給拠点化

○再生水、バイオマスである下水汚泥、栄養塩類、下水熱について下水道システムを集約・自立・供給拠点とする。
○従来の下水道の枠にとらわれずに、水・バイオマス関連事業との連携・施設管理の広域化、効率化を実現する。

③汚水処理の最適化

○全ての国民が最も基本的なインフラである汚水処理施設に早期にアクセスできるようにするとともに、人口減少にも柔軟に対応可能なシステムへと進化させる。
○省エネルギー化・汚泥処分量削減・温室効果ガス排出削減により、環境に配慮した汚水処理システムの構築を図る。

④雨水管理のスマート化

○気候変動による豪雨の頻発、放流先の海水面の上昇等のリスクに対する適応策として、賢く 粘り強い効果を発揮するハード、ソフト、自助を組み合わせた総合的な浸水リスクマネジメント手法を活用し、浸水に対して安全・安心な社会を実現する。
○雨水管理の一環として、まちづくりと連携して雨水貯留・浸透及び雨水利用等を積極的に進めることにより、気候変動等を踏まえた渇水 を踏まえた渇水 豪雨に ・ も耐えうる強い都市に再構築する。
○放流先水域の利活用状況に応じた雨天時水質管理を実施し、雨天時における公衆衛生上のリスクを最小化する。

⑤世界の水と衛生、環境問題解決への貢献

○日本の技術と経験を活かし、諸外国における持続可能な下水道事業の実現に貢献する。
○本邦企業の下水道整備・運営案件の受注件数（金額）を飛躍的に増大させ、本邦企業の水メジャー化を推進する。

⑥国際競争力のある技術の開発と普及展開

○『「循環のみち下水道」の成熟化』の実現を支え、加速させる技術を開発し、それら技術を円滑かつ迅速に全国、さらには海外に普及させる。

【第３章】4. 下水道長期ビジョン実現に向けた各主体の役割

○下水道長期ビジョンを実現させていくには、事業主体である地方公共団体をはじめ、公的機関、民間企業、大学・研究機関、国等、全ての関係主体が、適切な役割分担のもと、相互の連携を図りつつ、各々の役割に応じた取り組みを着実に実行していくことが必要である。
○他方、「『循環のみち下水道』の成熟化」に向け果たすべき役割は多様化しており、施策の実施に際してもその目的に応じ、以下のように、多様な主体による多様な連携の形が考えられる。
○本連携は、下水道分野の中にとどまらず、河川や水道、廃棄物、都市計画、農業、水産業、エネルギー、ICT、ロボットなど、多様な分野との連携を深めることも重要である。

補完

●不十分な部分を補い完全なものにすること

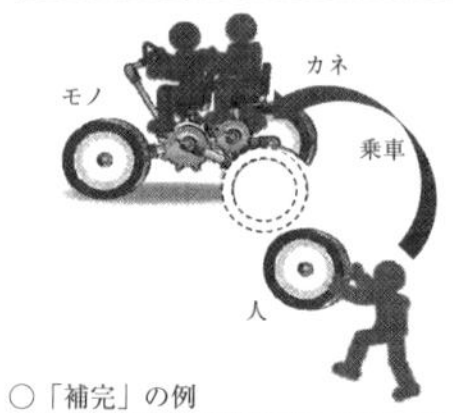

○「補完」の例
●地方公共団体が持続的に事業運営できるよう、本来、事業主体である地方公共団体が実施すべき業務について、これを実施する能力を有する他の主体が補う。

支援

●他者の業務を支え、助けること

○「支援」の例
●地方公共団体の事業運営がより円滑に進むよう、国が制度創設や技術的助言等で支援する。
●民間企業の海外水ビジネスが効果的に進むよう、地方公共団体や国・公的機関が政府間交流等により支援する。

協働

●各主体がそれぞれの目的に応じた役割分担のもと、協力して業務を行うこと

○「協働」の例
●下水汚泥のエネルギー利用事業のため、地方公共団体が汚泥の脱水処理まで担い、地方公共団体と民間企業が連携し汚泥の資源化を行い、民間企業が有価物としての流通を担う。

○地方公共団体

・管理の最終責任を担う主体として、時代のニーズに応じた事業運営を持続的に行う。公共団体のみで適切に実施できない場合は、他者の「補完」を受けつつ適切な管理体制を構築。
・都道府県は、管内下水道事業の適切な管理が行われるよう、広域的な見地からリーダーシップを発揮し、管内市町村の指導、総合調整、とりまとめ等を実施。
・民間企業の海外水ビジネス展開が効果的に進むよう、地方政府間交流・協力等を通じ「支援」。

○公的機関

・地方公共団体からの要請に基づく施設の建設、維持管理、技術的援助を通じ、公共団体の事業運営を公的な立場で「補完」。
・全国的な指針類、資機材の規格等の策定、新技術の研究・調査、さらにはそれらに関する研修を実施。

○民間企業

・技術力・ノウハウを活かし、事業主体との適切な役割分担の下、地方公共団体の政策形成や業務管理に係る業務を「補完」。
・新たな事業領域においては、「事業主体」として、もしくは地方公共団体との「協働」により実施。
・海外水ビジネスを、地方公共団体や国・公的機関の「支援」を受けつつ「事業主体」として実施。

○大学・研究機関

・革新的な研究・技術開発、学生への教育、研究者・技術者の育成、並びに積極的な政策提を実施。
・技術開発・実証プロジェクト等を地方公共団体や民間企業等と「協働」し実施。
・地方公共団体や民間企業の取り組みを、技術面等で「支援」。

○国

・法制度の整備や中長期的な計画の企画・立案、技術開発・実証、政策研究等を実施。
・ナレッジのマネジメント（集約、水平展開等）、基準策定、技術的助等の施策により地方公共団体の事業運営を「支援」。
・民間企業の海外水ビジネスが効果的に進むよう、政府間交流等を通じ「支援」。
・下水道の政策面や技術面の向上や国際的なプレゼンス向上のため、国際的な協力関係を構築。

○国民

・汚水処理および浸水対策の受益者及び汚濁負荷の排出源の１人として、下水道の役割、重要性、可能性、課題等について理解を深め、下水道の適正使用、下水道への接続、使用料の支払い等を通じ下水道事業に参画する。

【第 4 章】下水道長期ビジョン実現に向けた中期目標

中期計画とは

○『循環のみち下水道』の成熟化」における長期ビジョンを実現するために、分野ごとに、現状と課題を踏まえた、概ね今後 10 年間の計画（中期的な目標及び具体的な施策）

○国民への広報を行うと共に、事業主体による事業実施を促進するために、法律、補助制度等に係わる「制度構築」、「技術開発 実証」、 JIS、ISO 等の「基準化」、関係者における「場の創出・好事例の水平展開」等の手法を提案

施策展開の視点

○選択と集中

・各地方公共団体において、地域の状況、ニーズに応じ、財政、人材等が限りある中で、経営の観点も踏まえ、事業を選択・集中
・事業実施にあたっては、時間概念も踏まえて、実施すべき事業内容、整備目標水準を明確にし、効率的かつ効果的に事業を実施
・国として、今後の人口減少・コンパクトシティ等の社会動向や浸水リスク等を踏まえ、重点化された整備区域を優先的に支援

○産官学の連携

・多様な下水道事業を実施するためには、事業内容に応じて、産官学それぞれのプレーヤーが、連携を図ることが必要不可

○広域化・共同化と他分野との連携

・本格化する人口減少社会では、既存施設の活用等における行政界を超えた複数の地方公共団体間による広域化・共同化、環境、水道、河川、廃棄物、農水産業等他分野との連携を図る

○人材の育成と効果的な配置

・公的機関においては、中長期を見据えた人材の育成と効果的な配置を図ると共に、退職者の活用等による執行体制の充実が必要
・民間企業においては、従前の事業に加えて、下水道資源の有効利用、政策形成に関わる業務の実施を担える人材の育成が必要
・大学においては、国際化も含めた下水道事業の役割の多様化を踏まえた、学生への教育、研究者、技術者の養成が求められる

○ナレッジマネジメントの活用

・各関係主体が、組織、世代、地理的距離を超えて、管理ノウハウや先進的な技術等に関するナレッジを継続的に創造し、これらを蓄積し、共有していく枠組みが必要
・ナレッジを集積するデータベース等の基盤の整備、関係主体が「暗黙知」を発掘し、「形式知」化していく「場」等を積極的に構築

1. 『「循環のみち下水道」の持続』に向けた中期計画

【第4章】1.（1）人・モノ・カネの持続可能な一体管理（アセットマネジメント）の確立

現状と将来に向けた課題

○下水道施設の改築更新需要が拡大する一方で、維持管理が十分に行われていない、施設状況が把握できていないのが現状。
○使用料収入で汚水処理費を賄えていない状況がある一方で、人口減少による使用料収入の減など経営管理への影響が懸念。
○下水道職員は減少傾向で高年齢化も進行。中小市町村では職員が極めて少ないなど、脆弱な管理体制。

中期目標

●5年以内に下水道事業を実施している全ての地方公共団体（事業主体）において、管理体制（人）、施設管理（モノ）、経営管理（カネ）の一体的マネジメントを目的とした事業管理計画を策定。
●中期的には、事業管理計画が軌道に乗り、PDCA に基づく持続的なスパイラルアップを実現。

主な具体的施策

○事業管理計画の制度化

●国は、事業管理計画に定める事項、様式や手続き等を定める。（制度構築）
●国は、段階的な計画策定目標を設定するとともに、モデル都市における計画策定を支援する。（制度構築）
●事業主体は、下水道事業管理計画を策定、公表するとともに、PDCA に基づき継続的に改善を図る。（事業実施）
●国は、維持管理等の実態をもとに、予防保全的管理の実現に向けた管路施設の維持管理基準を定める。（制度構築）

○下水道全国データベースの構築・活用

●国は、下水道全国データベースを構築し、事業主体の事業管理計画策定を支援する。（制度構築）
●事業主体は、必要な基礎的なデータをデータベースに入力するとともに、中長期の事業量見通し等を行う。（事業実施）
●国は、事業主体横断的にデータを収集・分析することにより、新規政策の立案等を行う。（制度構築）
●事業主体は、データベースに継続的にデータを入力し、事業の評価・改善、計画の見直しを行う。（事業実施）

○経営健全化に向けた方策の検討

●国は、将来の更新財源の確保や人口減少等による使用水量の減少を見据えた料設定の考え方を示す。（制度構築）
●事業主体は、適正な使用料水準の確保に向けて、引き続き努力する。（事業実施）
●国は、施設の計画的な点検・調査及び改築・更新を促進するための支援制度を確立する。（制度構築）
●国は、地方公営企業会計の導入促進の動きとも連携しつつ、経営の見える化によるアカウンタビリティの向上を促進する。（制度構築）

○事業管理に必要な補完体制の確立、技術力の維持・継承

●国は、補完内容、補完に必要な能力や、事業主体の特性に応じた、広域管理・共同管理などの具体的な補完体制等について、公的機関による補完、民間企業による補完等の観点から検討を行い、必要な制度等を確立する。（制度構築）
●事業主体は、直営による技術力の維持或いは人事交流は補完者による技術力の継承を図る。（事業実施）

○ICT・ロボット等の活用促進

●国は、ICT・ロボット等の分野と下水道界のニーズ・シーズをつなぐ「場」の構築等を推進する。（制度構築）

【第4章】1.（2）非常時のクライシスマネジメントの確立

現状と将来に向けた課題

○巨大地震の発生が懸念されている中、「減災」の考え方を徹底した取り組みが不可となっている。
○耐震化、BCP策定ともに遅れているのみならず、新たに耐津波対策にも取り組むことが必要である。

中期目標

短期（5年以内）目標
下記の機能をハード対策に限らず、応急対策を含め確保

【地震対策】（処理・ポンプ施設）揚水、沈澱、消毒機能
（管路施設）特に重要な幹線等
【津波対策】（処理・ポンプ施設）揚水機能
（管路施設）逆流防止機能

中期目標
幹線の二重化等を進めつつ、下記の機能をハード対策に限らず、応急対策を含め確保

【地震対策】（処理・ポンプ施設）水処理、脱水機能
（管路施設）重要な幹線等
【津波対策】（処理・ポンプ施設）沈澱、脱水機能

主な具体的施策

○BCPの策定・普及
- 事業主体は、2年以内には、全事業主体で必要な項目を網羅したBCPを策定。（事業実施）
- 事業主体は、訓練や点検等を通じ、BCPを定期的に見直すとともに、災害時支援協定の締結、応急復旧資機材の確保などの事前対策を講じる。（事業実施）
- 国は、簡易なBCPの検討内容や検討方法を整理・提示し、事業主体の取り組みを支援。（事業実施）
- 国は、都道府県が市町村の先導役となってBCP策定のための「場」の設置、運営について積極的に支援。

○耐震化、耐津波化
- 事業主体は、耐震診断、耐津波診断を速やかに実施し、必要な機能確保を計画的、段階的に実施。（事業実施）

○豪雨対策
- 国は、タイムライン式行動計画等の概念を整理し、先行的な自治体における取り組みを支援。（場の創出・好事例の水平展開）

○下水道全国データベースの構築・活用
- 国は、下水道全国データベースを構築するとともに、日本下水道協会と連携して、災害時の情報共有ツールとして活用。
- 国は、事業主体のハード対策・ソフト対策の取組の改善ツールとしてベンチマーキング手法を提示。（制度構築）

【第4章】1.（3）国民理解の促進とプレゼンス向上

現状と将来に向けた課題

○インターネットの普及により情報が社会に溢れ、情報が素通りされやすい状態にあるとともに、市場、生活者の情報に対する意識が成熟し、商品やサービスの差別化が困難な状態である。
○下水道に対する生活者の意識として、「あって当たり前のもの」となり、意識されず「他人ゴト」になりつつある。

中期目標

「自分ゴト化」の促進
- 下水道を「見える化」し、国民に、汚水の排出者としての責務、下水道の役割等に気づき、共感、行動してもらい、それらを広く発信してもらうことで、新たな主体との共感の輪が連鎖的に広がる下水道広報のうねりを生み出し、下水道の「自分ゴト化」を実現。

主な具体的施策

○広報内容の充実
- 下水道の役割に加え、ポテンシャル等の魅力や経営状況等、下水道の実態や課題についても、正しくわかりやすく伝える。
- 下水道関係者自身が、下水道の魅力を再認識し、他者に伝えることができるようになるための内部広報や研修等の取組を行う。

○広報技術・手法の確立
- 国民の下水道への認識の実態を把握するための定量調査を実施。（事業実施）
- 最新の広報理論等を取り入れ、効果的な広報技術・手法を産学官民が連携して検討、確立、推進。（制度構築）

○リクルート力・環境教育の強化
- 次世代の下水道を担う学生等に対して、積極的に発信し、下水道界のリクルート力を強化。（制度構築）
- 小中学校や教育関係有識者等との連携を強化し、小中学生等が下水道に対する理解・認識を深める取組を推進する。（事業実施）

○新たなイメージの確立
- 「下水道」という名称について、TPOに合わせた新たなキャッチフレーズやネーミングを導入。（事業実施）

○広報推進体制の拡充
- 下水道広報プラットホーム※（GKP）を核とし、産学官及び国民が一体となった効果的な下水道広報を推進。（事業実施）

※日本下水道協会が事務局となり、産学官及び国民の有志で形成する下水道広報のためのネットワーク

【第 4 章】1.（4）下水道産業の活性化・多様化

現状と将来に向けた課題

○各事業主体における下水道事業の情報が不足しており、民間企業として需要等が把握しにくい。
○民間企業として、新たな事業展開、新技術の導入が困難。

中期目標

「循環のみち下水道」の成熟化の実現

●財政、人材等が限りある中で、民間企業が、事業主体の状況、事業内容に応じて、下水道管理者の視点からの適切な業務評価を受けつつ、一般業務のみならず、政策形成等も含めた地方公共団体の「補完」や、民間企業の技術力等を活かした水・資源・エネルギー活用事業、他分野も含めた新技術を採用した事業展開など、幅広い形態で戦略的に事業参画する。

主な具体的施策

○下水道事業の見える化

●事業管理計画制度、下水道全国データベースの構築、ベンチマーキング手法の活用、地方公営企業会計の導入促進に合わせた経営のアカウンタビリティの向上等により、事業主体の施設・経営に関する情報を「見える化」する。（制度構築）

○新たな事業展開の支援

●国は、モデル都市において、資調達・設計・建設・維持管理・改築などの下水道の業務全般に対して、公的機関による適切な業務評価に基づき、包括的に民間企業が参画・貢献できる仕組みを検討する。（制度構築）
●国は、スマートオペレーションの実現に向け、ICT・ロボット等の分野と下水道界をつなぐ「場」の構築や、技術実証、モデル事業等を推進する。（場の創出・好事例の水平展開）
●国は、民間事業者による下水道資源・エネルギー分野への参入を促進するための制度改正等を検討する。（制度構築）
●国は、民間企業の創意夫が取り入れられるとともに、中長期的な担い手の育成・確保に向けた調達制度のあり方を検討する。（制度構築）

○新技術の普及促進

●国は、各種機器の性能評価、重点的な支援等により、事業主体における新技術の導入を促進。（制度構築）
●国は、下水汚泥固形燃料の JIS 化、膜処理技術の国際標準化に、さらに、国内規格への反映等を行う。（基準化）

2.『「循環のみち下水道」の進化』に向けた中期計画

【第4章】2.（1）健全な水環境の創出

現状と将来に向けた課題

○東京湾等の閉鎖性水域では、高度処理の遅れなどにより潮等が発生し、生態系への悪影響も生じている。
○観光資源等として水辺への期待は大きく、オリンピック等においても多くの訪日外国人が日本の水辺を訪れる可能性。
○高度処理への理解は一定程度得られているものの、消費エネルギー等について課題が存在。
○一方、栄養塩不により「豊かな海」が求められている水域も存在。
○水質事故による利水障害やノロウイルスの流行等が散発的に発生

中期目標

能動的な水環境管理の実現
- 放流先水域の状況に応じた水質管理等を可能にする流総計画制度を構築。

水環境の改善
- 東京湾流域等について高度処理を推進し、高度処理実施率を約8割に倍増。

公衆衛生の向上への貢献
- 下水道の有する感染症等の疾患に関する流入水情報を活用して地域の公衆衛生の向上に寄与。

生態系の保全・再生
- 化学物質等の生態系への影響把握を進め、生態系の保全・再生を図る。

主な具体的施策

○流総大改革
- 国は、他事業との連携も含めた流域全体でのエネルギー効率の最適化や地域のニーズに応じた多様な目標の設定等を可能にするため、流総計画に関する制度改正を行う。（制度構築）
- 事業主体は、水産資源の豊富な「豊かな海」を実現するため、窒素・リンの季節別運転等の能動的管理を行う。（事業実施）

○高度処理等の推進
- 国は、高度処理を未導入の場合、段階的高度処理の導入検討を原則とするよう流総計画の充実を図る。（制度構築）
- 国は、段階的高度処理に関して運転管理等のノウハウを有する地方公共団体等からなる場を設置し、ノウハウの蓄積・改良を行うとともに、ナレッジ集を作成するなどして水平展開を図る。（場の創出・好事例の水平展開）
- 産官学が連携して具体的なフィールドにおけるモデル検討等を行い、好事例の蓄積を図る。（場の創出・好事例の水平展開）

○流入水質情報の活用推進
- 研究機関は国と連携し、流入水中のウイルス等の疾患に関する情報を迅速に把握し、地域に感染症発生情報を提供できるシステムを開発する（技術開発・実証）

○リスク管理等の強化
- 国は、生態系に配慮した水処理方法や未規制物質対策、水質事故対応技術等について指針改定等の対応を図る。（制度構築）

【第4章】2.（2）水・資源・エネルギーの集約・自立・供給拠点化

現状と将来に向けた課題

○下水道は、水、下水汚泥中の有機物、希少資源であるリン、再生可能エネルギー熱である下水熱など多くの水・資源・エネルギーポテンシャルを有するが、その利用は未だ低水準。
○原因は、初期投資に要するコストが大きいことと、規模が小さくスケールメリットが働かない処理場が多くあるため。
○一方で、下水熱の地域冷暖房利用等の処理場外での利用や、地域のバイオマスを下水処理場で活用する取組も実施。
○再生水の利用は、単一の目的を有する利用がほとんどで、また災害時対応は一部の処理場でのみ実施。

中期目標

水の供給拠点化
- 平常時の都市の水環境の創造への寄与はもとより、渇水時等に再生水を利用可能な施設を倍増。

資源の集約・供給拠点化
- 全都道府県で他のバイオマスと連携した下水汚泥利活用計画を策定。
- 食との連携により地産地消の地域づくりに積極的に貢献。

エネルギーの供給拠点化及び自立化
- 下水汚泥のエネルギーとしての利用割合を約13%（H23）から約35%に増加。
- 下水熱や太陽光発電の活用などによりエネルギー自立化を目指す。

主な具体的施策

○水の供給拠点化
- 国は、再生水等の渇水時・災時利用等について、好事例集を作成するなどして水平展開を図る。（場の創出・好事例の水平展開）
- 国は 水の再利用に関する国際標準化に関し幹事国として対応を図り 平成29年度を目途に規格を策定する（基準化）

○資源の集約・供給拠点化
- 国は、下水処理場において食品系廃棄物・木質系廃棄物・し尿等を混合処理するなどの事業が促進されるよう、制度改正等も含めた検討を行う。（制度構築）
- 都道府県は、都道府県構想の策定に際し、広域化も視野に入れた汚泥の利活用計画を構想に練り込む。（制度構築）
- 国は、リンの活用など、「BISTRO下水道」などを通じ、下水道インフラのブランド化を図る。（場の創出・好事例の水平展開）

○エネルギーの供給拠点化及び自立化
- 国は、下水汚泥固形燃料のJIS化・汚泥処理技術に係る国際標準化により、信頼性を確立し、下水道バイオマスの価値向上・市場活性化を図る。（基準化）
- 国は、下水熱利用について、民間事業者による熱交換器設置を認めるなどの規制緩和を検討する。（制度構築）

【第4章】2.（3）汚水処理の最適化

現状と将来に向けた課題

○汚水処理人口普及率は88%（平成24年度末）に達したが、未だに約1500万人が汚水処理施設を使用できない状況にある。
○人口減少や高齢化が進展し、投資余力が減少する中で、ストックの改築・更新の増大等を踏まえれば、
今後未普及対策への投資拡大はますます厳しくなるため、地域の実情に応じた早期概成方策の検討が必要である。
○下水道は電力の大口需要家。省エネルギー対策により維持管理コスト縮減が図られるが、対策状況は差が大きい。
○下水道からの温室効果ガス排出量は、地方公共団体の事業の中で大きなウェイトを占め、削減量の目標は未達成である。

中期目標

汚水処理の推進とシステム進化

- 未普及地域については、汚水処理施設の適切な役割分担の下、今後10年程度で施設整備を概成させる。
- 人口減少にも柔軟に対応可能な汚水処理システムへと進化させる。

省エネルギー対策・温室効果ガス排出量の削減

- 下水道で消費するエネルギーを約1割削減すると共に、下水道から排出される温室効果ガス排出量を約11%削減する。

主な具体的施策

○汚水処理の早期概成に向けたアクションプランの策定

- 事業主体は、地域ごとの人口減少を踏まえ、都市計画部局等と連携を図り、3省統一の都道府県構想策定マニュアルに基づき、今後10年程度内に汚水処理の概成を目指すアクションプランを速やかに策定する。（事業実施）

○早期・低コスト型下水道整備手法等の導入

- モデル都市における検討等を通じて早期・低コスト型下水道整備手法の検討・水平展開を図りつつ、地域条件を考慮してコスト評価指標を設定し これに基づきアクションプランに位置付けられた事業を重点的に支援する。（制度構築）

○汚水処理全体で見た最適化手法の確立

- 国は、複数の汚水処理施設を一体的に捉えた管理の最適化のための手法を確立する。（制度構築）

○省エネルギー対策・温室効果ガス排出量の削減

- 国は、省エネ・創エネ性能が高い施設に対する重点的な支援を実施。（制度構築）
- 事業主体は、事業管理計画における目標に「エネルギー効率」を位置づけ。（制度構築）

【第4章】2.（4）雨水管理のスマート化

現状と将来に向けた課題

○局地的集中豪雨等の増加により被害が未だ発生。 ハード施設の計画を上回る降雨に対して浸水被害の最小化に向けた取り組みは不十分。
○渇水リスクは高まっているが、下水道における雨水利用は、一部の都市のみで実施。
○汚濁負荷削減対策としての合流式下水道越流水対策は着実に進捗。一方、分流式下水道の雨天時越流水の問題が存在。

中期目標

- 浸水対策を実施する全ての事業主体は、気候変動に対する適応策として、ハード・ソフト・自助の組み合わせで浸水被害を最小化する効率的な事業を実施。（特に都市機能が集積しており浸水実績がある地区等（約300地区）で浸水被害の軽減、最小化及び解消を図る）
- 下水道と河川が一体となった施設運用手法の確立、施設情報と観測情報等を起点とした既存ストックの評価・活用を実施。
- 雨水貯留・浸透及び雨水利用を実施することにより、水資源の循環の適正化・河川等への流出抑制を実施。
- 合流式下水道採用の全ての事業主体は、水域へ放流する有機物 荷を分流式下水道と同等以下とする改善対策を完了。
- 世界的な課題となっている都市浸水対策において、日本がリーダー的な地位を構築。

主な具体的施策

○総合的な浸水対策の推進　○浸水対策に係る基盤の整備

- 国は、汚水の整備区域外でも、浸水リスクの高い地区は公共下水道による浸水対策を実施可能とすることを検討。（制度構築）
- 国は、雨量レーダ等による観測情報や施設情報や、既存施設の活用等の考え方を整理し、指針化等を行う。（場の創出・好事例の水平展開）
- 事業主体は、内水ハザードマップ等により不特定多数が利用する地下空間や業務集積地区等における浸水リスクを公表するなどして減災の取り組みを強化する。（場の創出・好事例の水平展開）
- 国は、気候変動等にともない局地的大雨の頻度が増加していることを踏まえ、既往最大降雨等に対して、ソフトや自助による取り組みを含めて浸水被害の最小化を図る計画論を構築する。（技術開発・実証）
- 国は、浸水リスクが増大する中、早急に浸水対策を実施するため、雨水管理の費用負担のあり方について検討する。（制度構築）

○雨水利用の推進

- 国は、雨水利用法を勘案しつつ、雨水利用のための施設に係る規格等に関する調査研究、好事例集作成などを行う。

○雨水質管理の推進

- 国は、合流式下水道緊急改善事業を継続し重点的な支援を実施する。（制度構築）
- 国及び事業主体は、放流先の重要性を勘案しつつ、分流式下水道雨天時越流水の公衆衛生上の影響、市街地排水由来の面源負荷の課題等を把握し、対策を推進する。（技術開発・実証）

○国際貢献

- 国は、アジア諸国等の浸水対策について技術協力を行うとともに、雨水管理の国際標準化を主導的に進める。（基準化）

【第4章】2.（5）世界の水と衛生、環境問題解決への貢献

現状と将来に向けた課題

○国連ミレニアム開発目標のうち、「基礎的な衛生施設を継続的に利用できない人口割合の半減」について、達成困難な見通し。また、途上国では、生活排水処理率が依然として低く、大きな社会問題、経済損失が生じている。
○日本は、水と衛生分野における世界第一位の援助国であるが、下水道分野における日本企業の受注実績は限定的。
○インフラシステムの海外展開における国の方針として、相手国とのつながり、技術・システム・人材の競争力が不十分なことを大きな課題として、地域的には、ASEANを重要国としている。

中期目標

世界の水環境問題解決

- 国連「水と衛生に関する開発目標」を踏まえ、諸外国の持続可能な下水道事業の実現に貢献。

本邦企業の水ビジネス展開

- 2015年から2025年までに、下水道分野で累計0.8～1兆円の海外市場を獲得。
- 重点対象国（ベトナム、インドネシア、マレーシア、サウジアラビアなど）において、主要都市部等での案件、さらに事業運営まで含めた案件の受注を目指す。

主な具体的施策

○官民連携の推進

- 国は、地方公共団体と連携し、我が国の法財政制度、技術に関する政策対話・ワークショップ開催等、トップセールスを推進（事業実施）
- 国内ではGCUSを核として、在外ではJICA専門家の派遣促進等を通じて、官民連携体制を強化。（事業実施）
- JICA研修受講者や本邦留学経験者等をリスト化し 継続的な人的ネットワークを構築。（制度構築）

○経済協力の戦略的展開

- 国は、競争力のある技術について現地パイロットプロジェクト・実証事業に対する支援の創設を検討。（制度構築）
- 国は、日本下水道事業団とも連携し、川上から川下までの一貫した取り組みを促進。（制度構築）

○国内市場の国際化

- 国は、地方公共団体と連携し、国内市場の「国際化」を図るなど、グローバル企業・人材を育成。（制度構築）

○国際標準・基準化の推進

- 国は、国際標準とコア技術を活用したオープン・クローズ戦略を念頭に、国際標準化活動の取り組みを強化。（基準化）
- 重点対象国等において、本邦各種技術の基準化、マニュアル化を促進。（基準化）

【第4章】2.（6）国際競争力のある技術の開発と普及展開

現状と将来に向けた課題

○技術開発には、国や、地方公共団体及び研究機関（民間企業を含む）等、多くのプレーヤーが関与。
○産官学が連携を図り、現場の実態、他分野を含め幅広い技術を勘案した上で、開発テーマの選定、開発された技術の普及が十分行われていない。

中期目標

「循環のみち下水道」の成熟化の実現

- 「循環のみち下水道」の成熟化の実現を促進するため、国、事業主体、研究機関が連携し、他分野の技術も積極的に取り入れ、計画的・効率的な技術開発を実施すると共に、開発された新技術を国内外に普及させる。

主な具体的施策

○技術開発ニーズとシーズの把握

- 国は、全国的なデータベースを活用した技術開発ニーズの把握、他分野も含めた幅広い技術シーズを踏まえ、「下水道革新的技術実証事業」を実施。（事業実施）

○技術開発の体系化・連携の推進

- 国は、地方公共団体、研究機関（民間含む）と連携し、中長期的な技術開発計画（新技術開発五箇年計画（仮称））を策定するとともに、計画のフォローアップ及び 新たな技術開発テーマの議論を行うための「場」を設定する。（制度構築）
- 国は、研究開発テーマの公募と財政支援等を行い、地方公共団体の下水処理場等をフィールドに、大学等の研究機関と連携した研究開発スキームの構築を検討。（制度構築）
- 各機関は、技術開発計画を踏まえて、技術開発を実施。（事業実施）

○全国への普及展開スキームの構築

- 国は、各種機器の性能評価、重点的な支援等により、事業主体における新技術の導入を促進。（制度構築）
- 事業主体は、民間企業等の開発意欲の向上を図る「開発技術の導入を前提とする技術開発制度」を構築（制度構築）

○海外への普及展開の推進

- 国は、競争力のある技術について現地パイロットプロジェクト・実証事業に対する支援の創設を検討。（制度構築）
- 国は、国際標準とコア技術を活用したオープン・クローズ戦略を念頭に、国際標準化活動の取り組みを強化。（基準化）
- 重点対象国等において、本邦各種技術の基準化、マニュアル化を促進。（基準化）

おわりに

○本報告書は、昨今の社会経済情勢の変化を踏まえ、「下水道ビジョン 2100」（平成 17 年 9 月）及び「下水道中期ビジョン」（平成 19 年 6 月）を見直し、「新下水道ビジョン」として取りまとめたもの。

○国内外の社会経済情勢の変化を分析した上で、下水道が有するポテンシャルをも活用し、持続的発展が可能な社会の構築に貢献するという下水道の使命と長期ビジョンを提示。さらに、下水道事業の現状を踏まえ 各課題をブレークスルーし、長期ビジョン実現に向けた中期計画（今後 10 年程度の目標及び具体的な施策）を提示。

○国としては、「新下水道ビジョン」を通して、国民や関係者に対して、下水道の役割、重要性、課題、可能性等をわかりやすく伝えるため、直接対話やパンフレットの作成等の様々な形で、わかりやすい広報を実施。

○国においては、中期計画に位置づけられた施策を着実に実施するために、詳細な制度設計等の検討を進めるとともに、中期計画に位置づけられた目標については、その達成状況を継続的に検証し、必要に応じて、新たな定量的な目標の設定、施策自体の見直し等を行うなど、PDCA サイクル（Plan−Do−Check−Act）を着実に回す。

○「新下水道ビジョン」が、下水道事業の事業主体である地方公共団体はもとより、公的機関、民間企業等の多種多様なステークホルダーに共有され、それぞれの状況や特性に応じて、今後の施策や事業展開の検討にあたって大いに活用され、さらに魅力的な下水道事業、その先にある持続的発展可能な社会の実現への道しるべとなることを期待。

付　録5　新下水道ビジョンについて（概要）別紙

（国土交通省下水道政策研究委員会　平成26年7月より）

新下水道ビジョンについて（概要）

○「下水道政策研究委員会」（委員長：東京大学 花木教授）の審議を経て、平成 26 年 7 月「新下水道ビジョン」を策定。
○「新下水道ビジョン」は、国内外の社会経済情勢の変化等を踏まえ、下水道の使命、長期ビジョン、及び、長期ビジョンを実現するための中期計画（今後 10 年程度の目標及び具体的な施策）を提示。

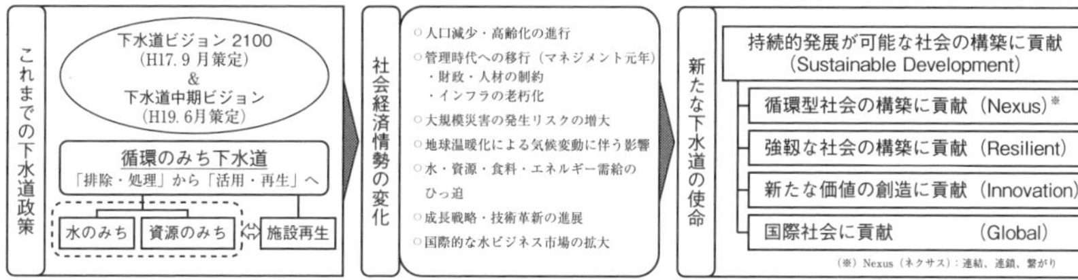

新下水道ビジョン：「循環のみち下水道」の成熟化

『循環のみち下水道』の持続

■アセットマネジメントの確立
■クライシスマネジメントの確立
■国民理解の促進とプレゼンスの向上
■下水道産業の活性化・多様化

×

『循環のみち下水道』の進化

■健全な水環境の創造
■水・資源・エネルギーの集約・自立・供給拠点化
■汚水処理の最適化
■雨水管理のスマート化
■世界の水と衛生、環境問題解決への貢献
■国際競争力のある技術開発と普及展開

持続的発展が可能な社会の構築に貢献
貢献分野等の広がり
国際社会に貢献
新たな価値の創造に貢献
循環型社会の構築に貢献
強靱な社会の構築に貢献
進　化
平常時・非常時における適切なマネジメント等
持　続
時代

付　録６「耐津波対策を考慮した下水道施設設計の考え方」のポイント

（「下水道地震・津波対策技術検討委員会第4次提言」より）

1. 今後の津波想定

○津波防災地域づくり法の規定により、「最大クラスの津波」を念頭において都道府県知事が設定・公表する「津波浸水想定」に基づいて下水道施設の耐津波対策を実施。

2. 下水道施設に要求される耐津波性能

○被災時においても「必ず確保すべき機能」（基本機能）は以下の３機能。

「逆流防止機能」、「揚水機能」、「消毒機能」

○ただし、低平地を抱える市街地では津波で運ばれた大量の海水が自然に排水できずに滞留することから「揚水機能」の確保が何よりも優先。

○一時的な機能停止は許容するものの「迅速※に復旧すべき機能」は以下の２機能。

「沈澱処理機能」、「汚泥脱水機能」

※施設の規模等によるが、概ね１週間を想定

施設種別	管路施設	ポンプ場	処理場		
機能区分	全体機能				
	基本機能			その他の機能	
	逆流防止機能	揚水機能	揚水機能 消毒機能	沈澱機能 脱水機能	左記以外
耐津波性能	被災時においても「必ず確保」 ○			一時的な機能停止は許容するものの「迅速に復旧」 ●	一時的な機能停止は許容するものの「早期に復旧」 △

○下水道施設の各機能区分ごとの単位施設とそれを構成する設備等の例は次のとおり。

機能区分	耐津波性能※1	単位施設※2	機能を確保するための設備等※2	備　　考
逆流防止機能	○	樋門施設	ゲート設備、計装用電源設備、これらに係る躯体	
揚水機能	○	揚水施設	汚水ポンプ設備、雨水ポンプ設備、放流ポンプ設備、特高受変電設備、受変電設備、自家発電設備、制御電源及び計装用電源設備、これらの設備に係る躯体	
消毒機能	○	消毒施設	消毒設備、これに係る躯体	簡易な薬液タンクを用いること等による機能確保でも可
沈澱機能	●	沈澱施設	最初沈澱池設備、これに係る躯体	
脱水機能	●	脱水施設	汚泥脱水設備、これに係る躯体	近隣の下水処理場での汚泥受入等による機能確保でも可

※1）○：被災時においても「必ず確保」、●：一時的な機能停止は許容するものの「迅速に復旧」

※2）平成15年6月19日付都下事第77号下水道事業課長通知「下水道施設の改築について」別表を参考に作成。

3. 下水道施設における対策の考え方

○耐津波性能に応じた防護レベルと対応策は次のとおり。

耐津波性能	必ず確保	迅速に復旧	早期に復旧
防護レベル	高　←	中	→　低
	リスク回避 ※やむを得ない場合は「リスク低減」	リスク低減	リスク保有
対応策	浸水しない構造 （浸水高さ以上に設置 又は、浸水高以上の防護壁により防護） ※やむを得ない場合は「強固な防水構造」	強固な防水構造 （防水扉　又は 設備等の防水化）	浸水を許容

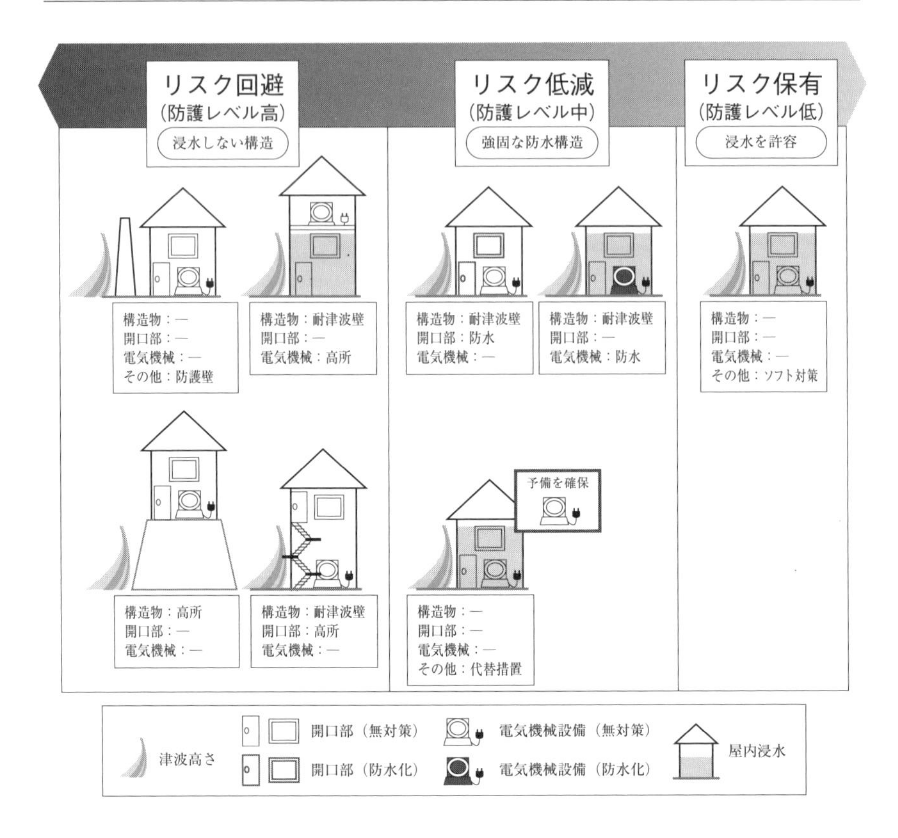

4．その他

○対策を行うべき施設が複数ある場合には、個々の施設が機能停止した場合の被害の大きさ（汚水溢水や大雨による浸水の範囲等）を考慮し、優先順位を決定

○「頻度の高い津波」に対しては、海岸保全施設等による防護が基本であるが、下水道管理者としては必要に応じて防潮ゲート等からの逆流防止対策を講じる必要　　等

以上

付　録７　水防法等の一部を改正する法律

（平成29年６月19日施行）

●水防法等の一部を改正する法律

背景・必要性

○　平成27年9月関東・東北豪雨や、平成28年8月台風10号等では、逃げ遅れによる多数の死者や甚大な経済損失が発生。

○　全国各地で豪雨が頻発・激甚化していることに対応するため、「施設整備により洪水の発生を防止するもの」から「施設では防ぎきれない大洪水は必ず発生するもの」へと意識を根本的に転換し、ハード・ソフト対策を一体として、社会全体でこれに備える水防災意識社会の再構築への取組が必要。

⇒「逃げ遅れゼロ」、「社会経済被害の最小化」を実現し、同様の被害を二度と繰り返さない抜本的な対策が急務。

法案の概要

※水害からの的確な避難や被害拡大防止のため関係者の役割・連絡体制を時系列で整理した行動計画。

1.「逃げ遅れゼロ」実現のための多様な関係者の連携体制の構築

大規模氾濫減災協議会の創設

○　国土交通大臣又は都道府県知事が指定する河川において、流域自治体、河川管理者等からなる協議会を組織。

○　水害対応タイムラインに基づく取組等の協議結果を構成員は各々の防災計画等へ位置づけ、確実に実施。

▼協議会のイメージ
「水害対応タイムライン」（※）等を協議会で作成・点検。

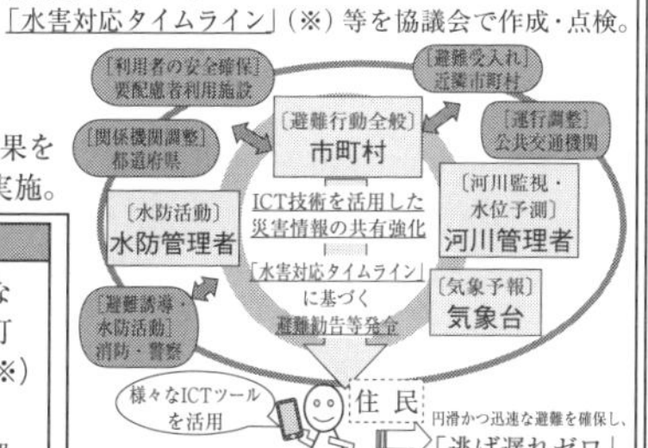

市町村長による水害リスク情報の周知制度の創設

○　洪水予報河川や水位周知河川に指定されていない中小河川についても、過去の浸水実績等を市町村長が把握したときは、これを水害リスク情報（※）として住民へ周知する制度を創設。

※河川が氾濫した場合に浸水が予想されるエリア・水深等の危険情報

災害弱者の避難について地域全体での支援

○　洪水や土砂災害のリスクが高い区域に存する要配慮者利用施設について、避難確保計画作成及び避難訓練の実施を義務化（現行は努力義務）し、地域社会と連携しつつ確実な避難を実現。

平成28年台風10号により、岩手県の要配慮者利用施設では利用者9名の全員が死亡。

2.「社会経済被害の最小化」のための既存資源の最大活用

国等の技術力を活用した中小河川の治水安全度の向上　予算制度関係

○　既存ストックを活用したダム再開発事業や、災害復旧事業等のうち、都道府県等の管理河川で施行が困難な高度な技術力等を要するものについて、国・水資源機構による工事の代行制度を創設。

民間を活用した水防活動の円滑化

○　水防活動を行う民間事業者へ緊急通行等の権限を付与。

浸水拡大を抑制する施設等の保全

○　水防管理者が指定する輪中堤等の掘削、切土等の行為を制限。

【目標・効果】
洪水時の逃げ遅れによる人的被害ゼロを実現
（KPI）要配慮者利用施設における避難確保計画の作成・避難訓練の実施率｛716/31,208施設（約2％）（2016年3月）⇒関係機関と連携し、2021年までに100％を実現
大規模氾濫減災協議会の設置率｛134/367協議会※（約37％）（2016年12月）⇒都道府県に働きかけ、2021年までに100％を実現
※現行協議会は法施行後に法定協議会へ改組予定
※法定協議会の母数は見込み

（平成27年11月19日施行）

下水道法及び日本下水道事業団法の改正の概要

背景

○ 下水道の排水能力を超える局地的な集中豪雨等により、駅前や市街地での浸水被害が多発
○ 汚水処理区域の見直しに伴い、下水道による汚水処理を行わないこととした地域において、雨水排除に特化した下水道整備が必要
○ 今後、老朽化した下水道施設が増加する中、適切な管理による下水道機能の維持が急務
○ 地方公共団体において、下水道技術職員の減少等による執行体制の脆弱化が進行
○ エネルギー基本計画等を踏まえ、再生可能エネルギーの活用促進が必要

方向性 / 改正の概要

◇：下水道法改正　□：日本下水道事業団法改正

方向性	改正の概要
比較的発生頻度の高い内水に対する地域の状況に応じた浸水対策 ◆都市機能が集積する区域における官民連携による浸水対策の推進	◇ 市町村の条例で「浸水被害対策区域」を指定 ・民間雨水貯留施設を下水道管理者が協定に基づき管理する制度を創設 ・協定制度では対応困難な場合に、市町村の条例により、民間の排水設備に貯留浸透機能を付加させることができる制度を創設 →都市機能が集積する区域における浸水被害を軽減
◆下水道による汚水処理を行わないこととした地域での雨水排除	◇ 雨水排除に特化した公共下水道の導入 →下水道により汚水処理を行わないこととした地域における浸水被害を軽減
持続的な機能確保のための下水道管理 ◆計画的な施設管理の推進	◇ 維持修繕基準を創設 ◇ 事業計画の記載事項として点検の方法・頻度を追加 →予防保全を中心とした戦略的な維持管理・更新により下水道の機能を持続的に確保
◆広域的な連携による事業の効率化 ◆日本下水道事業団による支援機能の強化	◇ 下水道管理の広域化・共同化を促進するための協議会制度を創設 □ 地方公共団体の要請に基づき、日本下水道事業団が高度な技術力を要する管渠の更新等や管渠の維持管理をできるよう措置（発注、監督管理等）、併せて代行制度を導入　→執行体制が脆弱な地方公共団体においても適切な事業実施が実現
再生可能エネルギーの活用促進	◇ 下水道の暗渠内に民間事業者による熱交換器の設置を可能とする規制緩和 →民間事業者による下水熱の利用により再生可能エネルギーの活用を促進

付　録8　持続的な汚水処理システム構築に向けた都道府県構想策定マニュアル

（厚生労働省健康局水道課　平成25年4月より）

持続的な汚水処理システム構築に向けた都道府県構想策定マニュアル

○都道府県構想の目的

市街地のみならず農山漁村を含めた市町村全域において、各種汚水処理施設の整備並びに増大する施設ストックの長期的かつ効率的な運営管理について、地域のニーズを踏まえ、適切な役割分担の下、計画的に実施していくために、都道府県が市町村と連携して策定（平成7年の3省通知に基づく制度）。

●新しいマニュアルのポイント

①人口減少や厳しい財政事情等を踏まえ、都道府県構想の徹底した見直しを加速させるため、汚水処理を所管する国土交通省、農林水産省、環境省の3省統一して作成した初のマニュアル。

②汚水処理施設の整備区域の設定は、経済比較を基本としつつ、時間軸等の観点を盛り込むこととした。

- 今後10年程度を目標に、「地域のニーズ及び周辺環境への影響を踏まえ、各種汚水処理施設の整備が概ね完了すること」（概成）を目指し、効率的かつ適正な整備手法の選定（図−1上段）を行うとともに、アクションプランでは早期整備の観点から弾力的な対応を検討する（図−1中段）。
- 水環境の保全（高度処理の必要性、早期整備による水環境改善等）、施工性や用地確保の難易度、処理水の再利用（農業用水としての再利用等）、汚泥の利活用（エネルギー利活用及び堆肥化による農地への利用等）の可能性、災害に対する脆弱性などの地域特性、住民の意向、人口減少等の社会情勢の変化も勘案する。

③持続可能な汚水処理の運営を行うため、未整備地区の整備手法だけでなく、長期的（20〜30年）な観点から既整備地区の効率的な改築・更新や運営管理手法についても併せて検討することとした（図−1下段）。

持続的な汚水処理システム構築に向けた都道府県構想策定マニュアル

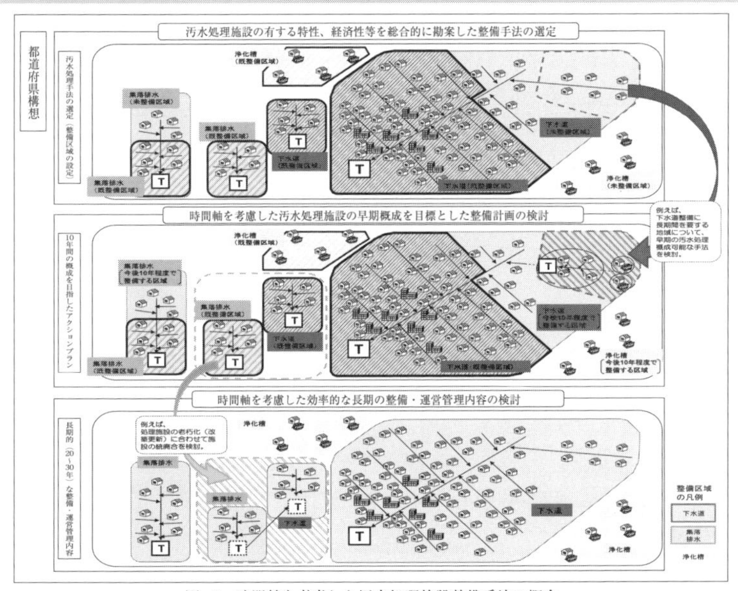

図−1　時間軸を考慮した汚水処理施設整備手法の概念

付　録9　新下水道ビジョン加速戦略

（厚生労働省健康局水道課　平成25年4月より）

新下水道ビジョン加速戦略（H29.8）の概要

背景
・新下水道ビジョン策定（H26.7）から約3年が経過、人口減少等に伴う厳しい経営環境、執行体制の脆弱化、施設の老朽化は引き続き進行
・一方、官民連携や水ビジネスの国際展開など、国内外で新たな動き

趣旨
・新下水道ビジョンの実現加速のため、社会情勢等を踏まえ、選択と集中により国が5年程度で実施すべき8つの重点項目及び基本的な施策をとりまとめ
・本加速戦略については概ね3年後を目途に見直しを行い、さらなるスパイラルアップを推進

8つの重点項目と施策例

◎：直ちに着手する新規施策
○：逐次着手する新規施策
◇：強化・推進すべき継続施策

8つの重点項目の各施策の連携と『実践』、『発信』を通じ、産業を活性化、さらなる施策の拡大、国民生活の安定、向上につなげるスパイラルアップを形成

新たに推進すべき項目　　取組みを加速すべき項目

重点項目Ⅰ　官民連携の推進
◇トップセールスの継続的な実施
◎企業が安心して参入することができるよう、リスク分担や地方公共団体の関与のあり方の整理
◎上下水道一体型など他のインフラと連携した官民連携を促進する仕組みの整理

重点項目Ⅲ　汚水処理システムの最適化
◎広域化目標の設定、国による重点支援
◎複数施設の集中管理のためのICT活用促進
◎四次元流総の策定及び広域化等を促進する新たな流総計画制度の整理
◇複数の市町村による点検調査・工事・維持管理業務の一括発注の推進支援

重点項目Ⅴ　水インフラ輸出の促進
◎日本下水道事業団の国際業務の拡充検討
◎現地ニーズを踏まえた本邦技術の海外実証の実施、現地基準等への組入れ
◎都市開発、浄化槽等とのパッケージ化によるマーケットの拡大

重点項目Ⅱ　下水道の活用による付加価値向上
○ディスポーザーの活用及び下水道へのオムツの受入れ可能性の検討（実証実験等）
◎広域的・効率的な汚泥利用（地域のバイオマスステーション化）への重点的支援
○BISTRO下水道の優良取組み等の発信、メディエーター（仲介役）を介した関係者の連携促進

重点項目Ⅳ　マネジメントサイクルの確立
◎データベース化した維持管理情報の活用による修繕・改築の効率化（維持管理を起点としたマネジメントサイクルの標準化）
○蓄積された維持管理情報の分析、ガイドラインや具体的な基準の策定、改定
◇PPP/PFI、広域化・共同化、省エネ技術採用等を通じたコスト縮減の徹底、受益者負担の原則に基づく適切な使用料設定の促進
○下水道の公共的役割、国の責務等を踏まえた財政面での支援のあり方について整理

重点項目Ⅵ　防災・減災の推進
◎SNSや防犯カメラ等による浸水情報等の収集と情報を活用した水位周知の仕組みの導入支援
○コンパクトシティの推進等、まちづくりと連携した効率的な浸水対策の実施支援
◇施設の耐震化・耐津波化の推進支援
◇下水道BCP（業務継続計画）の見直しの促進

官民連携、ストックマネジメント、水インフラ輸出等、各施策のさらなる拡大

新下水道ビジョンの実現加速
国民生活の安定、向上へ

国民理解による各施策の円滑な推進

重点項目Ⅷ　国民への発信
◇全国統一的なコンセプトによる広報企画や下水道の新しい見せ方などの戦略的広報の実施
○学校の先生等、キーパーソンを通じた下水道の価値の発信
◎広報効果の評価手法を検討し広報活動のレベルアップへ活用

より生産性の高い産業へと転換

重点項目Ⅶ　ニーズに適合した下水道産業の育成
○民間企業の事業参画判断に資する情報の提供
○民間企業が適切な利益を得ることができるPPP/PFIスキームの検討及び提案
○B-DASH等の活用による、ICTやロボット技術等労働生産性向上に資する技術開発の促進

関連施策の総力による
下水道のスパイラルアップ

下水道事業の持続性確保
海外案件の受注拡大
民間投資の誘発

下水道産業を活性化

関連市場の維持・拡大

重点項目Ⅰ　官民連携の推進

○主な背景・課題

社会情勢
・職員数の減少、老朽化施設の急増、厳しい経営環境という「人」「モノ」「カネ」の問題が深刻化しており、特に中小地方公共団体単独では持続的な事業運営は困難な状況も見られる。

政府の方針
・コンセッション方式等の多様な PPP / PFI を推進する
- ●経済財政運営と改革の基本方針 2017
- ●未来投資戦略 2017
- ●PPP / PFI 推進アクションプラン（平成 29 年版）

○取組みの方向性

・コンセッション方式等への官民の理解促進、民間側が安心して参入できるための手法の整理等を通じた多様な PPP / PFI の促進

○主要施策

◎：直ちに着手する新規施策
○：逐次着手する新規施策
◇：強化・推進すべき継続施策

コンセッション事業等をはじめとする多様な PPP/PFI の促進

◇トップセールス、地方公共団体担当者説明会等、継続的な取組みによるコンセッション方式等への官民の理解促進
◎企業が安心して参入できるための、リスク分担や地方公共団体の関与のあり方の整理
◎上下水道一体型など他インフラと連携した官民連携を促進する仕組みの整理

補足：PPP/PFI のメリット

管理者が期待する PPP/PFI のメリット（地方公共団体規模別）

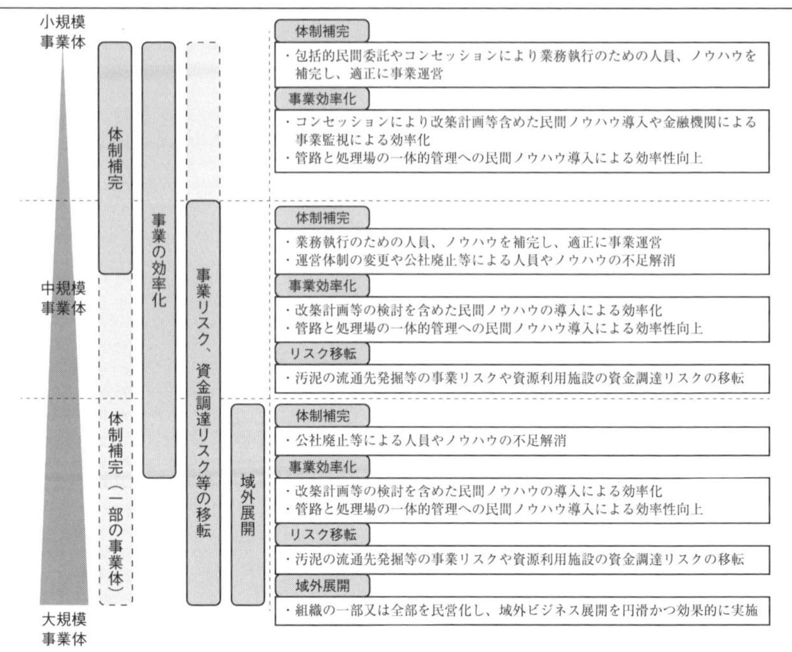

※平成 26 年 3 月国土交通省水管理・国土保全局下水道部「下水道事業における公共施設等運営事業の実施に関するガイドライン」より

民間事業者が期待する PPP/PFI のメリットの例

①運営維持を軸に投資やマネジメントも含む受託

- 従来の建設工事中心ではなく、維持・運営を含む領域への業務範囲の拡大
  - ・コンセッション方式等の施設のトータルマネジメントを行う事業
  - ・民間に蓄積される維持管理ノウハウを活かした迅速な老朽化対策や長寿命化の取組が可能な業務
  - ・未普及地域解消のための、施設早期建設等による自治体の早期収益化に資する業務
- 民間事業者が複数の自治体から一括で業務受注することによる、広域化と効率化の実現

②管路と処理場業務の一体化

- 管路と処理場にて一体的に民間活用し、集水（管路）と処理（下水処理場）の関連性を一元的に民間事業者が把握することによる、不明水・漏水対策のほか、流入特性、地域特性に基づいた効率的な維持管理の実現

③長期の契約期間の業務

- 長期の契約期間であることにより、創意工夫の効果が発揮可能
- 長期契約の方が、自社管理施設という意識が高まり、災害時の緊急時など積極的対応

④海外事業参画に資する事業

- 業務内容が国際入札参加資格獲得に資する受注実績の獲得
- 国際競争力強化のための契約やファイナンスを含めたトータルソリューション経験が可能な業務が必要

※平成 26 年 3 月国土交通省水管理・国土保全局下水道部「下水道事業における公共施設等運営事業の実施に関するガイドライン」より

重点項目Ⅱ　下水道の活用による付加価値の向上

○主な背景・課題

・下水道は管渠、処理場等のストックや処理水・汚泥等の資源を有しており、これらを効果的に活用することで今後の住民ニーズに対応し、生活者の利便性や地域経済に貢献することが可能

・下水汚泥や下水熱は大きなエネルギーポテンシャルを有しているが、下水汚泥エネルギー化率は依然16%（平成27年度末）
・肥料等に用いられるリンは全量を輸入に依存している戦略物資であり、輸入量（約40万t/年）の1割強が下水処理場に流入しているが、有効活用されているリンはそのうち1割程度

○取組みの方向性

・人口減少に伴う既存ストックの余裕能力も活用し、下水道全体の価値を向上させ、効果的・効率的な下水道事業を展開していく
・下水汚泥や下水熱のエネルギー利用や下水道施設の省エネ化を進めることで、概ね20年で下水道事業における電力消費量半減を目指す
・下水道に流入するリンの肥料等としての有効活用を推進する

下水道のストックや資源を活用した付加価値の創出（イメージ）

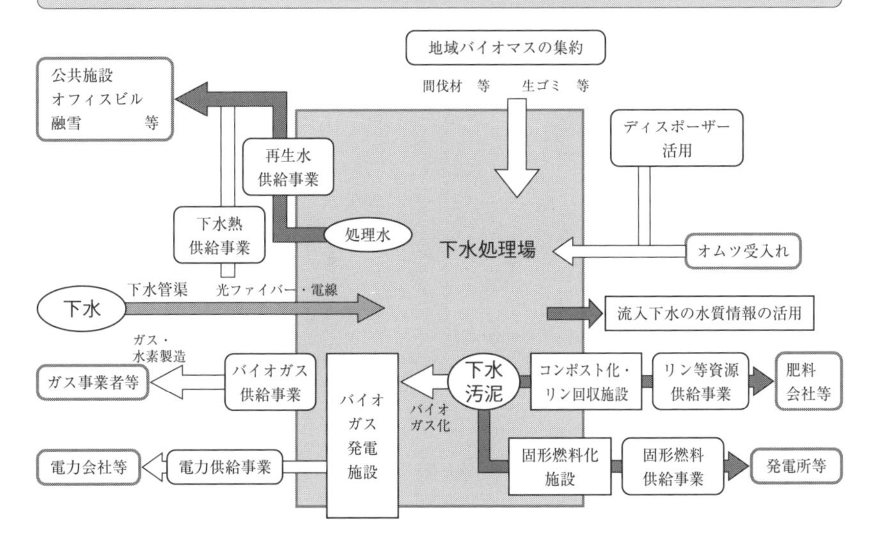

○主要施策

◎：直ちに着手する新規施策
○：逐次着手する新規施策
◇：強化・推進すべき継続施策

(1) 住民の生活利便性の向上

下水道へのオムツの受け入れ検討
○ディスポーザーの活用及び下水道へのオムツ受入れ可能性の検討

トイレの横におむつも分解できるディスポーザーを設置

・高齢化社会の進行に伴う介護等の負担増を軽減するとともに、健康的な生活を営むことに貢献
・子育て負担の軽減により、少子化対策や女性活躍支援に貢献

＜下水道としての主な課題＞
・流下阻害の発生条件や水処理系・汚泥処理系における挙動の把握と、下水道への受入れ基準検討
・負荷量増による環境影響
・利用者の適正利用遵守方策検討

（参考）連携して進めるべき主な課題
・流せるオムツ素材の開発
・オムツを分解できるディスポーザーの開発
・オムツ圧送用宅内配管システムの開発

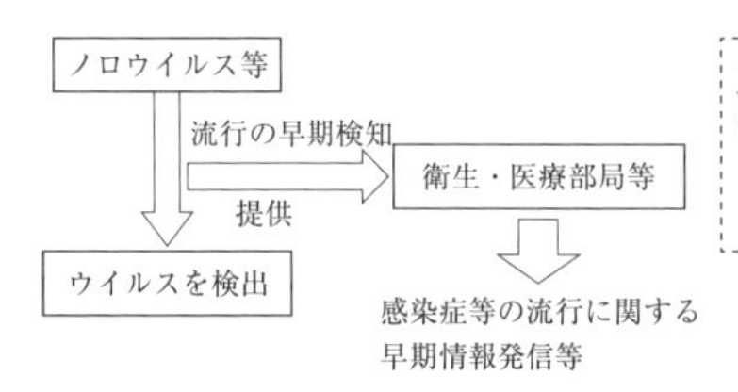

下水水質情報等の活用
◎下水水質情報等を活用した感染症流行の早期感知と情報発信に向けて、関係機関の役割分担や情報提供の内容・ツール等の検討及び社会実験の実施

・関係機関が連携し、下水の有する「水質情報」を活用することで、効果的な感染症予防に貢献

(2) 資源・エネルギー利用の促進

下水汚泥の燃料化・肥料化推進
◎PPP/PFIの活用や地域バイオマス受入れ等による広域的・効率的な汚泥利用（下水処理場の地域バイオマスステーション化）等、地域における最適化への重点的支援

・省エネ・創エネの推進により、概ね20年での下水道事業の電力消費量半減を実現

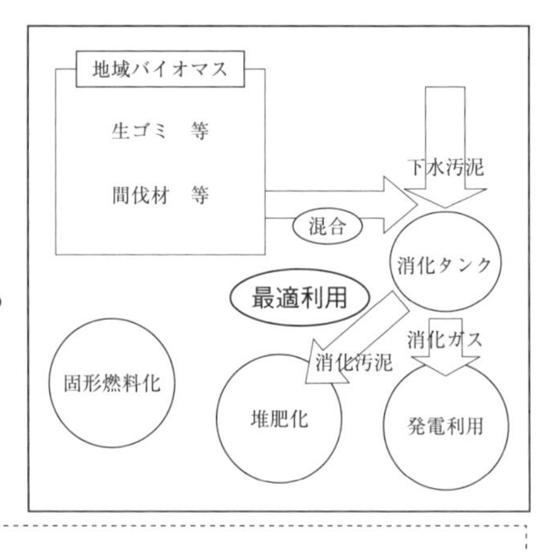

BISTRO下水道の推進
○優良取組みや効果等の発信、メディエータ（仲介役）を介した農業関係者と下水道事業者の連携促進

・リン資源を確保するとともに、下水道資源を活用した地域活性化に貢献

重点項目Ⅲ　汚水処理システムの最適化

○主な背景・課題

・職員数の減少、老朽化施設の急増、厳しい経営環境という「人」「モノ」「カネ」の問題が深刻化

○取組みの方向性

・下水道、集落排水、浄化槽の役割分担を定め最適な汚水処理手法を明確化した上で、スケールメリットを活かした効率的な事業運営に向けて、最適な施設規模や執行体制を構築していく
・人口減少等社会情勢の変化に対応できる技術の導入を促進

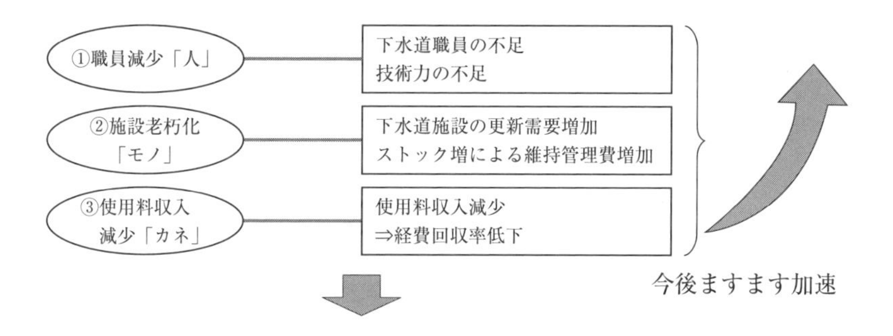

下水道事業の持続のため、社会情勢の変化を踏まえた最適化への取組みが必要

コスト比較の概念図

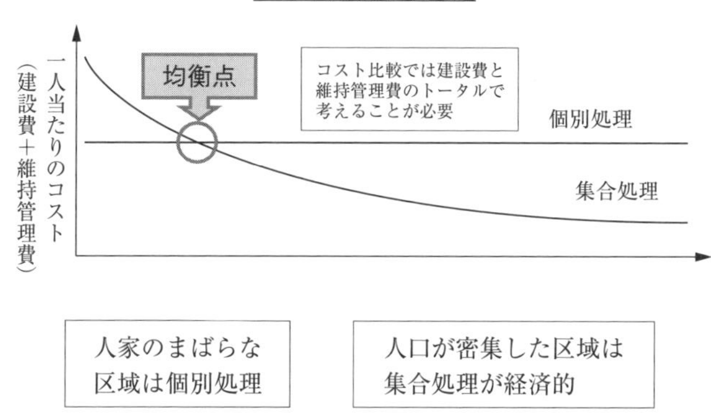

人家のまばらな区域は個別処理

人口が密集した区域は集合処理が経済的

○主要施策

◎：直ちに着手する新規施策
○：逐次着手する新規施策
◇：強化・推進すべき継続施策

(1) 役割分担の最適化

◇下水道、集落排水、浄化槽の役割分担を定めた「都道府県構想」の定期的な見直しの促進、構想に基づく汚水処理の10年概成の推進支援

(2) 施設規模・執行体制の最適化（広域化・共同化）

◎広域化目標の設定、計画的に広域化が推進されるための重点支援の実施
◎都道府県主導により広域化の推進を管内市町村に促すための意見交換の場となる協議会等の設置及び協議結果の「都道府県構想」への定期的な反映促進
◎四次元流総の策定促進及び広域化等を促進する新たな流総計画制度の具体案提示

①施設規模の最適化

◇下水処理場等、施設の統廃合の推進支援

【施設の統廃合の例】

下水道　A処理区
集落排水　B地区
下水処理場 ◀- - 接続管渠 - - 集落排水処理場 ⇒ポンプ場に改築

②執行体制の最適化

◎下水処理場等、複数施設の集中管理、遠隔制御等を行うためのICTの活用促進
（例：データ項目等の仕様の共通化）

X処理場
単独制御
A社仕様

Y処理場
単独制御
B社仕様

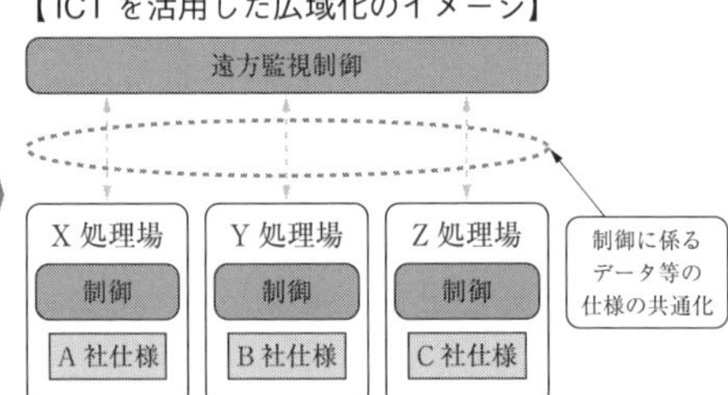

(3) 効果的な導入技術の開発

◇B－DASH等の活用による、人口減少等社会情勢の変化に柔軟に対応可能な水処理技術等の開発の促進

ダウンサイジングの方法

● 人口減少により流入水量が減少した場合
→水処理ユニットを段階的に減らすことで対応

流入水 → 反応タンク → 処理水

重点項目Ⅳ　マネジメントサイクルの確立

（維持管理起点のマネジメントサイクル）

○主な背景・課題

・下水道施設、特に管路施設の点検・診断、修繕・改築に関する基準は、一部定量的な規定※はあるが、現状では具体的な基準やガイドラインが不十分であり、管理者、受託者、現場従事者の経験や判断に委ねられている部分が多い
・また、維持管理情報を含む施設情報のデータベース化が遅れており、点検・調査履歴等の維持管理情報の集積・分析が十分に行われていない（このため基準も不十分）

※腐食環境下のコンクリート管の点検頻度は5年に1回以上。

○取組みの方向性

・維持管理情報を効率的、効果的に計画・設計、修繕・改築に活かすため、"維持管理を起点とした"マネジメントサイクルの確立を推進

<従来のストックマネジメント（線的なフロー）>

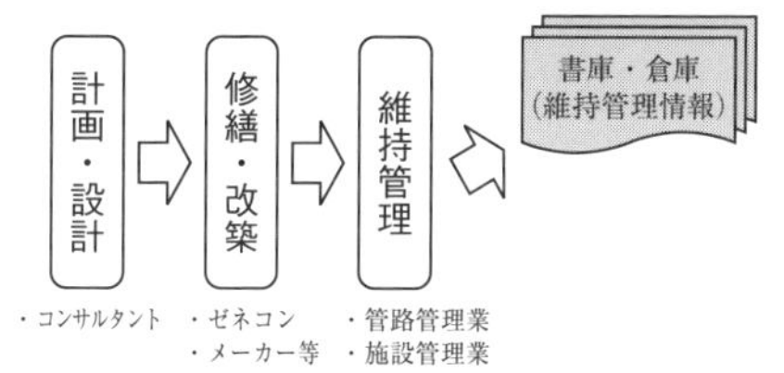

○主要施策

◎：直ちに着手する新規施策
○：逐次着手する新規施策
◇：強化・推進すべき継続施策

維持管理情報を活用した新たなマネジメントサイクルの確立と実践

◎日常の維持管理情報をデータベース化し、下水道ストックマネジメント計画の策定や効率的な修繕・改築に活用する、新たなマネジメントサイクルの標準化・水平展開

○蓄積された維持管理情報の分析、点検・診断、修繕・改築に関するガイドラインや具体的な基準の策定、改定

<マネジメントサイクルの構築イメージ>

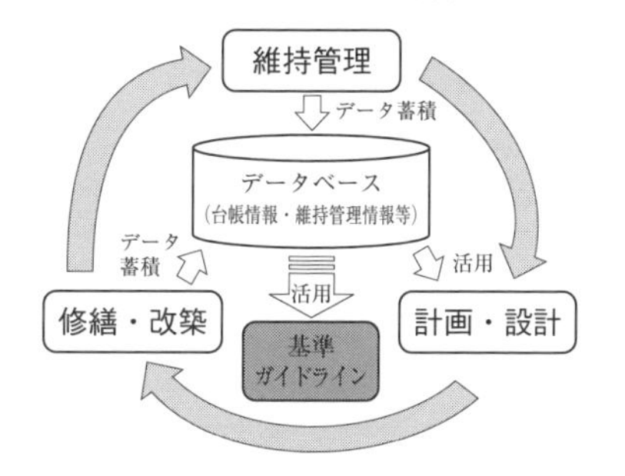

（健全な下水道経営の確保）

○主な背景・課題

・今後、改築・更新需要の増大や人口減少などが明らかな傾向
・特に、地方部ほど人口減少のペースが速いなか、都市と地方の汚水処理原価／下水道使用料の格差が拡大するおそれ
・各下水道管理者は必要かつ十分な維持修繕を行うとともに、自らの経営状況や課題を的確に把握し、マネジメントサイクルを通じて経営の健全化に効果的な方策を選択、着実に実施することが必要

【都市規模毎の使用量設定水準と経費回収率】

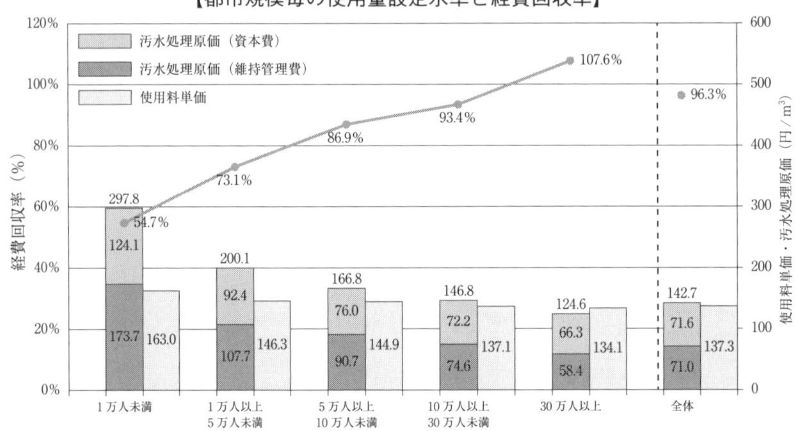

○取組みの方向性

・今後、改築・更新需要の増大や人口減少が見込まれるなか、下水道の性格や公共的役割等を踏まえた支援のあり方について改めて検証・検討を行う

○主要施策

◎：直ちに着手する新規施策
○：逐次着手する新規施策
◇：強化・推進すべき継続施策

健全な下水道経営の確保

◇PPP/PFI、広域化・共同化、省エネ技術採用等を通じたコスト縮減の徹底、受益者負担の原則に基づく適切な使用料設定の促進
○経営改善やマネジメントサイクル等の取組みをより一層促し、下水道の持続可能性を高めていく観点から、下水道の公共的役割・性格や国の役割・責務等を踏まえた財政面での支援のあり方について整理

重点項目Ⅴ　水インフラ輸出の促進

○主な背景・課題

・下水道を含む世界の水市場は拡大傾向にあり、平成29年度の下水道市場規模の予測値は27.2兆円
・海外展開は「国際貢献」や「国際協力」の文脈から取り組まれる傾向にあったが、近年、「水インフラ輸出」「水ビジネス展開」として取組みを強化している
・一方で、本邦企業の受注は依然として限定的

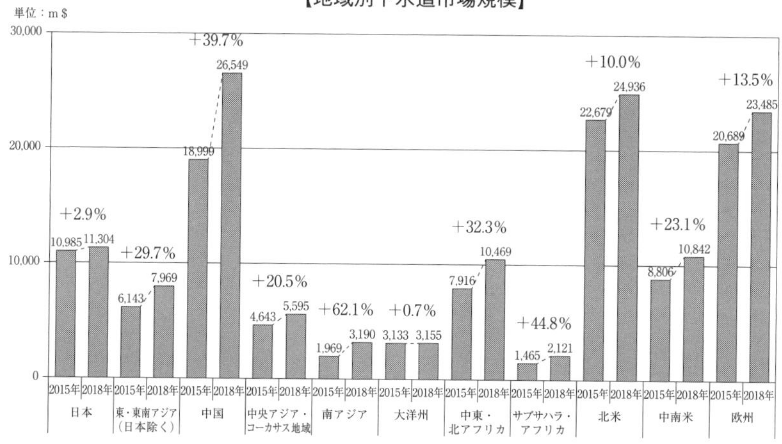

出所）Global Water Market 2014

○取組みの方向性

・効果的なマーケット拡大・案件形成の加速化を推進
・更に、国内・国外一体となった戦略の下での取組み、国内関係機関を中心に、推進体制の強化を図る
・海外で培った安価かつ短工期の技術、ノウハウを国内に還元することで国内事業にも貢献

○主要施策

◎：直ちに着手する新規施策
○：逐次着手する新規施策
◇：強化・推進すべき継続施策

(1) 推進体制の整備

◎日本下水道事業団の国際業務の拡充検討
（例：民間企業等と連携した海外下水道事業に係る実現可能性調査の受託等）

(2) 国内・国外一体となった戦略

◎現地ニーズを踏まえた本邦技術の海外実証の実施および現地基準等への組入れ
○海外展開した本邦技術の国内適用性に関する検討

● 「前ろ過散水ろ床法」普及活動の事例
・実証試験の実施状況
・海外向け技術確認書の手交
（JS−ベトナム国建設省）
・実証施設
（高知市下知水再生センター）

(3) 効果的なマーケット拡大・案件形成の加速

◇JICA 等との連携の下、案件の計画段階からの本邦技術のスペックインの促進
◎下水道と関連分野をパッケージ化した案件の提案、事業化（例：下水道と都市開発の一体的案件形成、下水道と浄化槽のパッケージ化等）
◇地方公共団体、相手国政府・教育機関との連携による下水道や水循環の重要性に関する啓発活動の実施

プノンペン・下水道マスタープランの例
（中心部は下水道、周辺は浄化槽）

●カンボジア国における啓発活動の例【2017. 2】
・国交省・北九州市が共同で出展したブース
・一般市民向けアニメーション動画
（現地在住の日本人クリエーターが作成）

重点項目Ⅵ　防災・減災の推進

（浸水対策）

○主な背景・課題

・近年、雨の降り方が局地化、集中化、激甚化

○取組みの方向性

・「ストックの最大活用」や「逃げ遅れゼロ」のためリアルタイムの観測情報を効率的に収集・活用
・激甚化する豪雨に対し、まちづくりや河川、民間企業との連携により効率的な浸水被害軽減を実現

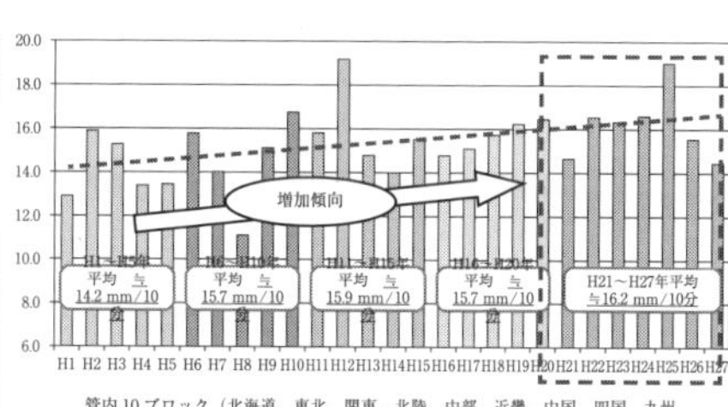

管内10ブロック（北海道、東北、関東、北陸、中部、近畿、中国、四国、九州、沖縄）の主要雨量観測所における10分間降雨年間最大値の平均値
（出典・気象庁 HP 統計データより作成）

○主要施策

◎：直ちに着手する新規施策
○：逐次着手する新規施策
◇：強化・推進すべき継続施策

（1）雨水管理総合計画の策定促進

◇地方公共団体における雨水管理総合計画の策定促進に向けた取組みの継続的な実施

（2）SNS 情報や防犯カメラ等を活用した雨水管理の推進

◎SNS 情報や防犯カメラ等を活用した浸水情報等の収集及び収集した水位・浸水情報を活用した水位周知の仕組みやタイムライン等の導入支援

（3）まちづくりや河川、民間企業と連携した浸水対策の実施

○コンパクトシティやグリーンインフラの推進等、まちづくりと連携した効率的な浸水対策の実施支援
（例：グリーンインフラとして、水循環の形成等にも寄与する雨水貯留浸透施設の導入促進）

住民・事業者等からの浸水情報収集とその活用

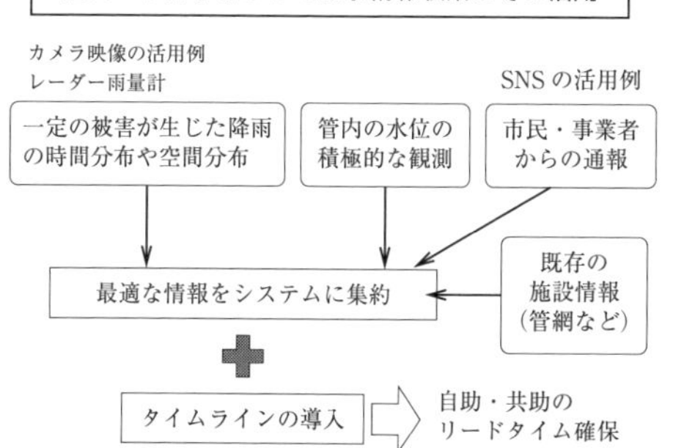

まちづくりとの連携

●コンパクトシティ等の施策と連携し、各区域に合わせた雨水対策を検討
・立地適正化計画区域
・居住誘導区域
・都市機能誘導区域
・地域公共交通

（地震対策等）

○主な背景・課題

・南海トラフ地震や首都直下地震等の巨大地震に備え、さらなる対策の推進が必要

○取組みの方向性

・構造面での耐震化、耐津波化による「防災対策」と、被害を最小限に抑制する「減災対策」を併せて実施することを基本として、引き続きこれらの取組みを推進

○主要施策

◎：直ちに着手する新規施策
○：逐次着手する新規施策
◇：強化・推進すべき継続施策

効果的な地震対策の推進

◇耐震化、耐津波化の推進支援
◇下水道 BCP（業務継続計画）の見直しの促進
◇B-DASH 等の活用による安価かつ省エネルギーで、平常時でも使用でき、迅速な災害復旧にも活用可能な処理技術等の開発促進

【耐震化の例】

マンホールにおける対策

マンホールに抑制荷重による浮上防止対策を行い耐震化を図る

可とう性継ぎ手の設置

マンホールと管渠の接続部に可とう性継ぎ手を設置し、継ぎ手部分をフレキシブルにすることにより耐震化を図る

その他の災害対応

○甚大な被害が予想されるその他災害（噴火等）についての対応方針のとりまとめ、提示

重点項目Ⅶ　ニーズに適合した下水道産業の育成

○主な背景・課題

・我が国の企業は、下水道事業全体の運営を行う経験が乏しいため、国内下水道事業のコンセッションへの移行や海外における事業受注に即時に取り組めない状況
・加えて、今後生産年齢人口が大幅に減少する見込みであり、そのような状況下で必要な人材を確保・育成する取組みが必要

○取組みの方向性

・民間企業の下水道事業における運営ノウハウの蓄積
　⇒PPP/PFIの促進による、民間企業の下水道事業運営機会の創出を通じた、海外市場においても競争力を持つ企業の育成
・持続的な下水道サービスを支える技術者等人材の確保・育成
　⇒待遇（給料、労働時間等）及び生産性の向上による収益性の高い事業への転換及び専門性の高い技術者や経営リーダー人材の確保・育成

○主要施策

◎：直ちに着手する新規施策
○：逐次着手する新規施策
◇：強化・推進すべき継続施策

(1) 民間企業の下水道事業における運営ノウハウの蓄積

○下水道事業、施設等について民間企業の事業参画判断に資する情報提供のあり方の整理
◎PPP/PFIの促進による、民間企業の下水道事業運営機会の創出を通じた、海外市場において競争力を持つ企業の育成
（例：設計・施工から事業運営までの各業種間の連携促進、一連の業務を総合的にマネジメントできる企業の育成、浄化槽、廃棄物処理業等他インフラ間の連携促進等）

(2) 持続的な下水道サービスを支える技術者等人材の確保・育成

○民間企業が適切な利益を得ることができるPPP/PFIスキームの検討及び提案（例：共同発注による事業規模の拡大、資源利用等地域の特色を活かして収益を生む事業の拡大等）
○B-DASH等の活用による、ICTやロボット技術等労働生産性向上に資する技術開発の促進
○技術力を有する地域企業が、包括的民間委託・コンセッション等を受託する事業体に参画しやすいスキームの検討・提案

重点項目Ⅷ　国民への発信

○主な背景・課題

・国民の関心事と下水道事業者の発信内容にギャップ
・国民の下水道への関心が低いため、単に発信しても下水道の必要性や現状が伝わりにくい

○取組みの方向性

・持続的な下水道事業の実現に向け、国民に（a）下水道への関心を高めてもらい、（b）下水道を自分ゴトと捉え理解してもらい、（c）下水道事業へ協力してもらえるよう段階的に働きかけていく必要があり、そのための住民の関心レベルに応じた段階的な広報が必要

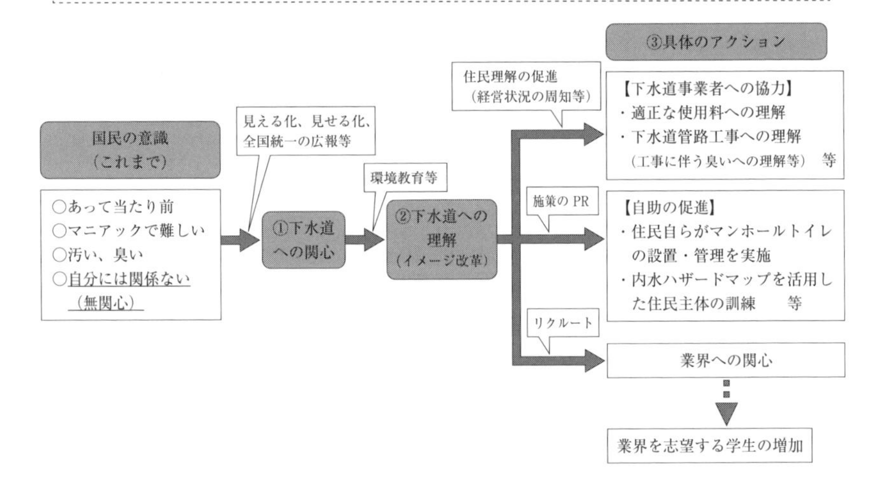

○主要施策

◎：直ちに着手する新規施策
○：逐次着手する新規施策
◇：強化・推進すべき継続施策

（1）国、地方公共団体、民間企業の役割分担と連携による戦略的広報の実施

◇全国統一的なコンセプトのもと広報企画を立案するとともに、地方公共団体等が使いやすい広報ツールを作成（例：マンホールカード）

・全国統一の広報やキャンペーンの実施により、観光との連携も睨んだ戦略的な広報を実施
・下水道への関心を高めることで、下水道そのものの魅力や価値を訴求

(2) 国民へ下水道の価値が伝わりやすい情報の発信

◇普段使い、体験・参加型等の下水道を見える化、見せる化する広報の促進
○キーパーソン（小学校の先生、観光事業者、著名人等）を通じた下水道の価値の発信・伝播の促進

・イベント等におけるマンホールトイレの利用を促し、マンホールトイレの認知度向上に加え、イベント自体の満足度向上にも貢献
・マンホールトイレの周知を図ることで自助を促進し、地域防災力を強化

(3) 教育課程における下水道への関心の醸成、リクルート力の強化

◇学校関係者との連携による、小学校～大学の各教育カリキュラムにおける下水道関連授業等の企画の促進

若い世代ほど下水道への関心が低下する中、将来の下水道事業を支える学生に対し、ワークショップ・インターンシップ等により下水道の魅力を精力的に発信

(4) 広報効果を評価・把握し、広報活動のレベルアップへ活用

◎行政モニター制度等を活用した広報効果等の評価および PDCA サイクルを通じた広報活動のレベルアップ

・これまでは広報の効果がわかりにくいこともあり、実施した活動に対する評価が不十分
・Check、Act を適切に実施することによる広報のレベルアップ

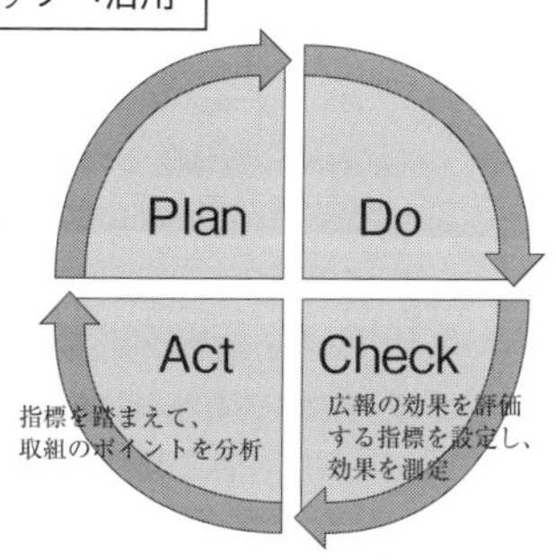

新下水道ビジョンと重点項目との関連

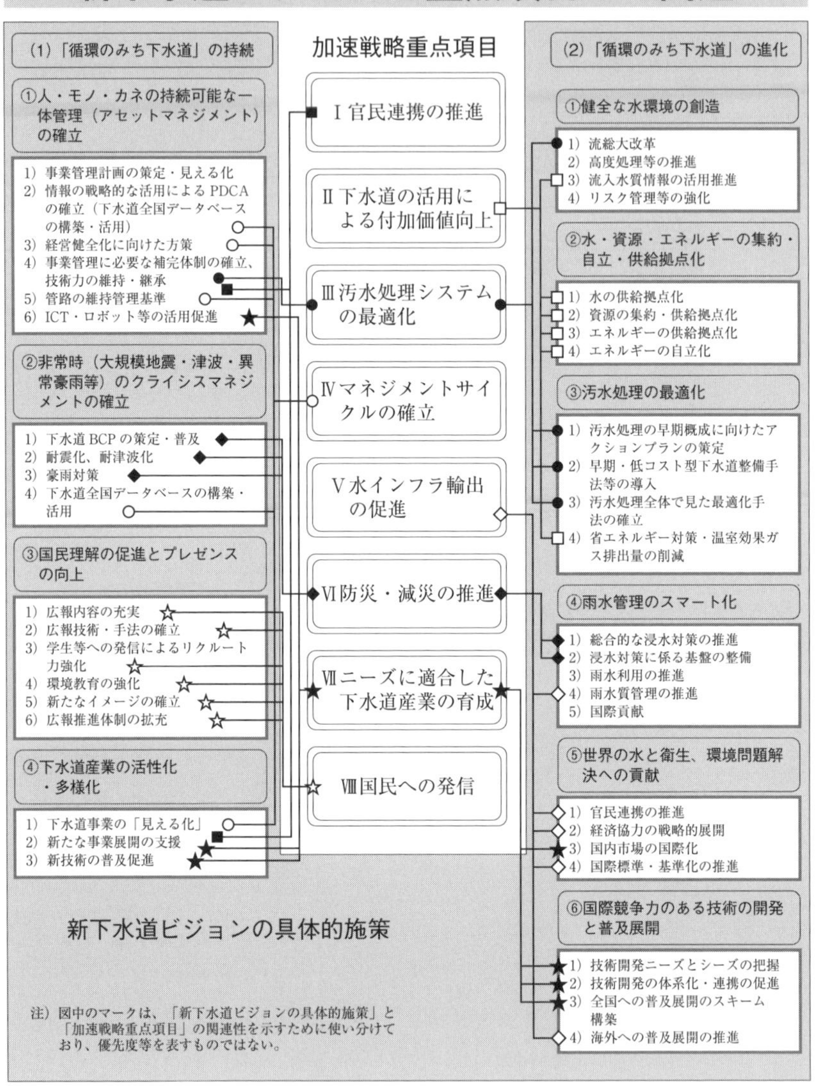

論文試験　重要キーワード索引

（上水道及び工業用水道、下水道）

■さ行

■た行

■な行

■は行

■ま行

■や行

■ら行

口頭試験　重要キーワード索引

（技術者倫理、技術士法）

おわりに

技術士制度は、「科学技術に関する技術的専門知識と高等の応用能力及び豊富な実務経験を有し、公益を確保するため、高い技術者倫理を備えた、優れた技術者」の育成を図るため、国による資格認定制度として創設されました。この中で注目すべきは、技術者倫理という言葉が当初から入っていたことです。

技術者は、社会において、科学技術を人間生活に利用する役割を担っており、次の3つの使命があります。

①科学技術の危害を抑止する

②公衆を災害から救う

③公衆の福利を推進する

このような倫理観を持って、多様化し複雑化する技術業務の第一線に当たるのが技術士の役目であると考えます。

このように、科学技術に関する高等の応用的専門能力を有する技術士の資格は、技術者にとってまさに取得すべき資格であると思います。

しかしながら、2022年度の技術士第二次試験統計では、上下水道部門の対受験者合格率は10.2%、合格者の平均年齢は42.8歳となっており、数ある国家資格の中でも技術士試験は最難関の技術者試験となっています。

本書は、上下水道技術者の皆様の技術士第二次試験の合格を応援するために企画されました。合格するためのノウハウをできるだけ詰め込みました。コツコツと学習してマスターしていけばきっとゴールである合格が見えてくるはずです。

本書から多くの技術士が生まれていくことを祈念し、皆様の今後のご活躍をお祈り申し上げます。

最後に、本著の出版に際して多大なご助言をいただきました日刊工業新聞社の鈴木徹氏に感謝いたします。

2024年1月

著者一同

編著者紹介——

高堂　彰二　技術士（総合技術監理部門、上下水道部門）
金川　　護　技術士（総合技術監理部門、上下水道部門）
飯田　雅弘　技術士（上下水道部門、電気電子部門）

技術士第二次試験「上下水道部門」対策
〈論文事例〉＆重要キーワード　第７版

NDC 507.3

2011 年　2 月 25 日　初版 1 刷発行
2013 年　2 月 20 日　第 2 版 1 刷発行
2015 年　2 月 25 日　第 3 版 1 刷発行
2018 年　1 月 18 日　第 4 版 1 刷発行
2020 年　2 月 14 日　第 5 版 1 刷発行
2021 年　3 月 25 日　第 5 版 2 刷発行
2022 年　1 月 20 日　第 6 版 1 刷発行
2024 年　2 月　9 日　第 7 版 1 刷発行

（定価は、カバーに表示してあります）

発行者　井水　治博
発行所　日刊工業新聞社
東京都中央区日本橋小網町 14-1
（郵便番号 103-8548）
電話　書籍編集部　03-5644-7490
　　　販売・管理部　03-5644-7403
　　　FAX　03-5644-7400
振替口座　00190-2-186076
URL　https://pub.nikkan.co.jp/
e-mail　info_shuppan@nikkan.tech

印刷・製本　新日本印刷株式会社
組　　版　メディアクロス

落丁・乱丁本はお取り替えいたします。

2024 Printed in Japan

ISBN 978-4-526-08320-4 C3052